СУДНЫЕ ДНИ

СУДНЫЕ ДНИ

≡≡≡

Книга первая
ПОБЕДИТЕЛЬ

Книга вторая
ПРЕДАТЕЛЬ

Книга третья
ДОЛЖНИК

Книга четвертая
КРЕДИТОР & МЕСМЕРИСТ

Андрей ВОЛОС

КРЕДИТОР & МЕСМЕРИСТ

МОСКВА
2017

УДК 821.161.1-31
ББК 84(2Рос=Рус)6-44
     В68

Оформление серии *Сергея Курбатова*

В оформлении переплета использованы
фрагменты фресок из капеллы Бранкаччи (Флоренция).

Волос, Андрей.

В 68   Кредитор & Месмерист : [роман] / Андрей Волос. —
Москва : Издательство «Э», 2017. — 448 с. — (Судные дни).

ISBN 978-5-699-92754-8

4 октября 1993 года писатель Герман Бронников отправился наблюдать за расстрелом Белого дома, его понесло вместе с толпой, он запнулся и ударился головой о парапет набережной. Бронников оказался в больнице — и там ему явились загадочные клоуны Бим и Бом... Так начинается роман «Кредитор» — четвертая книга эпической тетралогии Андрея Волоса «Судные дни».

УДК 821.161.1-31
ББК 84(2Рос=Рус)6-44

КРЕДИТОР

Роман

Если мы умерли так, как мы умерли, значит, с нашей родиной ничего не поделаешь, ни хорошего, ни плохого.

Георгий Владимов,
«Генерал и его армия»

Глава 1

Сказать, что он пришел в себя, было бы явным преувеличением. Частично выплыл из бархатной тьмы, плотно обволакивавшей мозг, — но если бы удалось удержать в разбитой голове хоть сколько-нибудь связную мысль, предпочел бы не высовываться: его встретило что-то нечеловеческое — дикий грохот и вокзальные голоса, казалось, в самые уши:

— Нинка, курва, что ж ты все двери позакрывала!

— Да в рот те пароход, в левые езжай, там помыто уж!

Смысл слов ускользал. Не отдавал он себе отчета и в том, что лежит, безвольно свесив руку, на хромой, без одного колеса, больничной каталке и толстая санитарка, пыхтя от спешки и матькаясь, гонит ее, то и дело с кряком запинающуюся в колдобинах цементного пола, длинными коридорами под неустанным гулом и дьявольским морганием люминесцентных ламп.

Так шумно, громоздко и неряшливо было это движение, что могло представиться и что-нибудь совсем несуразное: будто из-под шаркающих подошв медработницы то и дело с треском вылетают снопы искр и едкие облачка черного дыма, будто обута не в опорки, а в наждаки. Двустворчатые, мотавшиеся туда-сюда двери толстуха шибала с

7

такого разгону и с таким глушащим лязгом, будто намеревалась вовсе их снести: обманчиво-покорно шатнувшись на открывание, створки, предусмотрительно укрепленные стальными полосами, тут же разгонялись обратно, чтобы с размаху ахнуть по боковинам каталки, не успевшей проскользнуть в секундный проем. В каждом следующем колене душившего хлоркой коридора становилось шумнее: над головой беспрестанно крякало, выло, свиристело и гукало, как если бы громовое движение пациента сопровождала целая стая босхиански нелепых и устрашающих существ: ежи с воронками в заду отчаянно хлопали кожистыми крыльями, опасаясь отстать и застревая в проходах, а сисястые нутрии катились кубарем, как попало, то и дело шваркаясь о стены и злобно фыркая, — но если все это и на самом деле существовало, то, скорее всего, исключительно в пульсирующих остатках его воображения — ведь оставалось в нем еще хоть какое-нибудь воображение? — а в действительности: пыхтящая санитарка, вонь и безумолчное щелканье ламп.

Ничего этого он не осознавал, и только одна не до конца вылупившаяся мысль беспокоила дремлющий мозг: насчет того, что все это — и рев, и грохотание, и тряска, и толчки, и сдавливающая горло тоска — может случиться только *за*, когда тела уже нет и лишь оставшаяся в одиночестве душа стремительно погружается в роковые содрогания, пламёна и звуки не то чистилища, не то самого ада.

Его шибануло, когда толпа зевак, запрудившая набережную Шевченко, шарахнулась вся целиком, дернувшись, будто препарированный мускул.

Было с чего: несколько автоматных очередей не только прошли в опасной близости, как уже случалось прежде, но в этот раз и задели кого-то с левого края сборища.

Впрочем, и такое уже бывало, и если бы зеваки отдавали себе отчет в происходящем, тотчас бы разбежались. Однако сознание помрачалось соблазном: вещи совершались фантастические, столь невероятные, столь настоятельно требовавшие созерцания, что даже явная опасность, о которой свидетельствовала близкая трескотня, производимая автоматическим оружием разного рода, их не пугала.

Ну и в самом деле, только вообразить: шесть танков Т-80, более или менее ровно построившихся на мосту в самом его начале, вразнобой палили через реку!

День выдался ясный, солнечный, с той прощальной синевой сплошь безоблачного неба, что заставляет сердце сжиматься и ныть: совсем скоро — быть может, уже завтра — холодный ветер пригонит караваны вязких туч, и последняя ласка солнца сменится сначала промозглой сыростью, а потом уж и снегом, и морозом, и долгой тоской зимы.

В прозрачном осеннем воздухе мишень, в которую один за другим с гулом и верещанием летели танковые снаряды, различалась вся до самых мелких черточек — вплоть до того, что за стеклами окон подчас промелькивали бледные лица ее насельцев.

Танки злобно дергались, посылая новые и новые гостинцы: когда из ствола длинной пушки вылетала белая, похожая на смачный плевок струя пороховой гари, машина приседала, а из-под гусениц облаком поднималась пыль — хотя, казалось бы, откуда ей взяться на промытом недавними дождями асфальте?

Но все-таки слишком малы, даже ничтожны оказывались их усилия в сравнении с махиной белого, будто весь из рафинада, Дома Советов: он стоял не дрогнув. Кое о каком ущербе говорили только клубы смоляного дыма, застилавшего верхние шесть или семь этажей. Там-сям сквозь него пробивались и бордовые языки пламени.

Нижний ярус широкий, двукрылый, с сиянием и блеском огромных стекол холлов и залов. На нем основная часть здания — формой сравнимая с пачкой сигарет, но с боков закругленная. С самого верху — кубическая башенка. Над башней — длинный флагшток, на флагштоке — флаг России, из фасадной середины празднично смотрят круглые часы. Сейчас казалось, что с золотого циферблата то и дело прыскает вода. На самом деле это были брызги мраморной и цементной крошки: должно быть, развлекался стрелок одного (или не одного) из БТРов, обильно запрудивших окрестности и посильно помогавших танкам пулеметными очередями.

Чуть правее виднелась высотка на площади Восстания, а если обернуться, взгляд натыкался на сталинского же извода уступчатый небоскреб гостиницы «Украина».

То есть все вокруг выглядело как прежде, но по горящему Дому Советов стреляли танки! — происходящее было немыслимым, и легко понять тех, кто собрался поглазеть на это потрясающее представление.

Всякий смотрел по-своему: сам Бронников — в опустошающем изумлении, многие — с тем религиозным ужасом, что охватывает человека, когда он видит нечто противоестественное. Но нашлись и две небольшие компании, где каждый выстрел встречали аплодисментами и гиканьем. Время от времени кто-то там вопил: «С каждым днем хорошеет столица нашей Родины — Город-герой Москва!!!»

Не исключено, что столь невообразимая возможность — стрелять по одному из главных символов нерушимой власти, каким являлся Дом Советов еще вчера, — опьяняла тех, кто держал в руках оружие, и в приступе куража кому-нибудь из них приходило в голову полоснуть очередью и по тем, кто теснился на набережной.

Очень, очень может быть, уже случалось такое — но люди не расходились.

Издали и сверху толпа походила на некое диковинное существо, суетящееся всеми отростками, но несобранное и медлительное; затрепетав и задергавшись от испуга, но

10

тут же отчего-то уверившись в своей безопасности (должно быть, не оставляла мысль, что по безоружным стрелять не для чего), тысячеголовая тварь замедляла шаг и снова оборачивалась к происходящему. В один-то из этих разов и случилось: Бронникова понесло, он запнулся, перепрыгивая бордюр, и полетел головой в парапет. Всякий раз, как кого-нибудь ранило, четверо или пятеро еще целых тащили очередную жертву бесплатного развлечения, подсунув плащ или пальто, к одной из машин «Скорой помощи». На Бронникова в конце концов тоже обратили внимание и тоже отнесли, но как-то нехотя — ну и впрямь, тут люди под пулями, а он вон чего: спотыкается...

Грохот бесконечного путешествия по адовым коридорам стих. Каталка встала.

— Кирилл Валерич, как же вы говорите в девятую, там полна коробочка!

— Что?

Прохладные пальцы подняли веко, обнажив закатившееся глазное яблоко. Затем ощупали все тело, начав с ног. Пропали.

— Так-то целый, — сказал тот, кого медсестра назвала Кириллом Валерьевичем. — Пулевых нет. Кардиограмму бы сделать. Ладно, пусть пока в коридоре. А если еще с огнестрельными, сразу к операционной.

Все окончательно стихло, только неподалеку женский голос надрывался:

— Дура, что ли?! Из шестой, говорю, матрас вынеси, весь в кровище!

Этого можно было не слушать, и он с облегчением погрузился в пространство растресканных зеркал, обманчиво сверкавших вспышками не то реальности, не то памяти, не то собственных его предсмертных фантазий.

И тут же на него вывалились клоуны.

Ну да, клоуны. Каким ветром вынесло? Он про них и думать забыл. Ведь не день прошел, не год... сколько же?.. да как бы не четыре. А им нипочем — как новенькие. Должно быть, все это время так и жили в потаенных углах памяти, шутили свои несмешные шутки.

Тот денек и без них бы запомнился.

* * *

Латунное солнышко мерцало, трепеща в знойком туманце, и почти гасло, и снова выглядывало, просыпая серебряную чешую на сгорбленные спины прохожих. Сутулясь как все, он точно так же отворачивал физиономию от пронзительных порывов ветра.

В Арбат проклятый сифонил, как в трубу: с воем врывался в широкий рукав от ресторана «Прага» и мчал по ступенчатой перспективе на юго-юго-запад к Смоленке, попутно прохватывая все живое до костей и кишок. Швырял обрывки газет, трепал отклеившуюся афишу. Навалился на случайно подвернувшегося красноносого художника: для начала разметал нечесаные патлы, а когда тот вскочил, чтобы удержать стендик с образцами своего творчества, злорадно опрокинул складной стул. Стул корабельно хлопал парусиной и скрежетал по брусчатке, а творец прыгал за ним, матерясь и приседая.

Полюбовавшись отчаянной борьбой искусства со стихией, снова прибавил шагу.

Метров через сто он увидел что-то вроде сцены, сооруженной из овощных поддонов у облупленной стены. Бронников выпростал из шапки ухо и прислушался.

«Все неправильно, Бим!» — вопил рыжий.

Синий комбинезон, какие носят сантехники, выглядел так, будто отдельные части накачали воздухом: должно быть, владелец наподдевал целый ворох исподнего. На шее трепался капроновый бант, на голове — мочальные пряди малинового парика. Намазанную белым физиономию украшала воспаленная блямба накладного носа. На ногах и вовсе несуразная в свете ответственности сценического положения обувка — серые валенки с галошами. В целом он оставлял впечатление сугубой самодельщины, будто наспех смастерили из утильных обрезков.

«Что ты орешь, Бом?» — невесело отозвался второй. Комбинезон похожий, однако парик белый, а обут хоть и в подвергавшиеся многие годы нещадной эксплуатации, но все же худо-бедно городские ботинки.

«Я не ору! Я агитирую!»

«За кого?»

«Не за кого, а за что! Ведь я коммунист! — горланил рыжий. — За все хорошее против всего плохого!»

Напор, с каким вывалилась последняя фраза, свидетельствовал, что оратор рассчитывает на шумное одобрение публики. Его ожидания не оправдались: никто даже не улыбнулся. Тогда, неожиданно скакнув, он прошелся на руках, сколько позволяли поддоны, едва не боднул стену, шлепнулся и сел.

«Ой! — испугался Бим. — Ты голову расколешь!»

«Ну и что? Шапку я и на колотую могу надевать».

«Но ведь литр дефицита пропадет!»

«Кефира, что ли?»

«Ну да, у тебя же один кефир в голове!»

Несмотря на это обидное заявление, к рыжему почему-то вернулось бодрое расположение духа, и он вскочил, радостно скалясь:

«Ха-ха-ха, ты прав, Бим! Где теперь кефир достанешь! Например, захожу я вчера в магазин! Говорю: дайте соли! А продавец: как хорошо, что за солью пришли!»

«Почему?»

«Потому что кроме соли ничего нет!»

Бронников хмуро хмыкнул. Этой парочке не удавалось преувеличить беды и раздуть недостатки, как того требует искусство клоунады. Вчера он сам видел такое: все витрины продуктового, независимо от того, каким товарам следовало в них располагаться, занимали исключительно пачки с надписью «Камяна», что в переводе значило «каменная» и выдавало украинское происхождение товара.

Вероятно, именно потому, что коверные штукарили слишком близко к жизни, никто не смеялся.

«Как весело, Бим! А я тоже захожу и говорю: дайте килограмм еды».

«Дали?»

«Если бы! Еда закончилась еще в ноябре».

«Ха-ха-ха!»

«Хо-хо-хо!..»

Малочисленные зрители перетаптывались вокруг, пряча пасмурные лица в воротники. Тучи сглотнули остаток солнца, стемнело. Тут же посыпал колючий снег. Ветер свивал прах белыми узкими прядями и тянул понизу. Бронников глубже нахлобучил шапку и затянул шарф.

Неожиданно Бом шагнул к краю, сердито и растерянно переводя взгляд с одного лица на другое: «Почему вы не смеетесь?!» Он содрал красный парик с лысой головы и резко взмахнул им, будто надеясь этим движением запустить громкую музыку.

«Смейтесь!»

Кто-то настороженно попятился.

Напарник шагнул к рыжему, потянул за рукав: чего ты, не надо.

«Смейтесь же, смейтесь! — отчаянно требовал Бом. — Почему вы такие угрюмые?!»

Он всхлипнул, закрыл лицо париком и сел, сгорбившись и опустив ноги на заснеженную брусчатку. Зеваки начали расходиться...

Бронников поежился, перехватил котомку в левую руку и тоже пошел восвояси.

Собственно, у него и времени не было таращиться попусту. Шагал по делу к Лизке: занести кое-что из продуктов; уславливались, что явится с утра. Но собрался к обеду, и причины такие мелкие, что даже не стал звонить предупреждать о перемене, тем более что в крайнем случае, если бы не застал, мог открыть своим ключом.

Свернул во двор. Здесь Артем провел последний год своей жизни. Как глупо все получилось... мог бы отвертеться. Зачем он это сделал? Как раз сейчас выводят войска из Афганистана — несколько дней назад генерал Громов, шагая за своей армией, последним прошагал мост через Амударью... Ну да, последним — а вот Артем пропал без вести. Его нет... и никто не может сказать, что с ним. Скорее всего, погиб, конечно. Бронников хорошо это понимал. Но рассудок уже сколько лет не желал мириться. Зачем?.. зачем он там погиб? чему послужила его смерть? на что пошла жизнь? Лизка овдовела, сын сирота — какой в этом смысл?

Привычные мысли — не первый год крутятся в голове. Хлопнул подъездной дверью, поднялся по лестнице. Нажал кнопку. На блямканье звонка ничто в квартире не пошевелилось. Выждав приличествующее время, Бронников нашарил в кармане ключи, щелкнул замком и толкнул дверь.

Переступил порог, машинально поднимая взгляд.

Лизка застыла на расстоянии нескольких метров в дверном проеме комнаты — и в такой позе, что сразу становилось ясно: не на звонок она спешила, чтобы спросить, кто трезвонит и ломится, а, наоборот, замерла как при игре в шарады, остро надеясь, что непрошеный гость удалится сам.

Предательский свет за ее спиной выдавал, что куцый сатиновый халатец наброшен на голое тело. Тот же свет мешал толком понять выражение лица, очевиден лишь диапазон — от изумленного до испуганного.

В ванной шумела вода.

Переливы звука можно было объяснить только тем, что кто-то принимает душ — и фыркает, когда вода хлещет в запрокинутое лицо.

1. Возвращение

В тот февральский день, застав у Лизки мужика (положим, воочию не видел, но какие могли оставаться сомнения?), он, выскочив из подъезда, почти бежал, задыхаясь от обиды и злости, до самой «Горьковской», и только там, спустившись в подземелье метрополитена, перешел в следующую фазу: повел с ней, бесстыжей предательницей, беззвучный диалог.

Как всегда, доводы приводил неопровержимые, и в попытках оправдания ей оставалось лишь лепетать глупости, а он встречал каждую саркастическим хохотком, чтобы затем снова без промаху садить своими железными доводами.

Правда, при попытке проверить их неколебимость хотя бы даже на Кире вышла осечка. Кира пришла с работы усталая, однако оживилась при начале его возмущенного рассказа, слушала похихикивая и, вопреки ожиданиям, не поддержала, а наоборот: «Господи, при живых-то мужьях что творят, только оглянись. Смешной ты, Гера!». Он взялся спорить, доказывать свое, напирая на память об Артеме, — как же можно: взять и плюнуть ему, мертвому, в лицо.

Кира вздыхала, пожимала плечами, печально кивала — и все же не соглашалась. Как будто не о собственном ее брате шла речь.

В общем, едва не поссорились.

Он давно уж лифтёрил на две ставки, сутки через сутки, потому на следующий день с восьми утра сидел под лестницей, с привычным удовольствием ощущая свое одиночество. В фанерной выгородке оставалась только одна забота, и та скорее иллюзорная, чем реальная: следить, кто входит в подъезд и зачем. Его дело маленькое — он консьерж.

Вот и тогда: закрыл дверь выгородки, сидел над чашкой остывающего чаю с погасшей папиросой в руках. Иногда чиркал спичкой, чтобы раскурить. И вспоминал, вспоминал...

КРЕДИТОР

Сначала перестали приходить письма. Лизка тревожилась, бесилась, да толку чуть: вестей все не было. Чуть позже известили: пропал без вести. В надежде хоть что-нибудь выяснить, Бронников направился в военкомат. Однако вместо успокоения получил отповедь вкупе с гадкими намеками: дескать, в Советской Армии ни солдаты, ни сержанты просто так не пропадают; небось ваш Ковригин что-то не того. Под «не того» имелось в виду, что Артем сдался в плен. Или еще хуже. А что, почему бы и нет: может, и вовсе переметнулся на сторону врага. «Люди разные бывают».

В ту пору они с Лизкой по-родственному сблизились. Он много времени проводил у них с Сережкой. Кира, верно понимая происходящее, не протестовала, хотя у самой была маленькая Анечка, почти точная ровесница Лизкиного мальчика. Гулял с коляской или сидел, отпуская Лизку по делам, ходил для них по магазинам, таскался за детским питанием за тридевять земель — в Перово.

Лизка тогда много рассказывала о себе — о детстве, о городе Кострове, о бабушке, о маме. Откровенничала, вспоминала подчас такое, что, возможно, не сорвалось бы с языка в другое время и в иных обстоятельствах. Казалось, перебирает жизнь (господи, сколько той жизни и настукало: едва восемнадцать исполнилось) в поисках поворота, что привел ее к сегодняшнему горестному положению. И про то, как было вначале — как они сошлись с Артемом, и какое это было счастье.

Говорила, отчетливо помнит: встретились вечером, в общежитии.

И началось такое сумасшедше-счастливое время, что потом и вообразить стало невозможно, будто что-то могло его омрачить: она была твердо уверена в совершенной цельности и лучезарности той чудной эпохи. Ни одно облачко не пятнало их долгого блаженства, каждая минута оказывалась живой, выпуклой, чувственной и ясной. Счастье росло как мощное дерево — ширилось, ветвилось, каждым листом даря обоим радость, и если бы не проклятый Афган, они и посейчас жили бы в его благодатной сени...

И, конечно, Лизка бы страшно удивилась, услышав от какого-нибудь правдивца, что и то время, как любое другое, пронизывали, прихотливо кривясь, разного рода червоточины и несчастья. Она бы не поверила, она бы отказалась вспомнить и признать, что они с Артемом то и дело ссорились, что он бранился и чего-то без конца от нее требовал, как будто нарочно доводя до истерик, что она грозила уехать к маме, что не раз убегала к Ирке Дороховой в общагу, а он возвращал ее почти силой, — и что их счастье в целом было таким же, как у всех: то самое счастье, в котором, по словам знаменитого автора, столько же счастья, сколько и несчастья.

Но потом Артем ушел в армию, и все сломалось.

Как она его отговаривала! Как умоляла! Кира — врач, у нее связи, она сможет приляпать какой-нибудь липовый анализ, и пусть он не идет, потому что ведь Афган! Потому что оттуда везут гробы! А она беременна, это его ребенок, и неужели он хочет оставить его сиротой?

Как об стенку горох. Как-то раз проговорился: ему надо, он хочет все это увидеть своими глазами. Потому что он художник, а если художник прячется от жизни, то что он сможет увидеть и что потом написать?

Верещагин! Верещагин, видите ли, не давал ему покоя.

Не послушал, не поверил — ушел.

Хорошо еще, когда Артема забрили, Гера наотрез отказался брать плату за комнату. Прежде они исправно отстегивали — правда, тоже по-родственному: двадцатку в месяц, то есть примерно вдвое меньше общепринятой таксы. Теперь ей и на это бы не хватило сил.

Артем писал. По его словам, все у него было хорошо. Только вот не до живописи. Но ничего: скоро вернется, и тогда... Но когда настало это «скоро», он не вернулся, а сгинул.

Он не считался погибшим: он пропал без вести. Вот если бы натурально погиб, тогда бы ей назначили пенсию — рублей тридцать или около того. Однако шел пятый год, но подтверждений смерти не обнаруживалось. А женам формально живых, всего лишь пропавших без вести, пенсия не полагается.

Когда об этом заходил разговор, Бронников, выдержавший несколько боев с военкоматом в бесплодных попытках прояснить дело и хотя бы память Артема оградить от подозрений, серел лицом и хватался за сердце.

Логика событий в целом складывалась таким образом, что Лизке было бы лучше, если бы муж не бесследно и загадочно исчез, оставив ее одну с ребенком на руках, а погиб доказательно, с бумагой. Ну да: если его все равно нет и никогда не будет рядом, то пусть бы уж по-настоящему.

Душа восставала против этой уродливой логики. Но все равно время от времени все в голове переворачивалось с ног на голову: видя во сне родную могилу, она радовалась и счастливо смеялась тому, что Артема окончательно нет на белом свете, — ведь это значило, что теперь она будет получать за него пенсию. Проснувшись, тискала Сереженьку, пытаясь разглядеть черты его отца, и долго еще вздрагивала, вспоминая дикий сон.

Время шло. Прошлое, бывшее таким ясным, начинало мутиться, подрагивать, покрываться ломкой рябью, и уже трудно увидеть, что именно в нем отражается.

А настоящее — настоящее было сейчас, настоящее требовало ее, хотело, желало.

И вот одним прекрасным, как позже выяснилось, утром февральского дня она вышла из дому в своей новой шапке: перед тем критически оглядев себя в зеркале, а в качестве последнего штриха кокетливо сдвинув ее чуть набок.

1

Главное в жизни — это ритм. И если он сбивается — пусть даже с плохого на хорошее, — чувствуешь себя будто рыба, выброшенная волной на песок. Все не так. Прежде бил хвостом — было одно. Теперь так же бьешь хвостом — другое. Когда еще накатит следующая волна и утащит в новую воду...

Сорок минут ожидания в холодном предбаннике. Под охраной. Вот наконец открылась дверь кабинета.

— Заключенный Плетнев по вашему...

Шорохов махнул рукой жестом благорасположенности:

— Ладно тебе! Садись!

Первый раз такое, чтобы доклад прервать. Но, правда, и день такой впервые. Плетнев молча сел. Сопя, Шорохов уже выводил на длинном желтом листе «волчьего билета» причудливый вензель своей начальственной росписи.

— В канцелярии получишь... Ты, Плетнев, на меня зла не держи. Я к тебе со всем пониманием.

— Так точно, гражданин начальник...

— Да какой я тебе теперь гражданин начальник! — осклабился Шорохов. — Теперь уже по-прежнему: товарищ подполковник.

Плетнев кивнул. Но, если честно, в товарищи к Шорохову ему не хотелось.

— Давай, Плетнев! Всех благ!

— И вам того же...

Переход из коридора в коридор. Другой предбанник. Кафельный и гулкий. Минут через пятнадцать что-то загремело. С лязганьем отворилась железная створка, закрывавшая квадратное отверстие окна.

— Плетнев? Распишись.

Он не видел лица. Только руку. Рука протягивала простенькую шариковую ручку.

— Теперь принимай.

Из окна — комок за комком — появилась его прежняя одежда. Снял телогрейку. Потом робу. Надел «песочку». И синюю меховую куртку техсостава ВВС.

— Шапки не было, что ли? — хмуро спросил каптерщик.

— Не было...

— Да... Мозги застудишь. Погоди-ка.

Через минуту из окна выпала кроликовая шапка третьего срока носки. Если не пятого.

— Спасибо.

— Всех благ!..

Еще немного ожидания, еще одна подпись — и он сунул в карман документы.

— Посиди, автобус в одиннадцать пойдет.

— Да ладно... пройдусь.

— Смотри.

Пара-тройка лязгов и щелчков — последние.

Все!..

Плетнев миновал метров триста отвилка и свернул на дорогу.

Время скакнуло на девять лет назад. Он шел по обочине. Он был один. Снег поскрипывал под ногами. Лес по сторонам.

Странно было вот так — одному, без конвоя. Последние месяцы он все думал — как это будет? Что он почувствует, когда выйдет за ворота? И вот — вышел. И — ничего особенного. Снег. Лес. Дорога. Правда, опять же, конвоя нет... А мысль только одна, и та досадная. В рабочей зоне, в цеху, под правой тумбой верстака Плетнев заныкал восемь ножовочных полотен. И, как назло, засуетился, забыл второпях сказать Мишке Клевцову, что завещает их ему. Пользуйся, мол. Именно так — завещает... Странно. Как будто это он на тот свет отправляется. Хотя, казалось бы, должно быть наоборот — ведь это из зоны выходят, как с того света.

Он услышал шум мотора и обернулся. Нагонял самосвал — «ЗИЛ-131». Плетнев поднял руку, и грузовик издалека начал притормаживать...

Минут десять молчали. Водитель время от времени искоса посматривал. Это был мужик лет пятидесяти — серьезный, гладко бритый, в ношеном, но крепком и чистом бушлате и тельняшке, выглядывавшей из-под байковой рубахи.

Двигатель гудел, из радиоприемника, прикрученного изолентой к приборной панели, доносилось какое-то клекотание. В конце концов женский голос сообщил:

— В эфире передача «Писатель у микрофона». Сегодня у нас в гостях известный писатель, автор романа «Набег» Герман Алексеевич Бронников. Здравствуйте, Герман Алексеевич! Первый вопрос: когда же ваш роман придет к читателю?..

Водитель досадливо цокнул языком и принялся крутить верньер.

— Нет, ну ты скажи! Откуда столько писак на нашу голову? Вот ты слышал про такого?

— Нет. — Плетнев пожал плечами. — Не слышал.

— Видишь. И я не слышал. А ему книжки печатают. Одной бумаги небось сколько извели. Вот куда народные денежки идут!..

Возмущенно отвернулся, стал крутить настройку. Пискнуло, хрустнуло, ударила музыка и пронзительно певучий голос Жанны Агузаровой запел:

> Ах, эти желтые ботинки!..
> Шагают быстро по асфальту!..
> И ты опять идешь пешком!..
> Я мимо проезжаю в «Чайке»!..

Плетнев сидел прямо, положив шапку на колени. И так же прямо смотрел в лобовое стекло. Там мелькали увалы снега, деревья, дорога... Он вдруг осознал, что за эти годы полюбил одиночество. И сейчас радовался ему. Он один — без надзирателей, без сокамерников, без соседей по бараку. Шофер не в счет — не пройдет и получаса, как они расстанутся. И, возможно, даже словцом не перекинутся.

— Из Ильичевского шлепаешь? — неожиданно спросил шофер. Плетнев повернул голову и посмотрел на него якобы непонимающе. — Как кота за хвост тянет, — сказал шофер, морщась и убавляя звук. — Я говорю, из совхоза имени Ильича, что ли?

— Я-то? Нет.

— А-а-а... Тогда поздравляю. На свободу с чистой совестью? — Плетнев молчал, оценивая сказанное. — Тут же больше неоткуда, — по-доброму растолковал водитель. — Тут или из Ильичевского человек идет. Или оттуда. — И кивнул в подразумеваемую сторону.

— Ну да, — согласился Плетнев. — Так и есть. На свободу с чистой совестью.

Водитель был явственно доволен своей проницательностью.

— Не куришь?

— Нет.

— Ну, извини тогда, подымлю немного...

Он чиркнул спичкой, а Плетнев сунул руку в карман куртки. Что-то жулькнуло в пальцах... какой-то кусочек металла. Понятно. Значит, все девять лет, пока он парился, она так и валялась в кармане — автоматная пуля калибра семь шестьдесят два с чуть помятой медной рубашкой.

Радио перешло на новости.

— Сегодня в Кремле Михаил Сергеевич Горбачев принял группу военачальников, доложивших ему о завершении вывода советских войск из Афганистана. Товарищ Горбачев высоко оценил усилия Советской армии по установлению мира в регионе и вручил высокие правительственные награды наиболее отличившимся военным руководителям. Выступавшие говорили о патриотизме советского воина и...

— Ой-ё! — с досадой сказал водитель и гадливо тыркнул пальцем.

Снова забренчала какая-то музыка.

— Вишь ты как, — хмуро сказал он через минуту. — Отличившимся. Это чем же? Победили, что ли, кого? — И посмотрел на Плетнева. Плетнев молчал, рассеянно вертя в пальцах кусок металла. — Сколько народу за девять лет покрошили!.. На брюхе выползли, а радости — ну прямо будто Берлин взяли!.. — Он сердито толкнул рычаг переключения передач. — А выступавшие, вишь ты, — о патриотизме. О каком, нах, патриотизме? Родину защищать — ну да, это патриотизм, понимаю. А тут какой патриотизм? Начальству подмахивать да в глазки заглядывать — чего изволите? Это, что ли, патриотизм? Ребят своих гробить на чужой земле — это какой, нах, патриотизм? А подыхать по дурацким приказам за чужой интерес — тоже, что ли, патриотизм?

И снова на него глянул, круто сведя брови.

Плетневу ответить было нечем.

— Да у нас, видать, всегда так будет, — сказал шофер с тяжелой горечью. — Так уж заведено... Как говорится, наше дело телячье: обделался и стой. За нас начальники думают. Да эка вон думают — широко и быстро!.. — С досадой сплюнув, он переключил передачу, и грузовик натужно попер в гору. — У нас ведь кто патриот? Кто начальству жопу лижет. А кто не лижет, — водитель безнадежно махнул рукой, — тот враг народа...

Они молчали. На лобовое стекло летели редкие снежинки.

Справа черной стеной стоял лес. Такая же черная стена слева. На глаза накатывала заснеженная дорога.

Когда лес поредел, сквозь белую пену облаков проглянула блеклая синева неба. Все вместе было похоже на вспененную воду.

Он начал с усилием крутить тугую ручку стеклоподъемника.

Стекло со скрипом опускалось. В увеличивавшуюся щель уже летела снежная пыль.

— Что, никак запарился? — с ироническим интересом спросил водитель.

Плетнев прощально подбросил пулю на ладони и швырнул в окно.

Потом вернул стекло на место.

* * *

С поезда он сошел с одной-единственной мыслью: найти Веру. И не был уверен, удастся ли. Ведь люди теряются. Сам пропал на девять с лишним лет. Так почему бы ей не кануть навсегда?

Однако от киоска адресной службы отходил с ощущением небывальщины, не до конца веря, что и на самом деле держит этот листок: ФИО — Артемова Вера Сергеевна, 1947 г.р. Адрес такой-то. Даже обидно, что так просто — он ведь готовился стены прошибать.

Поскрипывая, лифт поднял его на пятый этаж.

Блям-блям.

Тишина. Шаги. Щелканье замка.

Открыла световолосая женщина лет сорока пяти. По тому, как ойкнула и дернулась, он заключил, что ждала кого-то другого. Но дверь все же не захлопнула, только придерживала левой рукой. На запястье блестели золотые часики на золотом же браслете; панорама прошлого стала двигаться у него в мозгу, как едет пейзаж в зеркале заднего вида, когда разворачиваешь машину, и он еще не осознал, с чего бы.

«Кого вам?»

«Простите, — сказал Плетнев. Скользнув взглядом, понял, что она беременна. Сильно беременна — живот торчит, натягивая пуговицы халата. — Простите, — повторил он тем корректным голосом, каким в случае необходимости обращаются к совершенно незнакомому человеку. — Артемова Вера Сергеевна здесь живет?»

«Здесь», — растерянно ответила светловолосая женщина.

«А можно ее увидеть?»

«Увидеть? — недоуменно переспросила женщина, машинально проводя ладонью по волосам над правым виском. — Это я... Саша?»

* * *

Сбившееся комками время в конце концов кое-как расправилось, оставив по себе ощущение неловкости, суматохи, чего-то такого, что могло быть с легкостью опущено и никто бы не пожалел. «Саша! — повторила Вера, тиская на груди халат и отступая в прихожую с выражением такого ужаса, будто увидела покойника. — Ты?!»

Он развел руками, силясь улыбнуться. Выходило, следовательно, что никакой Веры не существует. Или, точнее, та Вера, что жила в его памяти, та, в которой он все эти годы так нуждался, встречи с которой ждал, — та Вера не имела и не могла иметь ничего общего с открывшей ему светловолосой беременной женщиной.

И как только он понял это, прошедшие годы — замороженные, застывшие на том прощании в самолете, когда она сказала: «Поверь, мне тебя так жалко!», одной этой фразой поставив себя на самую вершину всего того, что могло быть ему близко и дорого, — все эти годы как будто заново пролетели, обрушиваясь камнепадом: хватило секунды, чтобы они прожились еще раз и обрели свой истинный смысл. Вера еще вскрикивала и воздевала руки: похоже, в ней тоже что-то проживалось сызнова и как-то иначе, пока, наконец, взявшись за голову и глядя на него с выражением утраты и горя, не спросила вдруг таким тоном, будто он заглянул сегодня, как заглядывал вчера, и нет никаких сомнений, что заглянет завтра: «Чаю хочешь?».

Он сидел в кресле у журнального столика, разглядывая приметы обычной человеческой жизни, предметы обыденности, частного быта, которого так давно лишился, что почти забыл, каким он бывает.

Книги в стеллаже. Громоздкий сервант — в одной половине тоже книги в застекленных полках, в другой посуда. Большой стол в центре. Плюшевая бордовая скатерть. Телевизор на тумбе с ящиками. Синие шторы раздвинуты. На балконе — какие-то короба, велик, две пары лыж. Нет, три пары — вон еще выглядывают маломерки.

Перевел взгляд на полку серванта. Фотографии рассмотреть не успел.

Вера разместила чайник, чашки, сахарницу, вазочку с карамелью; поднос со звоном поставила к стене, после чего тяжело села в кресло напротив, откинулась и сказала:

— Совсем я стала клуша.

Наверное, следовало возразить: ну что ты, вовсе не клуша.

— Покрепче?

— Давай покрепче, — сказал Плетнев. — Давно нормального чаю не пил.

Она поняла по-своему, заговорила насчет того, что, мол, ужас один: совсем ничего в магазинах не стало; раньше выбрасывали индийский со слоном, так его тоже с боем, в очереди не достоишься; а самое хорошее всегда своим с черного хода. Говорила быстро и привычно, не задумываясь и не ожидая возражений, как всегда толкуют о том, что давным-давно для всех является общим местом: говорено-переговорено.

Поймав его взгляд, осеклась и, придвигая чашку, сказала виновато:

— А мы вот так живем... Я кандидатскую защитила лет пять назад. Работаю в больнице. Видишь вот, — горделиво и смущенно улыбнулась, скосив глаза на торчащий живот, — второго ждем... Всё нормально. А ты?

— Я-то? — он пожал плечами. Отхлебнул чаю, поставил чашку и улыбнулся. — Как бы точнее сказать... Ты тогда улетела в Москву, помнишь?

Она кивнула:

— Сопровождать раненых.

— Мы через несколько дней тоже вернулись. Ну и... — он запнулся и пожал плечами. — Я срок получил. — Вера испуганно поднесла ладонь к губам. — Да, тюремный, — подтвердил он, предваряя вопросы. — Девять с лишним лет отмотал. Вышел досрочно... Позавчера сел в поезд. Теперь вот здесь. Чай пью.

Взял чашку и осторожно отпил — как бы в качестве подтверждения.

— Досрочно? — растерянно повторила она. — Сколько же всего? Что ты сделал?.. Нет, нет, не говори! — Зажмурилась, закрывая уши. — Не хочу знать, не надо!.. Так вот почему ты меня не нашел!

Вера смотрела полными слез глазами — жалко и растерянно, и ему показалось, что сейчас она сорвется в крик, в плач, — или еще сделает что-нибудь такое же никчемное: вообразил, как она кричит, заламывая руки: «Я бы ждала тебя! Я бы дождалась!».

Но Вера только вздохнула.

— А я себе голову сломала. Я-то пыталась... Помнишь Алексеенко? Он с кем-то из ваших знался. Я упросила, он позвонил. Его так отшили! Простить не мог, что я его подставила.

Ну да, именно об этом он размышлял однажды. Ночью накануне боя. Что будет, если он погибнет, а Вера начнет его искать. Придет в расположение. И кто-нибудь (может быть, это будет один из его близких товарищей, может быть, Зубов или Аникин) переспросит с холодным недоумением: «Как вы говорите? Плетнев? Не знаю... Минуточку. Слышь, Захаров! Тут какого-то Плетнева спрашивают. Ты встречал?.. Видите, девушка, такого нет. И никогда не было».

— Это запросто. А что ты хотела — фактически на военную тайну покусилась...

— И что теперь?

— А что теперь? Не знаю... Я о будущем всерьез не думал. Знал одно... — Замялся. Почему-то казалось, что если не скажет, она останется несчастной. — Одно знал: вот кончится срок, выйду, найду тебя... тогда уж и подумаю. Там ведь время останавливается. Сидишь, как в банке с формалином. Кажется, что потом кино начнется с той минуты, как прервали... Ты только не пугайся, пожалуйста. Я все понимаю. На самом деле кино не останавливается.

— Конечно, не останавливается. — Она смятенно покивала. — Совершенно не останавливается. Саша, я замужем и... и люблю мужа. Да, представь себе!

Коротким смешком заранее отвергла возможные возражения.

— У нас сын! Скоро еще будет дочь... надеюсь. Вот и тебе надо...

— Не с чем спорить, — согласился он, усмехаясь. — Чистая правда. Ну что ж.

Собирался сказать, что у него мало времени. И уйти. И уже никогда не возвращаться.

Но тут позвонили в дверь. Вера подхватилась:

— Извини!

Он сидел над недопитой чашкой, крепко придавив большим и указательным глазные яблоки, в первый миг отозвавшиеся розовым, сжимал веки, как часто делают люди, готовясь к решительным действиям, серьезным поступкам, — но в его случае это было чисто внешнее проявление того, что не имело внутреннего содержания: он мог бы применить свою решимость, если бы знал, какой именно поступок его ждет; прежде каменевшие в душе, а теперь обрушившиеся и заново прожитые годы оставили по себе равнину, открытую на все четыре стороны, — и не было камня с указательной надписью.

Выходя, Вера прикрыла дверь. Детский звучал яснее. «Англичанка заболела!..» Она глухо ответила. «Правда?» — звонко удивился ребенок.

Чужие дети интересовали его сейчас далеко не в первую очередь. Поднялся, подошел к серванту, стал рассматривать фотографии, невольно прислушиваясь.

— А уроки делать? — озабоченно спросил мальчик.

— Пообедаете, вернешься и будешь делать уроки. Саша, иди, тебя ждут!

Шмяк — должно быть, портфель полетел.

— Мне в туалет.

Протопал мимо двери...

Вот Вера-школьница — улыбающаяся курносая девчонка в школьном платье и белом фартуке. Здесь уже скуластая серьезная девушка с короткой стрижкой, взгляд немного исподлобья. Еще три запечатлели ее вместе с одним и тем же мужчиной и ребенком. Качество всюду примерно одинаково любительское. Роднило снимки и то, что на всех были счастливые лица. Понятно... мирная жизнь. Семья.

Стукнуло, брякнуло. Послышался шум воды. Снова торопливый топот. Затих у двери.

Плетнев повернулся.

Дверь приотворилась. В щель смотрел мальчик. Взгляд ясный, светлые вихры торчат на макушке, рот полуоткрыт.

— Здрасте...

— Добрый день, — ответил Плетнев. И строго спросил: — Тебе сколько лет, Саша?

— Скоро девять! — звонко отрапортовал мальчик. — А вы кто?

Плетнев пожал плечами:

— Еще не знаю.

— Сколько ждать? — послышался строгий голос Веры.

Саша окинул его напоследок взглядом, отчего-то нахмурился и исчез.

Громыхнула входная дверь...

Как он сказал — скоро девять?

И почти десять, как они не виделись!

Он бесшумно подошел к двери.

Слышался треск телефонного диска.

— Клава? Привет. Я Сашку к тебе отправила. Покорми, ладно? Потом расскажу... Ну да, через часок...

Вернулся, сел и взял чашку. Чай остыл.

Скрипнула дверь.

— Извини, что перебила! — оживленно сказала она, садясь. — О чем мы? Ну да, придется все начать сначала. Все устроится. В конце концов, какие наши годы... Чаю еще?

— Нет, спасибо... Я вот что хочу спросить. — Она вскинула взгляд, как будто уже догадалась. — Или я плохо знаю арифметику, или...

— В смысле? — Должно быть, еще надеясь увернуться, Вера наивно похлопала глазами.

— В смысле твоего сына. В смысле Саши. — Плетнев смотрел вопросительно.

Вера села так прямо, как только могло позволить ее положение. И тоже стала смотреть. Так смотреть, будто еще немного — и ей все-таки удастся его испепелить.

Плетнев не испепелялся.

— То есть, я понимаю... — хрипловато начала она, прокашлялась и не продолжила.

— Ты понимаешь, что я понимаю.

— Ну да, арифметику ты хорошо учил. Но это ничего не значит.

— Почему?

— Потому что я надеюсь, что ты не хочешь разрушить мою жизнь.

Он постучал пальцами по столу, осмысляя сказанное и примеряя к себе.

— Но...

— Никаких «но»! — резко перебила она. — Ну да, ты его биологический отец. Но ты исчез на десять лет! Десять лет! А Олег появился, когда Саше двух не исполнилось. И у него нет сомнений, что Олег — его папа. А если папа есть, то о каком «другом» может идти речь? Никто другой ему не нужен. Каким бы настоящим он при этом ни был!

— Но если фактически это мой сын...

— Твой сын! — перебила она. — Да как ты можешь это говорить — «мой сын»?! Что ты сделал для своего сына? Ты кормил его? Лечил, когда он болел? Бился в очередях? Читал ему книжки? Учил с ним буквы? Ходил на лыжах?! Устраивал в школу? «Мой сын»!..

Должно быть, Вера прочла в его лице нечто такое, что заставило ее сменить тон.

— Саша, прошу тебя! — жалобно и даже испуганно сказала она. В голосе тревожно звучали нотки близкого несчастья. — Полчаса назад у тебя и мысли не было ни о каком сыне. Зачем тебе это? Он даже не поймет, откуда ты взялся! Сам посуди, откуда и зачем, если у него уже есть папа?

Плетнев молчал.

— Я понимаю, у тебя сейчас ничего нет. Ты как заново родился. Но пойми: в нем ты все равно не найдешь того, на что можешь рассчитывать. Он ведь маленький. Он слишком маленький для этого! Пожалуйста, не разрушай мой мир. Ну ты ведь хороший человек, я знаю. Я и сейчас уверена. Я буду вечно тебе за это благодарна! Я... я не знаю... Давай просто дружить. Хочешь? Я буду тебе сестрой! Только пусть он живет спокойно!

КРЕДИТОР

* * *

Он хлопнул дверью подъезда, еще неся на лице замороженную улыбку, полную силы и бодрости. Но чем дальше шагал, тем пристальнее глядел под ноги.

Много лет ему помогала жить уверенность (пусть глупая, пусть почти ни на чем не основанная), что Вера — его судьба. Там, где он провел годы, не нашлось ничего такого, что могло бы поколебать его нелепое убеждение.

Теперь все стало на свои места: земля ушла из-под ног.

Да еще и другое известие — сын. Вот тебе раз! Он и вообразить не мог, что теперь делать... даже не мог еще понять, как к этому относиться.

В итоге к автобусной остановке Плетнев вышел неспокойным, плохо одетым, бесцветным худым человеком с погасшим взглядом когда-то серо-синих, а теперь тусклых, как мокрое железо, глаз.

Остановился, размышляя. Куда теперь?

Независимо цокая каблуками, подошла девушка. За ней еще двое. Этих он тоже оглядел мельком, но все же чуть иначе: вышколенное когда-то внимание привлекли кое-какие мелочи. Один лет двадцати пяти, щеголеватый — в теплой джинсовой куртке, в сапогах на молнии. Немного дерганый — то и дело резким движением головы забрасывает со лба назад длинные волосы. Второй в ядовито-синей болоньевой куртке-самостроке. Чуть старше, чуть плотнее. Поглядывает на часы, морщится и смотрит в ту сторону, откуда должен показаться автобус.

С достоинством себя ведут. Даже не совсем понятно, что им так топыриться...

Автобус уже подваливал к остановке. Зашипела пневматика. Двери разъехались. Девушка легко поднялась на ступени правой половины прохода. Сразу за ней — плотный.

Плетнев шагнул на ступеньку слева.

Джинсовый потянулся и сдернул с девушки шапку. Она вскрикнула, но, прижатая плотным, не могла выскочить.

Двери стали закрываться.

Плетнев успел выпрыгнуть обратно.

Джинсовый не ожидал ничего похожего. Плетнев схватил его за руку. После рывка тот, перевернувшись в воздухе, грянулся оземь. Шапка покатилась в сторону.

Между тем плотный тоже успел выбраться и уже летел на него, занося руку для удара. Каковой, судя по выражению кабаньих глазок, любого должен был расшибить всмятку.

Останавливать его Плетнев даже не пытался: напротив, помог продолжить стремительное движение, и плотный полетел головой в стеклянную стену остановки.

Мутные панели начали рушиться, с оглушительным грохотом разлетаясь на асфальте.

Девушка растерянно смотрела из окна, удаляясь вместе с автобусом.

Последним актом оказалось то, что джинсовый, успевший прийти в себя, кинулся в нападение, но, получив удар ногой в челюсть и перекувыркнувшись, въехал в осколки стекла, зловеще заскрежетавшие под напором его физиономии.

Когда Плетнев повернул голову на отчаянный скрип тормозов, оказалось, что его издает невесть откуда взявшийся милицейский уаз.

— В чем дело?!

— Вот, — сказал Плетнев, показывая трофей. — Шапку с женщины сорвали.

— С какой женщины?

— В автобусе уехала... наверное, прибежит.

Джинсовый заворочался.

— Да, — одобрительно сказал сержант, пнув его носком ботинка. — Я этих козлов знаю. Гражданин, вы все же предъявите...

КРЕДИТОР

Плетнев полез за пазуху.

— Ах, вот оно как, — протянул тот, вчитываясь. — Ничего себе. В отделении разберемся.

Сунул справку в карман и повысил голос:

— Эй, орелики! Подъем! Ты, порубленный, платок есть? Ну и заткни дырки, в машине за тобой убирать некому.

* * *

Закормленная физиономия капитана лоснилась. Над глубокими залысинами — жидкий блондинистый зачес. Глаза, опушенные такими же светлыми ресничками, смотрели с невыразительной выжидательностью. К тому же благодаря курносости в каждую ноздрю при желании можно было глубоко заглянуть. Все вместе привносило в его облик что-то невинно-поросячье.

— Ну что ж, — сказал он так сокрушенно, что всякий бы понял: мир полон несовершенств, и сколько бы он, капитан, ни усиливался насчет его, мира, улучшения, дело в целом покамест не внушает даже малейшего оптимизма.

Отложил справку и предложил с выжидательной иронией:

— Давай, гражданин Плетнев, рассказывай.

— Слушай, ты, — сухим скрипучим голосом сказал Плетнев. — Ты думаешь, ты капитан? Ты не капитан, а кусок мяса в форме. Я тебе никакой не гражданин, я не под судом. Так что давай на «вы» и, как положено, «товарищ»!

Капитану будто ударило в лицо горячим воздухом: откинулся на спинку стула, часто моргая; но все же совладал с собой и в конце концов только сказал с затаенной угрозой.

— Хорошо, товарищ Плетнев... Рассказывайте. Минуточку...

35

Притянул сбоку папку, раскрыл, порылся. Поднял взгляд.

— Где были в ночь с пятого на шестое февраля?

Плетнев развел руками:

— На зоне.

Капитан снова сунулся в справку, протянул разочарованно:

— Ах да...

— Подозреваете меня? — усмехнулся Плетнев.

— А кого еще подозревать? — делано удивился капитан. — Вы по убойной статье сидели. Сто третья.

— Ну и что? Отсидел же.

— Повадился кувшин по воду ходить...

Папку закрыл, сдвинул на край стола. Справку положил сверху. Покачал головой. Протянул саркастически:

— Значит, говорите, за слабого вступились.

— Вступился.

— И где же этот слабый? — поинтересовался капитан, кивнув на шапку.

— Слабая, — поправил Плетнев. — На автобусе уехала.

— А кто подтвердит ваши слова?

— Зачем их подтверждать? Что в моих словах сомнительного?

— Что сомнительного? — переспросил капитан. — Да как сказать... Лично во мне ваши слова доверия не вызывают.

— Почему это?

— А почему я должен вам верить? Разные мы люди.

— То есть?

— Да то и есть, — сказал капитан. Он поморщился, качнув головой в сторону справки. — Одни в Афгане кровь проливали, другие тут черт знает чем занимались.

— Я в Афгане раньше твоего кровь проливал! — заметил Плетнев.

— Ишь ты! Это как это? — искренне удивился капитан. — Я с апреля восьмидесятого. Куда уж раньше? А ты с марта в заключении. Посчитай!

— Ты герой, — хмуро похвалил Плетнев. — Только считаешь плохо. Думаешь, до марта там, как на Марсе, жизни не водилось? — Капитан настороженно молчал. — Про Тадж-Бек слышал?

— Ну допустим, — сказал капитан.

— Что там было?

— Штаб сороковой армии...

— Но ведь не всегда, верно?

— В смысле? — не понял капитан. Или сделал вид, что не понял.

— До того как штаб появился, дворцом Тадж-Бек Хафизулла Амин пользовался.

Капитан покашлял. Снова придвинул справку и скосил в нее сощуренный глаз.

— Так ты что же хочешь сказать...

— Это и хочу. Мы его штурмовали.

— Ах, вот как! Ну, здоров заливать.

— Спроси что-нибудь, — Плетнев пожал плечами.

— Ишь ты, спроси... Ну хорошо, сколько входов в здание?

Он на мгновение закрыл глаза. И увидел сияющий в утреннем солнце белый дворец Тадж-Бек, гордо возвысившийся на вершине холма. И услышал голос убитого Раздорова: «Характерный пример колониальной архитектуры. Английский классицизм. Видишь, по бокам полукруглые такие, что ли, завершения с колоннами? — называются ризалиты...»

— Три. Большие двери в центре. По одному входу в крыльях. От центрального, из вестибюля, лестница на второй этаж. Правое крыло на возвышении. Там на парапет по лестницам забирались.

Капитан откинулся на спинку стула, молча его разглядывая.

— Так ты офицер?

— Старшим лейтенантом был...

— И как же?..

Плетнев криво усмехнулся.

— Так исторически сложилось.

— Ну извини тогда. Извини, — капитан протянул справку. — Спрячь. И поосторожней пока. Паспорт получишь — человеком станешь. А с этой ксивой ты легкая добыча. Что угодно повесят — и не перекрестятся. Кто сделал? — да кому еще: вот этот — он же только что по сто третьей откинулся...

— Понимаю, — нехотя сказал Плетнев. — Спасибо.

В коридоре послышался крик. Капитан вопросительно поднял брови.

— Не трогайте меня! — раздалось за дверью.

Еще через секунду, волоча за собой милиционера, Лизка ворвалась в кабинет.

— Отставить! — рявкнул капитан, поднимаясь. — Гражданка, в чем дело?!

— Вы здесь! — с яростным облегчением кричала Лизка. — Что они с вами делают?! — И уже капитану: — Да как вы смеете?! Вы кого хватаете?! С меня шапку сорвали, товарищ у воров отбил! Что вам нужно?!

Она встряхивала челкой, щеки пылали, и темно-зеленые глаза на раскрасневшемся лице гневно светились и сияли.

2

Все в жизни так быстро менялось, вставало с ног на голову и переворачивалось, что в неустанной чехарде неделя шла за две, месяц за три, а про год и речи не было. Время размывалось, будто спицы велосипедных колес, на тысячи оглушительно нежданных событий: следующие спешили на смену предшествующим, чтобы тут же самим сорваться в Лету под напором грядущих.

КРЕДИТОР

Мише Блекотину Бронников поначалу не поверил.

— Ладно тебе, — сказал он. — Шутишь.

— Да ничего я не шучу, Гера, — возразил Миша. Он имел привычку то и дело срываться в дикое гоготание, которыми сопровождал свои иногда смешные шутки, но сейчас и впрямь говорил как никогда серьезно. — Подняли вопрос, я и предложил твою кандидатуру. Тебя все знают как честного. Правда, этот деятель из ЦК начал что-то про...

— Из какого еще ЦК? — оторопел Бронников.

— Из ЦК комсомола, — успокоил Блекотин. — Эти семинары организуются под эгидой комсомола. — И спросил таким тоном, будто речь шла о каком-нибудь несомненном знании — например, с какой стороны восходит солнце: — Комсомол тоже должен перестраиваться, верно?

— Не знаю, — состорожничал Бронников.

— Вот видишь! — Миша почему-то принял его сомнение за решительную поддержку. — Ты прав! Именно, именно что должен! Сам посуди, зоечка ты моя, перестройке уже три года, так когда же перестраиваться, если не сейчас? Под этим углом и придумали. Два поэтических, два прозаических. Помещения выделяют на вечернее время. У них какая-то шарага на Писемского, так вот там и будет. Еженедельно.

— Но я...

— Кругом полный голяк! — не дал сказать Блекотин. Говорили по телефону, товарища своего Бронников не видел, но отчетливо представил, как тот нетерпеливо морщит длинный разлапистый нос. — Всю запрещенку из закромов повынимали, с колес в печать, журналы ломятся. Да ведь это разве новое? Все старье, просто с двадцатых годов коммуняки ему зеленого света не давали. Литература первоклассная, не спорю, да из какой эпохи? Ну хорошо, вылезет на белый свет. Потом, глядишь, и всю антисоветчину напечатают. Сейчас еще под запретом, но все же к тому дело идет. Двери-то, а?

И замолчал, как будто ожидая реакции.

— Что — двери? — осторожно спросил Бронников.

— Двери-то! — воскликнул Миша. — Хоть со скрипом, а мало-помалу отворяются! Не могут удержать, силенок уже не хватает... Да ведь разве свежее? — ни черта не свежее, тоже плесневелое, с шестидесятых годов в самиздате ходит. А дальше что? Новая кровь где? — с напором поинтересовался он. — Где новьё? Поросль?! Нужно воспитывать молодого писателя, Гера! Это наш долг, в конце концов!

Последние фразы Бронникова насторожили: из-под них мельком высунулось некое свиное рыло, засветилось что-то до боли знакомое — суконное, кумачовое, требовательное.

— Ну да, — вяло согласился он. — Наверное... Но почему я?

— Я же говорю, тебя все знают. Ты когда зимой на радио попал, помнишь? Сказал, у тебя роман в столе лежит — «Набег», да?

— «Набег», — с затаенной гордостью подтвердил Бронников.

— Ну вот сразу все и поняли, что к чему. Ты, Гера, на переднем крае. У тебя роман — современный роман. У кого еще? У секретарей? Не спорю, у секретарей всего навалом, так ведь потому они и секретари, что всегда строчили под райкомовскую дудку. Читать нельзя. Я сколько раз пробовал — не получается. Маркова раскрывал?

— Нет, — отказался он. — Руки не дошли.

— Зря. Врага надо знать в лицо... Я раскрывал. И честно пытался. Ладно, о чем мы. Гера, зоечка ты моя, ты сейчас ведущий писатель. Так кому же еще воспитывать молодых? Снова функционерам? Нет, Гера, время не то. Тебя не печатали сколько лет. Так пусть знают: у нас писателя не за секретарские тиражи ценят. За талант! — сколь сбивчиво, столь и настойчиво толковал Миша.

Бронников помолчал, переваривая, не в силах еще уразуметь, что здесь лесть, что хоть какая правда. И где подвох? — нутром чуял, что должен быть, — но пока не обнаруживал.

— Не знаю... Ладно, допустим, я соглашусь. И как это будет?

— Ну как. Как обычно. Семинаров никогда не вел?

— Бог с тобой. Я десять лет лифтером работаю.

— Вот, кстати, и с этим завяжешь, сколько можно, — воодушевился Блекотин. — Зачем тебе? Станешь уже литератором. Они прилично платить обещают.

— Еще и платить? — не поверил Бронников.

— Договариваемся, чтобы половину продуктами. Вроде заказов. У них, у комсомола, есть возможность. Ну ты понимаешь: еженедельно. Я набросал списочек. Масла четыреста граммов, копченой колбасы палку, вареной полбатона, болгарских консервов обязательно — эх я лечо их люблю! — еще там кое-что по мелочи, покажу при встрече...

Дело, конечно, было не в лечо и не в колбасе. Сама эта возможность — встречаться с молодыми людьми, пробующими силы на бумаге, рассказывать, что сам он смог понять к своим пятидесяти, толковать о форме, о композиции, приводить примеры из мировой литературы... осторожно препарировать текст, выясняя, чем же автор добился того или иного эффекта, — сама эта невероятная возможность выглядела сказочно-лучезарной.

А за это еще и платить. Да вдобавок продуктами!.. С ума сойти.

— В Союз снова вступишь, — рассыпал Блекотин вороха возможностей. — От ЦК рекомендацию получим. Рекомендация ЦК — это, брат, не баран начхал. Времена теперь другие. Никто не пикнет. У всех рыльце в пушку.

Все знают, что Бронникова из Союза неправильно выперли. А многих, между прочим, давно уж пора оттуда поганой метлой. Им там совершенно не место...

Бронников мгновенно вообразил, как он заходит в кабинет секретаря Кувшинникова и говорит ему — жалкому, растерянному, потному, — властно указывая на дверь: «Вам в Союзе не место!»

Нахлынуло — и тут же слиняло, только обожгло ощущением несусветной глупости.

— А то что ж ты там как обсевок, — закончил Миша. — Давай уж, Гера, зоечка ты моя, соглашайся.

В итоге он согласился, и теперь каждую среду они с Мишей Блекотиным приходили к семи часам в трехэтажный особнячок на улице Писемского.

Фасады и дворики почти не тронутого здесь Арбата навевали странное чувство поворота времени, возвращения в некую прошлую эпоху, куда более живую и более определенно предназначенную для людей (впрочем, суровым напоминанием реальности впереди маячили врубленные по живому стеклобетонные зубья Калининского. Да и само имя Алексея Феофилактовича Писемского, по идее, могло бы вызывать хоть сколько-нибудь возвышенные мысли и переживания. Черта с два: явившись сюда впервые, Бронников не мог отделаться от неприятного подозрения, что в одной из комнат этого чудного особняка в тихой засаде сидит Семен Семеныч, а как надоест ему там сидеть, выйдет и скажет: «Вот так встреча! Герман Алексеевич, какими судьбами?»

Но, конечно, ничего подобного случиться не могло: вечерами пусто — только сторож, запиравший за ними, когда семинар заканчивался (часто ворчал, что слишком уж засиделись), а днем комсомольцы вершили какие-то свои важные дела по части молодого задора. Ощущение же Бронникова являлось, вероятно, следствием того, что все особняки в центре Москвы в той или иной степени похожи друг на друга, и этот комсомольский неизбежно навевал воспоминания о том давнем гэбистском, откуда его свезли сначала в тюрьму, а потом в психушку.

Писатели приходили разные. Хорошо дело шло именно с молодыми. Среди них встречались люди небесталанные, с ними было интересно и весело. Но похаживали и авторы в годах, с сединой и бородами, с выражением давней затравленности в изверившихся глазах. С этими приходилось трудно: закоренелые бездари, смолоду не имевшие ни слуха, ни воображения, ни, главное, дара читать собственный текст как чужой. Да и зачем? — как правило, об улучшении своей утлой писанины они и не помышляли. Блекотин эвфемистично называл их «наши возрастные». Они яростно отстаивали не только каждое слово, но даже знаки препинания: будто пишут не чернилами по бумаге (каковой способ оставляет возможность что-нибудь вымарать или поправить), а прямо золотом по мрамору — и теперь, когда все буквы выведены, любое вмешательство безнадежно испортит обращенную к вечности надпись.

Заглядывали и совсем странные люди. Однажды, например, явился длинноволосый юноша, сел в уголок, внимательно слушал выступавших, а когда обсуждение кончилось и Бронников хотел задать ему вопрос, для того ли он пришел, чтобы стать участником семинара, и если да, то пусть представится, молодой человек вдруг встал и громко сказал, горестно махнув рукой: «Эх, люди! Россия погибает, а вы тут!..»

После чего удалился.

Скоро Миша Блекотин утратил столь свойственный ему прежде оптимизм, делился опасениями насчет того, что боится сойти с ума, часто накануне семинара звонил, чтобы сказать что-нибудь вроде: «Старик, меня тут ангинка прихватила, посидишь сам, зоечка ты моя, хорошо? А я уж в следующий раз подменю».

43

Да Бронников и рад был, потому что Миша, являясь к молодежи, оказывался бесстыдно говорлив и эрудирован: вечер проходил в неустанной болтовне, литературных анекдотах и нескончаемых сведениях о том, как он, Михаил Блекотин, относится к тому или иному классику и что в нем особенно ценит.

В такие минуты Бронникову казалось, что семинаристы тоскуют не меньше, чем когда уныло слушают спотычливые творения своих самых блистательно бесталанных товарищей. Он старался мягко свалить Мишу с коня; если это удавалось, Блекотин, замолчав, долго еще с сожалением по-лошадиному пожевывал полными губами.

Сам же, оставаясь в единовластном одиночестве, преимущественно помалкивал, лишь более или менее ловко направляя течение беседы или спора в разумное русло: примерно как рачительный садовник пускает при поливе воду то на один участок, то на другой.

Пытаясь оградиться от потока совсем уж ретивых графоманов, рвущихся в семинар в надежде получить наконец признание и славу, завели процедуру приема: претендент читал небольшой отрывок, и если семинаристы признавали художественную ценность услышанного, новичка принимали, позволяя приходить впредь, в противном же случае давали от ворот поворот.

Не обходилось без скандалов, бывало пару раз и такое, что соискатель, высокомерно выслушав вердикт, взрывался потоком виртуозной брани (Бронников всякий раз сожалел: эх, кабы тебе так писать научиться!) и только после этого хлопал дверью. А то еще иезуитски-вежливо рассказывал, какие они все тут косные консерваторы, насколько глухи к веяниям времени. Многие упирали именно на это: что, дескать, сейчас, в новых условиях, когда свобода слова того и гляди окончательно восторжествует, их недооцененное ранее творчество должно оказаться чрезвычайно востребованным, и что же? — тупые семинаристы, ретрограды и завистники, как и прежде, преграждают путь истинному искусству.

Таня Крапивина появилась в начале года — аккуратная, милая, с задумчивым выражением внимательных серых глаз. Смущенно поведала, что пишет юмористические рассказы, — Бронников сразу тяжело затосковал: в их обиходе не встречалось ничего более безрадостного, чем юмористические рассказы. Прочла два или три. Несомненным их достоинством оказалась краткость. Что касается прочего, думал он, искоса рассматривая ее милое нежное личико, то, конечно, пока еще нет, но... дорогу, так сказать, осилит идущий. Собственно, почему бы и нет?

В таком бы духе и высказался — но не пришлось, это сделал Миша Блекотин.

— Ну что ж, — протянул он, маслено оглядывая ее фигурку. — Как, товарищи, рассудим? — Семинаристы дружно подняли руки. — Вот видите, Танечка, все в порядке, присаживайтесь... да вот сюда можете, вот подходящее местечко.

Посадил рядом и несколько занятий пытался опекать. Однако вскоре появилась еще одна новенькая — шумная, всегда веселая, даже, пожалуй, разбитная Юля Скворчук, с порога начавшая с явным одобрением принимать знаки его внимания, и Блекотин переключился на нее.

Однако по большей части и впрямь выходило довольно утомительно. Если, например, занятие посвящалось прослушиванию работ с последующим их кратким обсуждением, то краткие обсуждения состояли по большей части из мыканья, меканья, путаницы понятий, заездов не в тую, апелляций к предметам, вовсе не могущим иметь к литературе никакого отношения, и снова глубокомысленного мыканья. С одной стороны, конечно, собирались тут совсем не филологи, попадались ребята и вовсе не обремененные образованием (но иные с таким чутьем, что образование могло бы к нему разве что приложиться, — в чем, разумеется, большого греха бы не оказалось); с другой — редкий текст давал повод хотя бы к простейшему здравомыслию и внятной оценке.

В тот раз, помнится, долго пытались разобраться, правильно ли старик из рассказа «Дым» поджег райком, использовав в качестве запала собственный партбилет, и мог ли он, вообще говоря, это сделать? — ведь наверняка в райкоме должна быть какая-никакая охрана; и стоит ли писать, что на дело он шел, шатаясь от голода, а когда пламя по-настоящему разгорелось и из окон начали сигать первые и вторые секретари, старикан удовлетворенно вздохнул и вытянулся на крыльце, коченея, — не очень в такое верится, ведь какая ни скудная жизнь кругом, а все-таки от голода люди еще не умирают.

Вскочил вечный путаник Комарищев, чтобы в качестве последнего аргумента рассказать, что в той деревне, откуда родом его отец, за свинью теперь готовы сервант «Хельга» отдать, вот до чего дошла бескормица. Голова шла кругом, а вся эта несуразица накатывала вал за валом по мере того, как семинаристы читали свои опусы. Обсуждение последнего в списке автора свелось к длительному разбору одной-единственной фразы, как будто весь рассказ из нее и состоял: «К вечеру пляж обезлюдел, только невдалеке одинокий старик кидал собаке палку». Половина семинаристов сомневалась, что выражение «кидать палку» достойно изящной словесности, особенно если речь идет о собаке; вторая не знала его смысла и не понимала, о чем речь.

Бронников несколько минут одурело сидел, упершись взглядом в лаковую поверхность стола. Вдруг его будто что-то толкнуло:

— Нужно встряхнуть градусник. А то, боюсь, мы перестали понимать, что к чему. Вот у меня с собой тут... — Достал из портфеля первый том «Войны и мира», раскрыл наугад. — «Княжна Марья сидела одна в своей комнате и тщетно пыталась преодолеть свое внутреннее волнение...»

Он читал, время от времени поднимая взгляд. Слушали внимательно, с интересом. Таня Крапивина и вовсе смотрела так завороженно, будто он сам все это и написал.

Он читал про то, как маленькая княгиня с m-lle Bourienne наряжают княжну Марью, готовя выйти к Анатолю, который, судя по всему, приехал просить ее руки, и как княжна Марья, глядя в зеркало, понимает, что нельзя к ее некрасоте добавить большего уродства, чем те прическа и наряд, что придумали m-lle Bourienne и маленькая княгиня; и как она идет в образную, и о чем думает; и как в конце концов она взошла в комнату с гостями...

«Стоп, а где же солнце?» — спохватился он, дочитывая абзац. Пропустил, что ли? Было же: она входила, оглядывалась — и всех различала отчетливо, а вместо Анатоля видела лишь яркое, как солнце, сияние. «Или это я сам придумал?» — с испугом подумал он.

Молча отложил книгу. Семинаристы пригорюнились.

— Вот, — сказал Бронников. — Видите... Вот так Толстой и... и все мы тут... гм.

Разошлись в двенадцатом часу.

Когда Бронников взял портфель, оказалось, что Таня Крапивина еще здесь.

— Вы что, Таня? — удивленно спросил он. — Вы к метро? Пойдемте вместе.

Таня оглянулась, как будто желая убедиться, что никого нет поблизости, и шагнула к нему, порывисто схватив себя за воротник пальто.

— Герман Алексеевич! — низко сказала она. — Можно с вами?

Собственно говоря, он и так ее уже позвал, поэтому создалось впечатление, что она не успела перестроиться или не желала потерять заготовленную фразу. Может быть, и на самом деле она готовилась сказать именно так, как сказала: с такой уверенностью и такой на первый взгляд противоречащей этой уверенности ноткой отчаяния, словно уже решила для себя нечто важное, а он сейчас выполнял некую служебную роль: оставалось лишь получить его согласие, которое, впрочем, представлялось чистой формальностью, поскольку его отсутствие не могло переменить некоторых ее заведомых решений.

Бронников насторожился, даже холодок пробежал по щекам: судя по всему, каждое слово и каждый жест теперь могли обрести особое значение. Нервы отработали исправно, он собрался, сконцентрировался: тропа вывела на болото, придется идти, ежеминутно рискуя, а неосторожный шаг обрушит в трясину.

Впрочем, одновременно успел сам над собой усмехнуться: вот старый дурак, ну не в любовницы же тебе эта юница набивается, все гораздо проще: хочет поговорить о литературе, не хватает ей общения в рамках семинара, слишком оно формальное, успокойся, расслабься... Но инстинкт самосохранения все же не поддался убаюкивающему бормотанию рассудка.

Стараясь сделать вид, будто не придал ее словам никакого значения, смотрел в широко распахнутые глаза, пытаясь понять, что кроется за всем этим, в чем истинный смысл угадываемой решимости; и увидел, что серые глаза Тани Крапивиной, вопреки тону ее слов, наполнены не самоуверенностью, а робостью — если не страхом.

— Танечка, — мягко сказал он. — Конечно, я буду рад. Пойдемте, а то видите, как сегодня завозились. Чего доброго, метро закроют.

Вышли на улицу. Погода стояла мягкая, волглая, редкие снежинки медленно слетали с лилово-потечного неба, подвывал за спиной Калининский проспект.

Он чувствовал совершенное спокойствие — отеческое, мудрое спокойствие много пожившего человека: именно оно позволяло ему ощущать знобкие волны ее смятения, тревогу, что наполняла ее, заставляя часто биться сердце и дышать неровно, как после беготни или заплыва.

Разговор поначалу тыркался вокруг предметов литературных, потом сам собой съехал на вещи житейские. Таня обмолвилась, что заканчивает институт, и он с облегчением решил, что ей хочется рассказать о себе. Но вместо того она замолкла, часто вскидывая взгляд, улыбаясь и подбадривая кивками — с любопытством ждала, что скажет.

Он говорил мягко, не пытаясь показаться лучше или веселее, чем на самом деле. Разумеется, он не собирался этого впрямую высказывать, но ему хотелось бы дать понять, что ничего решенного еще нет, и если даже она вообразила себе что-то такое, что связано исключительно с ним, а потому именно от него она ждет удовлетворения своих ожиданий, то это всего лишь минутное искажение ясной перспективы, поток горячего воздуха, невесть откуда взявшегося, чтобы временно поколебать очертания предметов. Инстинктивно находя более или менее подходящие к ее состоянию, как он его понимал, темы и слова, Бронников толковал насчет того, что осознал совсем недавно: жизнь мало того что длинна, так еще и извилиста: на каждом повороте кажется, будто именно это колено самое главное, решающее, что оно выводит на тот окончательно верный курс, который отныне и до самой смерти будет вести тебя неуклонно прямо, — но по прошествии недолгого времени вдруг оказывается, что и эта стрела начинает кривиться, норовит скользнуть в сторону, свернуть, а потом уж снова обманно выправиться, — и все, что остается за новым поворотом, линяет и теряет значение. Раз за разом, раз за разом... А помолчав, будто отведя ей время повторить про себя услышанное, хмыкнул: вот он только что произнес слово «окончательно» — так это просто еще одна насмешка жизни: что окончательного, кроме смерти, в ней может быть?

Уже подходили к «Баррикадной», когда Таня начала всхлипывать, чем снова поставила его в тупик. Но если бы он огорчил ее чем-нибудь, она бы, скорее всего, убежала; неужели растрогал? По-прежнему оставался настороже: не попытался рассеять недоумение, не стал спрашивать, о чем она, а вместо того, будто ничего не заметив, заявил — хоть ни к селу ни к городу, но твердо, — что уверен в ее литературном будущем.

Таня благодарно вскинула глаза, блеснувшие слезами, и улыбнулась: «Правда?».

Спустившись к грохоту и визгу метропоездов, расстались друзьями — во всяком случае, его не покидало это ощущение.

Он шел к дому, представляя себе, что могло бы быть дальше — и со смешанным чувством и радости, и сожаления понимал, что никогда ни на что из этого не пойдет.

Отпер дверь, поставил портфель, начал расстегивать пальто. Кира выглянула из комнаты с книжкой в руке, сняла очки и спросила с несерьезным удивлением и укором:

— Гера, что за ночные семинары? Ты там завел себе кого-нибудь?

Он только усмехнулся.

Однако при начале следующего занятия бессознательно ждал, представляя, как вот скоро она вбежит с извинениями и запыхавшись. Когда же время заехало за середину, а Таня так и не появилась, почувствовал легкое разочарование.

Не пришла и через неделю. При случае он спросил у Юли Скворчук, нет ли каких-либо сведений о семинаристке Крапивиной.

Они шли к метро втроем. Юля цепко держалась за Мишу Блекотина, на ходу прижимаясь к нему и иногда со смехом кладя голову на плечо. Блекотин время от времени прерывал течение и без того неровной беседы тем, что наклонялся и говорил ей что-то на ухо, и Юля всякий раз закидывалась, хохотала и прижималась к нему теснее. Бронников чувствовал себя лишним и, конечно, не маячил бы третьим, но вышло не по его вине: это Блекотин предложил после семинара зайти в ЦДЛ выпить по рюмке, а Юля уже, оказывается, там дожидалась. При всякой шутке она падала лицом в ладони (как подозревал Бронников, чтобы лишний раз взмахнуть своими длинными, пышными и на самом деле эффектными волосами) и тряслась, повизгивая. Судя по всему, у них с Мишей дело заехало далеко, потому и на семинаре она показывалась редко: должно быть, смысл существования сместился с предметов литературных на иные.

— Ах, Герман Алексеевич! — захохотала она на всю улицу. — Зацепила вас Крапивина!

— Юля, бог с вами, — попытался урезонить Бронников.

— Зацепила! — хмельно горланила семинаристка.

Бронников поймал хитрый и заинтересованный взгляд Блекотина.

— Хорошо, хорошо, — отступил он. — Ладно, ребятки, я в метро.

— Ее парень не пускает, — сообщила Юля, заговорщицки тараща глаза.

К своим годам он уже научился понимать, что у всякой более или менее привлекательной женщины всегда кто-нибудь есть: как говорится, свято место пусто не бывает. И все же известие неприятно кольнуло.

— Парень? — нехотя переспросил Бронников. — Какой парень?

— Да такой один дурной Отелло. Ревнивый — ужас! Но вы его перебьете.

Она засмеялась и погрозила пальцем.

— До свидания, — суховато сказал Бронников.

— Погоди!

Блекотин отвел его в сторону, приобнял и негромко, но жарко заговорил, раздувая ноздри и дыша перегаром:

— Ну как тебе, старик? Хороша?

— Кто?

— Ну не придуривайся, старик. Юля же!

— Юля? — Бронников пожал плечами. — Хороша. Для тебя даже слишком, пожалуй.

— Веришь, совсем голову задурила.

— Да?

— Серьезно. Начисто! — сказал Блекотин. И добавил так же блаженно, хоть и с некоторым покаянием в голосе: — Вчера Маринке все рассказал.

— С ума сошел! — ахнул Бронников. Мариной звали его жену.

— И может быть, на мой закат печальный... — начал Блекотин.

— Перестань! Какой закат? Да тебе сколько лет?

— Сорок пять, — ответил Блекотин и, будто сообщив о некоем неисправимом своем пороке, извинительно усмехнулся. — Немало... Но счастья-то хочется, зоечка ты моя!

— Счастья? — удивился Бронников. — Может, ты к тому же думаешь, что человек рожден для счастья, как...

— Ну да, как птица для паштета! — загрохотал Блекотин своим зверским хохотом.

— Миша! — закричала Юля. — Мы идем или что?

— Иду, иду!..

— А ей?

— Ей тоже хочется.

— Нет, лет сколько?

— Двадцать два.

— Риск — благородное дело, — кивнул Бронников. — Что ж, давай, не буду мешать. Исполняй предназначение.

Человек рожден для... Эх, Миша, Миша.

3

Когда позвонила какая-то девчушка и после пары-другой предварительных извинений звонко сообщила, что Валентин Андреевич Криницын болеет, Бронников удивился.

Сам он сроду не стал бы тормошить Криницына по такому поводу. Ну болеет, и что. Поболеет и перестанет. Не друзья, не приятели. Всех делов, что сто лет назад Криницын редактировал его книгу. Которая, впрочем, так и не вышла.

Бронников мямлил что-то насчет того, что сегодня точно не сможет, завтра вряд ли, а вот на следующей неделе... Девчушка неожиданно твердо настаивала: не мог бы он как можно скорее.

— Его на днях должны в больницу взять, — повторяла она.

— Ну хорошо, — в конце концов сдался он. — Когда можно?

— Когда хотите, — сказала девчушка.

Адрес просто-таки ошеломил: от «Каширской» семнадцать остановок на автобусе... Ореховый бульвар! Однако делать было нечего, и на следующий день Бронников поехал.

При их последней, столь памятной ему встрече ... когда, кстати, была? года два назад? Стал прикидывать — охнул: почти десять лет пробежало.

Тогда Криницын был хоть и сиз, весь не по-хорошему разобран и мутен, но все-таки только совсем наивный человек назвал бы его умирающим.

Теперь же, несмотря на трезвость, худобу, чистую наволочку, на которой недвижно лежала голова — тяжелая и круглая, как пушечное ядро, только по низу голого темени опушенная воздушной сединой; несмотря на одеяло в таком же свежем, как наволочка, крахмальном пододеяльнике, поверх которого покоились темные, костистые, с черными жилами руки (или благодаря всему этому), он выглядел так, будто уже умер.

Оторопев, Бронников запнулся у порога. Но больной открыл глаза, моргнул и медленно повернул голову.

— Здравствуй, Гера, — без выражения сказал он.

Заелозил руками по одеялу, усиливаясь сесть, что ли... напрягся...

— Лежи, Валя, лежи! — Бронников уже придвигал стул. Сел, натянув на физиономию фальшивую, но естественную в этой ситуации обнадеживающую улыбку. — Ты что ж это?

— Да вот, — Криницын криво улыбнулся. — Пора валюткой запасаться...

— Какой валюткой?

— Какой... Оболом медным. А то не переправят. Так и буду слоняться...

— Ладно тебе.

— Ничего не ладно, — сказал Криницын одновременно тусклым и бодрым голосом, в котором бодрость была напускной, а тусклость — неподдельной. — Неважно... Ты пишешь?

— Пишу, — сознался Бронников.

— Ну и правильно... Между делом скажу: ищи теперь другого редактора.

И закашлялся. Но так сощурил глаза, что Бронников подумал: может быть, смеется?

Утихнув, стал смотреть на гостя спокойно, даже равнодушно. Однако и кроха любопытства во взгляде посвечивала — должно быть, насчет того, как визитер сейчас будет выкручиваться. Если так, Бронников его любопытство немедленно удовлетворил:

— Что ты выдумываешь? Хочешь, я с женой поговорю? К себе положит, через три недели выйдешь как новенький... а?

— Не надо, — Криницын облизал губы. — Не для того звал.

И стал рассказывать — для чего. С его слов выходило, что Бронникова он числит в ряду людей небесталанных. И даже способных писать о вещах больших.

— А война, Гера, — сипло шептал Криницын, вытягивая шею, — это самое большое, что я знаю. Я много ее хлебнуть не успел, но понял: больше войны ничего на свете не бывает. Ни-че-го. И понимаешь, какая штука, Гера... Кто войны не видел — не поймет. А кто видел — тоже не понимает. Нельзя осмыслить войну. Не укладывается она в сознании...

— Ну да, — сказал Бронников.

Криницын молчал, прикрыв глаза. Прошло минуты полторы.

— Мы с тобой толковали, помнишь? Ты говорил, тебе интересно понять... написать об этом... Ты должен попробовать, Гера... Только это очень опасно. Понимаешь?

Бронников опять кивнул: ну да, что ж тут непонятного. Все как божий день. Хотя никакой ясности, честно говоря, у него пока не было.

Про самого Криницына было известно, что начинал он широко и звонко: году в пятидесятом, что ли, напечатал два военных рассказа. Критика встретила их, с одной стороны, с восхищением: хвалили за крепость формы, за богатый и точный язык. А с другой, ища, но, видно, до времени не находя слов, угрюмо бурчала что-то про чуждую советскому человеку, неоправданную мягкотелость: мол, добро должно быть с кулаками.

Бронников не поленился, прочел старый номер журнала. Рассказы вовсе не прокламировали мягкотелость, не пытались склонить к не оснащенному кулаками добру. Они лежали в привычном русле тогдашней дозволенной литературы — бравой и победительной.

Однако в них был слышен низкий, тяжелый гул, шедший как будто из-под самой земли: словно там, под ней, под этой землей, осталось неслыханно много чего-то живого, чего-то настоящего, и всё это неохватное, непредставимое по своей величине живое стонет теперь, ропщет, гудит, тщетно пытаясь напомнить о себе, не позволить тем, кто еще ходит наверху, забыть про него и жить дальше, как есть. Сцены фронтовой жизни подавались вполне традиционно; но этот опасный гул привносил в прозу Криницына смутное, знобкое ощущение, что автор не высказал и сотой доли томившей его правды.

Потом, говорили, он написал повесть, что ли, и написал, видно, куда безоглядней — а потому попал с этой рукописью (с тех пор так и не опубликованной) в самые, что называется, жернова.

И на том его писательская карьера закончилась.

— Ты вон сунулся в тридцатые — тебе сразу палкой по голове, — сказал Криницын. — По всем статьям получил. А полезешь в сороковые — так уже не палкой будут бить... железом пройдутся. Про сороковые у нас специальные люди пишут, — Криницын весело и довольно жутко оскалился. — А кто не специальный — того сразу режут, без раздумий. Худого слова не скажут, а только ножичком — чик!.. Ты подумай, подумай... Но все равно, пусть у тебя будет. Я в больницу... кто его знает, как оно там дальше сложится. На.

И, сунув руку под подушку, достал большой почтовый конверт бурой крафт-бумаги.

Бронников взял. В конверте лежала тетрадка.

— Дима Кременчуг, — просипел Криницын. — Они с моим старшим братом в одном классе учились... Дома у нас бывал... Я думал, тоже сгинул, как братишка. А много лет прошло — и случайно встретил. Оказывается, выжил, хоть и не должен был. Судьба хранила. Он на Волховском воевал, в Сорок второй ударной. Был в окружении. Из Мясного Бора целым выбрался, представляешь?.. Отдышался — снова на фронт. Тут уж так не повезло: сильно ранен был, комиссован — руку осколком изуродовало... Врач посоветовал куклу сделать... марионетку... показывать что-нибудь, пальцами шевелить. Вроде как и смешно, и ему польза — рука разрабатывается. Он послушал... после войны настоящим кукольником стал, в театре работал. Умер года два назад... Но дело не в том. Ты почитай. Почитай, почитай... И съезди туда, сам посмотри.

— Куда? — спросил Бронников, морщась. Сорок вторая какая-то ударная... Мясной какой-то бор. Ни одно из этих слов ничего ему не говорило, а то, что за ними маячила возможность неких новых обязательств, только раздражало. А требование куда-то ехать вызывало неприятную оторопь. Тяжел стал на подъем... куда и как он поедет? А выгородка под лестницей? А график? А Кира, Лёша, Анечка? Да и денег отродясь нету, чтобы куда-то ехать...

— Ну куда... туда и езжай. Я же говорю. Деревня Мясной Бор. Соколов Федор Константинович. Его там «комендантом» зовут... В конверте адрес. Он тебе все покажет...

— Ага, — сказал Бронников, кивая и не зная толком, что сказать.

— Ты, Гера, много уже понимаешь, — прохрипел Криницын и опять закашлялся. — Но не всё... Собирайся. Посмотришь — может, и до конца поймешь.

— Пожалуй, — кивнул Бронников, твердо зная, что никуда он не соберется. Да и обидно было это слышать: все понимаешь, не все понимаешь... мальчишку нашел.

Криницын с усилием поднял взгляд.

— Все, Гера, иди... Устал я что-то. Иди.

И снова смежил веки — так, будто совершил что-то важное и теперь может отдохнуть.

Бронников осторожно поднялся. От порога еще раз посмотрел на него. Тихо вышел в прихожую.

Худенькая молодая женщина с невеселыми карими глазами, какой при встрече оказалась звонившая девчушка, не показывалась, только погромыхивало что-то на кухне.

Без лишних слов обулся и захлопнул дверь.

Читать начал, разумеется, еще в автобусе. И уже там окатило его жаром.

Потом водитель принялся орать в микрофон: «Конечная! Гражданин, вы слышите?»

Выбрался из пустого салона. Ничего перед собой не видя, побрел к метро. Сел, забился в угол.

Не раз предлагали покинуть вагон: на «Речном вокзале», на «Каширской», снова на «Речном вокзале», снова на «Каширской», и, как заведенные, опять на «Речном вокзале».

Погрузившись в неслыханное прошлое, безвольным телом мотался он через всю Москву с одной окраины на другую.

Наконец, чудом услышав пробившееся к нему в очередной раз *Следующая станция Аэропорт*, одурело тряся головой, пробрался к дверям.

* * *

Часто в записях Кременчуга поминалась деревня Спасская Поли́сть.

В его тетради было много красивых названий, перекочевавших сюда то ли из каких-то незапамятных времен, то ли просто из волшебных сказок: река О́редеж, село Конечики, Червинская Лука, Ручьи, Пятница...

Но Спасская Поли́сть — это о чем-то напоминало и мучило: ерзал мозгами по одному и тому же месту, а сообразить не мог.

Наконец всплыло: как же!

Стал искать книгу — нашлась наконец в третьем ряду, пыльная. Сдул. Раскрыл на оглавлении. Так и есть. Только здесь не «Полисть», а «Полесть».

«*В войсках подчиненности не было; воины мои почиталися хуже скота... Не радели ни о их здравии, ни прокормлении; жизнь их ни во что вменялася... Большая половина новых воинов умирали от небрежения начальников или ненужныя и безвременныя строгости. Казна, определенная на содержание всеополчения, была в руках учредителя веселостей. Знаки военного достоинства не храбрости были уделом, но подлого раболепия... От таких-то воинов я ждал себе новых венцов. Отвратил я взор мой от тысячи бедств, представившихся очам моим...*»

Радищев, «Путешествие из Петербурга в Москву». Где предисловие?.. ага. Тысяча семьсот девяностый. Царствование Екатерины Великой... Вольная типография, стало быть. Ну да... суд... к смертной казни... вот тебе и вольная. Императрица заменила лишением чинов и дворянства и ссылкой на десять лет в Илимский острог.

Понятно. Как тогда Криницын-то сказал? Сунешься, не поздоровится... железом, мол. Ну да... к тому же ныне императриц нет, миловать некому...

Но и времена не те, — ободрил он сам себя. — Не те все-таки времена!

2. Казахстан

1

Почему-то вспомнилось, как однажды гурьбой ходили в Осетинский поселок. Должно быть, это уже после того, как им, выпускникам, вручили аттестаты. Ну да — начало лета... Бог его знает, вечно про это сельпо в Осетинском возникали разного рода слухи: то якобы тетрадки завезли, то еще что-то нужное. Они шли мягкой пыльной дорогой, позади оставались трубы завода и вечное облако гари над ним, слева — курган, на котором, как он верил в детстве, живут разбойники. Болтали, кричали, даже пели: «Конная Буденного рассыпалась в степи!..», а вокруг под слепящим солнцем лежала именно она, степь: еще зеленая, шелковая, еще не вся сплошь выгорелая (а осенью окажется, что лоскутами и на самом деле горелая, черная). Тайные шорохи и звуки, шелест ровного сухого ветра, щедро несущего ее чудные ароматы, ошеломительный простор, когда до самого горизонта глазу не за что зацепиться, кроме самых близких, торчащих в шаге, а потому различимых метелок ковыля, — но дальше сливающихся друг с другом, чтобы залить пространство золотыми, без конца и края волнами душистого моря, — как все это кружило тогда голову! Жаворонок звенел в небе, ветер шептал, нагоняя нежные волны, маня тревожными запахами жизни, чудными ароматами обещаний будущего, — и сейчас, когда он унесся в то давнее прошлое, сердце сжалось и заболело, как будто вынужденное смириться с тем, что обещанное не исполнилось: пусть прошло с той поры бог знает сколько лет, но, должно быть, не случилось именно тех трех, что отведены поговоркой на исполнение обещанного. Или, может быть, ждал не того? Или не заметил, как то обещанное свершилось?..

Казашка-продавщица поначалу не могла понять, чего хотят от нее эти русские подростки. Тетрадок не оказалось, молва наврала, как обычно. Перед тем как шлепать обратно, зашли в чайную, занимавшую другую сторону барака. Два куцых грязных окошка почти не давали света, в полутьме бубнила черная «тарелка» радиотрансляции, было парно от кипящего самовара. У стены за деревянным столом сидели трое или четверо казахов. По идее, они могли бы сесть за другой пустой, взяв по стакану чаю — без сахара стоил две копейки, и это еще теми, дореформенными. Так бы и сделали, но за прилавком никого не оказалось: завчайной, или как он там назывался, тоже казах, стоял на ящике у стены, подняв руки: тянулся, усиливаясь снять упрямо цеплявшийся за гвоздь портрет славного наркома Лаврентия Берии.

Бронников, будучи поглощен уже витавшими в сознании образами стаканов с горячим чаем, вовсе не обратил бы на него внимания — ну мало ли кто и почему снимает что-то или вешает. Как вдруг Зоя Тропилина (ее мать работала у них в школе техничкой, а отца расконвоировали года два назад) звонко сказала: «Товарищ! Вы что делаете?!»

Казах вздрогнул и, должно быть, именно этого содрогания не хватало, чтобы портрет сорвался с крюка. Он удержал едва не полетевшую на пол раму и повернулся к ним, испуганно улыбаясь.

«Это же вредительство! — еще звонче сказала Зоя. — Вы что?»

«Радио говорил, — сообщил казах-хозяин. — Говорил, враг народ теперь».

«Что?! — закричала Зоя, подступая к нему и глядя снизу вверх возмущенно и яростно. — Вы сами враг! Как вы смеете! Это наш нарком внутренних дел Берия!»

«Радио говорил», — виновато и даже испуганно повторил казах, озираясь на притихших за столом соплеменников.

В эту секунду послышались удары кремлевских курантов, и с последним из них из «тарелки», в начале каждого часа повторявшей новости, послышался серьезный, даже мрачный голос Левитана.

— Информационное сообщение о Пленуме ЦК КПСС!

Зоя подняла палец, призывая всех к вниманию: смотрите, сейчас этот вражина-казах, по непростительному попустительству брошенный на такое серьезное дело, как заведование чайной, будет немедленно разоблачен!

— Вчера состоялся Пленум Центрального...

Бронников смотрел на Зою Тропилину. Тонкое личико раскраснелось, глаза горели, и вся она сейчас казалась особенно живой и трогательной. Сердце сжалось беспомощно и бесполезно. Не отдавая себе в том отчета, он крепко любил ее — но понял это слишком поздно, когда неделей позже уехал в Москву поступать в институт, и поступил, а приехав после первого курса на каникулы, узнал, что семья Тропилиных отбыла из поселка: отцу разрешили перебраться в Караганду, и больше он ее никогда не видел.

— ... о преступных антипартийных и антигосударственных действиях Эл Пэ Берия, направленных на подрыв Советского государства в интересах иностранного капитала!..

Рот Зои приоткрылся. Она перевела взгляд на Бронникова, и он увидел столько недоумения и обиды, что невольно сморгнул и отвернулся. Зато плоская и круглая, как сковородка, физиономия казаха с каждым словом диктора оживала и прояснялась, и на ней вновь появлялось выражение уверенности.

— ... исключить его из рядов Коммунистической партии Советского Союза как врага Коммунистической партии и советского народа!..

Хозяин-казах спрыгнул с ящика.

«Слышал?! Что ты, сыволичь такой, мне обвинять хочешь?!»

Чаю так и не попили, сочтя за лучшее ретироваться, а о чем говорили на обратном пути, в памяти не отложилось.

Скоро он уехал.

* * *

В разгар календарного лета Россия встретила ненастьем: последние двое суток мокрый поезд стучал по мокрым рельсам мимо мокрых прозябших перелесков. На лужистых станциях, а то и полустанках надолго задерживались. Станции отличались от полустанков тем, что перед вокзальцем стоял беленый бюст Сталина, строго, но одобрительно глядящего поперек путей. Можно было выйти из вагона, купить горячей, мятой с луком картошки или соленых огурцов. Тетки, сходившиеся с авоськами, всегда спешили, завершая сделку: с одной стороны, чтобы успеть к новому клиенту, с другой, опасаясь в любую секунду готового обрушиться ни них милиционера.

К Москве подъезжали ранним утром. Снаружи по стеклу ползли, кривясь, стеклистые червяки дождевой воды. Казалось, по мере приближения к столице должно появиться что-то особенное, важное, но взгляд встречал все те же перелески и пустоши, да деревни выставляли к дороге корявые жилища. На безлюдных переездах кое-где пофыркивал грузовик, дожидаясь, когда уже кончится этот длинный поезд. Или лошадь стояла, понуро опустив голову и, может быть, надеясь, наоборот, что этот поезд никогда не кончится и ей не придется тянуть дальше тяжелую телегу.

Замелькали кирпичные дома. Он заволновался, но тут поезд сбавил ход, некоторое время полз, потом и вовсе встал, и оказалось, что волноваться поздно — уже въехали.

Через пять минут людской поток вынес его на площадь.

Бронников замер, ошеломленный несказанной величиной окружающего.

Спешившие мимо досадливо отталкивали его еще и еще в сторону, где он не мешал бы этой реке, торопливо разливавшейся на отдельные ручьи, часть которых бурлила у заторов, медленно просачиваясь в подземелье, — а он все глазел и озирался, пытаясь примерить к себе серый уступчатый простор дождливого города.

«В чем дело, гражданин?» Он обернулся и оторопел при виде формы: это, оказывается, к нему уже подошел постовой. «Не знаю... Я в институт приехал».— «Ну так и следуйте, куда приехали, — хмуро посоветовал мильтон, поднося руку к козырьку белой фуражки. — В метро — налево».

* * *

Встретили приветливо. Оказалось, даже фамилию его тут знают: когда сдавал документы, товарищ в белой рубашке, застегнутой на горле, и плюшевой тужурке, заглянув в бумаги, вскинул взгляд поверх сползших к концу носа очков и неожиданно спросил: «Как батюшка? Здоров?.. Ты ведь Алексея Петровича Бронникова сын?» — «Ну да... Спасибо, ничего. Вы его знаете?» — «Встречались, — сказал тот, придвигая экзаменационный лист. Покосился на чемоданчик, который Бронников оставил у двери. — Жить где будешь?» — а пока он собирался с мыслями, чтобы сказать, что жить-то ему как раз негде и хорошо бы в общежитие, отцов знакомец уже выписал направление.

Суровая комендантша (одетая, как ему показалось, точно в такие же китель и юбку, что у проводницы в вагоне, только у той все черное, а у этой — темно-синее) тщательно изучила бумаги, пролистала паспорт. «Ну хорошо, пойдем». Поднялись на второй этаж, миновали два колена гулкого коридора. Комендантша остановилась, пощелкала ключом. Распахнула дверь, сунулась первой и быстро посмотрела направо-налево, будто ожидая увидеть что-нибудь новое, а ничего нового не обнаружив, с явным разочарованием посторонилась, пропуская постояльца. «Располагайся».— «Здесь никого, что ли?» — спросил Бронников, оглядывая восемь железных коек, оснащенных голыми матрасами. «Еще не съехались, — ответила она. — Ничего, скоро соберутся охламоны».

Получил белье, разлегся и принялся усиленно блаженствовать. Однако одиночество очень скоро стало тяготой, поэтому утром следующего дня, принимая новых товарищей, он испытал прямо-таки щенячий восторг. Оба поначалу не обратили внимания на его оживленность. Когда же Бронников, набегавшись по комнате в попытках выбрать для них лучшие кровати и не находя, чем бы еще услужить, выпалил, что сейчас сбегает за бельем для обоих, Юра Колчин — по-юношески, как все они, легковесный, но поросший ранней для его возраста крутой мужичьей щетиной — поправил очки и смущенно отказался, зато блондин Витя Кузнецов, на чьем подбородке нежно курчавился легкий пушок, благожелательно кивнул и сказал: «Ну а что. Уважь старика, не переломишься».

Более или менее друг к другу привыкнув, обменялись одинаково нервозными прогнозами на ближайшее будущее. По всему выходило, что для всех предстоящие экзамены маячили одинаково угрожающе. Удостоверившись в равенстве, испытали облегчение: в компании все не так страшно.

Потолковали о том о сем. Колчин сказал, что его родители к металлургии отношения не имеют, так что он и сам не знает, почему выбрал именно эту стезю. «Вообще-то я хотел в Университет», — добавил он, пожимая плечами. Кузя равнодушно покивал и высказался в том духе, что, дескать, не всем же в Университет, мало ли кто чего хочет, раз уже документы подал, то и толковать нечего. Юра молчаливо согласился. Зато когда Бронников сообщил, что его отец стоит на должности главного инженера металлургического комбината, Кузя потрясенно ахнул и спросил так жадно, будто речь шла о нем самом: «Письмо-то взял?» — «Какое письмо?» — не понял Бронников. «Здрасте, какое. От предприятия!» — пояснил Витя Кузнецов, а когда Бронников ответил, что ему такая мысль не приходила, воздел руки и застонал. «Да ты что! Такое дело прошляпил! Эх ты! Тебя за одно письмо бы приняли, хоть вовсе ничего не сдавай!.. Я-то еще как просил, даже в райком ходил, да мне-то фигушки».— «Какой райком?» — опять не понял Бронников. «Комсомола райком, какой же еще. Те еще бюрократы — удавятся, а не дадут, будто им письмо подписать — как себе смертный приговор. А то я не знаю, как они там все эти письма подписывают! Что Калабученко велит, то и накалякают!» — «Это кто — Калабученко?» — спросил Бронников, снова недоумевая, и теперь уже с неприятным предчувствием, что Витя в конце концов сочтет его слабоумным. «Да первый же у нас, — досадливо отмахнулся Витя. — Шишка на ровном месте. К нему вовсе не пустили. Я и так и этак: у нас, говорю, вон как все после войны восстанавливается, специалисты нужны!» — и горестно скривился: что толку с ними, чернильными душами, разговаривать.

Потрепавшись этак, почувствовали, что проголодались, споворили и уплели завтрак, оказавшийся не просто хорошим, а прямо-таки замечательным. Роль стола достоверно играла положенная между двумя кроватями заляпанная тушью чертежная доска, для того, вероятно, в этой комнате от века и предназначавшаяся. Кроме сала и черного хлеба, выложенных каждым и различавшихся лишь незначительными оттенками вкуса, ее украсила бадейка соленой черемши из Краснотурьинской тайги — плод усилий матери Колчина, вяленая щука, приплывшая в холщовом мешке курянина Кузнецова, и большой кулек каменно-твердых кругляшков курта, признать в которых нечто хоть сколько-нибудь съедобное первые два абитуриента, вопреки уверениям Бронникова, поначалу наотрез отказывались, но в конце концов снизошли и даже разохотились. А напившись чаю, уже звали друг друга необидными дружескими прозвищами — Юрец, Герой и Кузя.

Расселись заниматься. Кузю назавтра ждала физика, Бронников и Юрец сдавали другим потоком — им предстояло держать письменный по литературе. Не прошло и пяти минут, как они сошлись на том, что подготовиться к сочинению за оставшееся время совершенно невозможно — сколько успел освоить в школе, на столько и оценят. Тем более, заметил Юрец, что темы если год от году и меняются, то всего лишь с точностью до формулировок. Скажем, коли в прошлом предлагали, например, «Указания товарища Сталина в произведениях современных советских авторов», так и в этом непременно жди. Но поскольку товарищ Сталин умер и давать указания теперь не может, нужно иметь в виду что-нибудь вроде «Произведения современных советских авторов, отражающие заветы товарища Сталина» — заветы, а не указания.

«Ты к такой готовился?» — уточнил Бронников. «Нет, я по «Войне и миру» хочу. По «Войне и миру» всегда что-нибудь бывает. «Платон Каратаев как образ дореволюционной действительности» — чем плохо? Все лучше, чем по Бабаевскому...»

Кузя, казалось, вовсе не прислушивается к их болтовне, но тут он повернул голову, специфически хмыкнул и, посмотрев на обоих, наставительно сказал: «Между прочим, трижды лауреат Сталинской премии».

«Ну да, — согласился Юрец. — Пошли покурим? Мешаем человеку заниматься».— «Пошли», — согласился Бронников. Они стояли на лестнице, Юрец курил папиросу, Бронников размышлял, не попробовать ли и ему, ласковое теплое солнце сквозь не очень чистое стекло грело облупленный подоконник, и было приятно стоять так в совершенном безделье, отдельно подслащенном осознанием того, что всего в нескольких метрах Кузя нечеловечески напрягается и пыхтит, решая напоследок мудреные задачи.

Должно быть, подумали об одном, потому что Юрец сказал, гася папиросу: «Вот грызет Кузя свою физику... прямо опилки летят».

«Что, никак перед смертью не надышишься», — вернувшись, спросил Бронников, инстинктивно желая шуткой рассеять осадок неприятного соображения насчет того, что пока они с Юрцом шалберничают да покуривают, человек себя не щадит, неустанно грызя гранит науки, — так кому из них светит пройти экзаменационный конкурс?

Кузя поднял от тетради взгляд мучительно сощуренных глаз.

«Слушайте, — пробормотал он, помавая карандашом, будто писал в воздухе одному ему известные формулы. — А ускорение — это ведь мэ на пэ?»

«В смысле? — сказал Юрец. — Какое еще мэ?»

«В смысле масса на вес?» — уточнил Кузя.

«Э-э-э... — протянул Бронников, посмотрев на Юрца и поймав его столь же озадаченный взгляд. — Ты чего? Ускорение — это эс на тэ квадрат».

«Тэ квадрат? — недоверчиво повторил Кузя. — Ага... А тэ что такое?»

«Время, что ж еще...»

«Тоже мне ученый! Это как время может быть в квадрате? Часы, что ли, должны быть квадратными? А что, запросто, у нас на Доме культуры такие висят!»

Отсмеявшись (Бронников так и стоял с открытым ртом), Кузя захлопнул задачник:

«Ничего, прорвемся... А вот надо бы насчет жратвы разведать».

Пошли разведывать. Вахтерша сообщила, что с сентября общежитие обещали прикрепить к рабочей столовой, а пока они могут пойти в диетическую, что напротив промтоваров. Если, конечно, денег не жалко.

«А промтовары где?» — «Возле рынка».— «А рынок?» — не отставал Кузя.

«Идите, — махнула рукой она. — Сами увидите».

Так оно и вышло. Приметливый Кузя обратил внимание на нескольких гражданок, авоськи которых полнились товарами явно рыночного происхождения: свекла, морковь, кудри петрушки, пронзенные стрелами зеленого луку. Зоркий глаз курянина вывел к рынку, а там и до столовой оказалось рукой подать; а что она оказалась закрытой на ремонт, было обстоятельством уже совсем не географическим.

«Зато сэкономим! — взбодрил Кузя. — Картошки возьмем. С лещом вареную — у, сила!»

Однако даже его незаурядный оптимизм дал трещину при встрече с ценами столичного рынка, и они сочли за лучшее ретироваться.

Бронников уже не помнил, как вышли из положения — макарон, что ли, купили? Кажется, так и было. Кузя стал вдруг примеряться к винно-водочному прилавку, намекая, что неплохо бы к ужину по сто пятьдесят. Бронников медлил вставать на сторону трезвости, опасаясь, как обычно, что сочтут слабаком, но дело решил Юрец, неожиданно твердо заметив, что по косушке и впрямь неплохо, только для начала хорошо бы хоть один экзамен сдать. Тогда Бронников его поддержал и Кузя со вздохом отступился.

А когда, от пуза наелись горячего варева с лещом и салом, Кузя, отвалившись на подушку, мечтательно сказал:

«Да, хорошо, оказывается, в Москве жить!»

Бронников еще не начал ощущать тоску иноземца в полной мере, но уже испытывал тревогу начального разочарования. Недавно он мечтал о Москве, видел со стороны, засыпая, как идет по Красной площади у стен Кремля, над ним летят самолеты, все вокруг в транспарантах — точь-в-точь как на фотографии в «Правде» с прошлых ноябрьских. В яви мутно-серая громоздкость дождливого города близ вокзала произвела иное впечатление... Здесь, на окраине, где ни вокзалов, ни домов с башенками, ни площадей, справа-слева от дорожных колдобин стояли почернелые от старости двух- и трехэтажные дома, какие у них в поселке называли «финскими». Небо смотрело хмуро, под стать небу глядели и люди. Жар первого взгляда, когда ступил из вагона на перрон — Москва! Москва! — погас, дотлел; вторые сутки он чувствовал совершенную чужесть этого места, оказавшегося таким тусклым, облачным, серым и сырым.

«Чем хорошо-то?»

«Здрасте, — ответил Кузя, моргая светлыми голубыми глазами. — Будто сам в магазин не заглядывал. Видел, что тут? С порога макарон купили. А прилавки? Колбаса есть? — есть. Селедка есть? — пожалте. Двух сортов, между прочим. У нас вон карточки отменили — и совсем зубы на полку. А тут ничего... можно подхарчеваться. Что ты хочешь — Москва. Столица, — вдруг заняв противоположную позицию и сам себе противореча, рассудил Кузя. — Если уж в столице жратвы не будет, совсем хана. Верно?»

«Это да», — согласился Бронников. Юрец тоже покивал.

«Тут им все в первую очередь, — продолжал Кузя. — Прямо пуп земли. Как не зажраться. Вот и зажрались... А если вдуматься, чем они такие уж особенные? Не лучше других. Так нет же. Красная площадь — у них. Парады — тоже у них. Верно?»

Спорить с этим не приходилось. Бронников согласно хмыкнул, подумав при этом, что, похоже, собираясь в столицу, все только о Красной площади и думают.

«Или вот Товарищ Сталин умер — так похороны тоже у них. Честное слово, позавидуешь! Почему такая несправедливость? Я бы тоже, например, поклониться пошел. Это ж какое событие — с ума сойти. На всю жизнь память бы осталась. Повезло людям, ничего не скажешь. Вот они нос и задирают».

С чего Кузя взял, что местные задирают нос, Бронников не знал. Хотя, конечно, само по себе это утверждение не вызывало серьезных сомнений — задирают, наверное, если им такая лафа, как без этого. Но все же спросил:

«Ну а где бы ты хотел, чтобы товарища Сталина хоронили? В Курске твоем, что ли?»

«А что Курск! — вступился Кузя. — Древний город, между прочим».

«Ага, — сказал Юрец. — Знаешь, как у грузина спрашивают: вы грузин? А он в ответ: ну и что, зато у нас шашлыки хорошие».

«При чем тут шашлыки?»

Юрец пожал плечами, потом урезонил:

«Да ладно. Еще может и хорошо, что не попал. Говорят, многих подавило».

«Где подавило?»

«Ну на похоронах же. Столько народу собралось, что давка случилась».

«На похоронах товарища Сталина? — изумленное возмущение заставило Кузю сесть. — С чего ты взял? Не могло такого быть».

Юрец молча пожал плечами.

«Говорят!.. Много чего говорят, да ведь надо свою голову на плечах иметь, — зло бормотал Кузя, возвращаясь в исходное положение. — Вражья много кругом, наговорят тебе. Подавило им... самих бы их подавило за такие слова! Тюрьма по ним плачет».

Бронников переглянулся с Юрцом. Немного времени прошло с тех пор, как он ходил с ними, ругал дороговизну, рассуждал насчет косушки и уплетал макароны...

Между тем Кузю посетила новая мысль. Он враждебно привстал, оперевшись на локоть, и требовательно вопросил у Колчина:

«Нет, а все-таки: кто тебе сказал такую провокацию? Конкретно кто?»

«Тетка одна в трамвае болтала», — сказал Юрец.

Голос прозвучал твердо, ровно, доброжелательно, но при этом настолько серьезно, чтобы ничто не могло навести на мысль, будто говорящий улыбается или собирается улыбнуться в ближайшем будущем. Бронников почувствовал холодок в животе и, переведя взгляд на злую физиономию Кузи, неожиданно для себя громко сглотнул.

«Ну да, а ты вроде как рот разинул... Врешь небось!»

«Что мне врать?» — ровно спросил Юрец.

«А если не врешь, так должен был эту тетку за ушко да на солнышко! — снова вспылил Кузя. — На что милиция кругом?»

Юрец состроил гримасу — мол, куда ему против тетки. Гримаса оказалась не очень убедительная. Бронников подумал: ну да, конечно же. Никакая не тетка, придумал он эту тетку, чтобы от Кузи отвязаться; и правильно сделал, что придумал. Сам Бронников и десятью тетками бы отговорился, лишь бы отстал. Ишь бдительный какой!

Кузя молчал, холодно рассматривая Юрца.

«Ты вообще, я смотрю, — сказал он в конце концов. — То насчет сочинений прохаживаешься, все товарища Сталина скользко поминаешь. То тетки провокации тебе нашептывают, а ты и уши развесил. Да советский ли ты человек, Юрец? — спросил Кузя тоном, который заведомо показывал, что он совершенно не сомневается в советскости Юрца, а свое нелепое предположение делает только для того, чтобы показать: серьезные разговоры кончились, настало время мирного веселья, — при этом по-товарищески подмигивая Бронникову: предлагая разделить шутку и с этого места продолжить как было.

Но Юрец только покивал, то есть предложенного не принял, и уткнулся в книжку.

«Ну и хорошо, коли так», — не дождавшись ответа, легко сказал Кузя.

И, кажется, они тем вечером уже больше не разговаривали.

КРЕДИТОР

* * *

Юрец оказался прав: Бронников писал на тему «Творческая смелость современных советских авторов в свете заветов товарища Сталина».

Сдав листки, он вышел в коридор — и тут же задался мучительным и пугающим вопросом, зачем это сделал: в аудитории еще оставалось полно народу, корпевшего над своей писаниной, и он тоже мог бы перечесть лишний раз, а потом еще и еще — глядишь, и выловил бы какую-нибудь ошибку. Юрец-то умнее оказался — еще сидит, ковыряется над своим сочинением, а он стоит, как дурак, подпирает стенку... Сколько раз говорила мама: «Гера, только не лотоши! Ты все хорошо знаешь, а вот будешь лотошить и все испортишь. Вернешься — ухи врозь, дугою ноги. Что люди скажут? Вот уж радость всем позубоскалить: главный сынка учиться отправил, так только до вокзала и доехал!»

Он надрывно вздохнул, тоскливо дожидаясь, когда уже выйдет Юрец, чтобы можно было обменяться тягостными сомнениями с родным человеком, как вдруг заметил того отцова знакомца, что принимал у него документы.

«Добрый день», — прилежно кивнул он, как здороваются с проходящими мимо, но знакомец чуть свернул с оси коридора и замедлил шаг — то есть, судя по всему, направлялся именно к нему.

«Добрый, — ответил он продолжавшему кивать Бронникову. — Давай, Гера, познакомимся, что ли, — и протянул руку: — Павел Николаевич».

«Здравствуйте, — сказал Бронников, пожимая его ладонь. — Меня вы знаете...»

«Как ты тут?»

«Сочинение вот...»

«Все будет хорошо. В общежитие устроился? Сколько в комнате?»

«Пока втроем, — ответил Бронников и пояснил: — Не съехались же еще охламоны».

«Кузнецов с тобой живет?»

«Ну да. Из Курска он. И еще Колчин. Из Сибири откуда-то...»

«Вот-вот. Хорошие ребята?»

«Конечно, — постарался Бронников развеять его сомнение. — Хорошие, симпатичные».

«Ясно, — сказал Павел Николаевич. — Ты тогда вот что...»

Дверь аудитории открылась, вышел кудрявый абитуриент, стал у стены в совершенном послеэкзаменационном обалдении, вдруг встрепенулся, вскинул на Бронникова испуганный взгляд, жалко улыбнулся и в ужасе затряс головой — судя по всему, на него тоже нахлынули коридорные мысли.

«Отойдем-ка, — сказал Павел Николаевич и продолжил, когда они свернули за угол к лестнице. — Ты вот что, Гера. Этот Кузнецов ваш — он... как бы сказать. Странный немного парень. Ты с ним поаккуратней».

«В смысле?» — недоуменно сказал Бронников. Павел Николаевич вздохнул.

«Мы с отцом твоим когда-то дружили, — сказал он. — Поэтому я скажу, но ты уж меня, пожалуйста, не выдавай. Кузнецов утром перед экзаменом заявился в деканат. Где, говорит, у вас тут спецчасть. Зачем тебе спецчасть? Хочу заявление написать. Насчет чего? А у нас в общежитии распространяют вражеские слухи. Кто распространяет? Абитуриенты. Какие абитуриенты? А вот какие: Колчин и Бронников».

«А я-то что? — пролепетал Бронников. — Это Юрец... он говорил про похороны».

«Гера, ты не начинай бояться сразу, — вздохнул Павел Николаевич. — Пока еще ничего не случилось. Просто имей в виду. Понял?»

«Понял, — кивнул Бронников. Потом все-таки спросил: — Так он пошел?»

«В спецчасть? Нет, не пошел. Я сказал, ему тогда придется часть экзаменов пропустить. Так что поступление отложится. Ну а как? — ведь не на пять минут дело».

Он усмехнулся и снова протянул руку.

«Ладно, Гера, до свидания. Отцу привет передавай».

И уже поворачиваясь к лестнице, махнул рукой на прощание — но махнул со значением, проведя указательным пальцем возле губ: молчок!

2

Что касается отца, то он думал только о заводе, о нуждах производства. Если успевал домой к ужину (далеко не каждый день такое бывало, но случалось), хмуро интересовался школьными делами малолетних отпрысков. Ответы слушал незаинтересованно — полагал учебу их собственным делом. Светлел же, когда речь снова заходила о главном — о производстве. И вовсе не зря называл жену «моим первым заместителем»: она и впрямь могла поддержать любую заводскую тему, хотя служила даже не в заводоуправлении, а главным технологом прокатного.

Отец весь жил там, в деле, в заводе, знал все его суставы и косточки, с заведомой озабоченностью предвосхищая день, когда в сложном многоступенчатом организме что-нибудь могло пошатнуться и выйти из строя. Чтобы в конце концов произвести продукцию — медную катанку, в которой так нуждалась страна, требовалось, чтобы все подразделения огромного и разветвленного предприятия работали слаженно и четко, наиболее рационально используя разного рода средства. Слаженно и четко! — вот была его боль, вот главная забота.

А то, что главное из этих средств — рабочая сила — составлялось почти исключительно заключенными, его не волновало: главное, чтобы эта рабочая сила, откуда она ни берись, работала хорошо — четко и слаженно.

О заключенных Бронников знал сызмальства. Ну заключенные — и что? Разговоры на эту тему в семье не поощрялись. Не потому, что тема являлась запретной (как может стать запретным то, на чем свет стоит, что является самой затрапезной обыденностью?), а просто не надо молоть языком, коли сказать нечего. Сказать и впрямь было нечего. Никого это всерьез не трогало. Если, конечно, не случалось чего-нибудь из ряда вон выходящего, а на памяти Бронникова оно случалось не так уж и часто. Каждый раз только и разговоров что о побеге, и хотя никогда ничего официально не сообщалось, все знали, сколько именно и когда. По встревоженному поселку шастали патрули, на выездах торчали шинели, даже в школу заглядывали хмурые военные. Дня через три-четыре шелестела новая весть — поймали! двоих застрелили! Все более или менее успокаивалось, женщины ходили не озираясь, но патрули еще с недельку маячили.

Так привыкают ко всему на свете. Курортник приедет на море, первые дни все ахает: ах, чудная стихия! А посели его на берегу да заставь с этого моря жить, через месяц забудет прежние восторги, начнет браниться, что улов хамсы оказался ниже ожидаемого.

Расконвоированные жили в «вольных» бараках, в пределах поселка имели право вольного хождения. С ними сталкивались и в магазине, и на базаре, куда они приходили за кислым молоком. Подчас и в киношке. Многие примелькались: Бронников по примеру отца здоровался, если видел знакомое лицо. Режимным (их было гораздо больше) свобода передвижения могла разве что присниться: в рабочую зону они попадали из лагерной, отдельно обнесенной: там располагались бараки, туда и возвращались после смены.

На завод отец брал его часто. В лагерную зону не попасть, но снаружи он видел многорядную проволоку и вышки; вдобавок ее вместе с самими заводом охватывал общий забор, поверху тоже оснащенный колючкой и сигнализацией. Примерно то же и на рудниках, и на шахтах, уголь которых питал медеплавильные печи, и на разработках колчедана, необходимого для плавки руды, и на множестве иных подсобных предприятий.

Быт — он и есть быт. У вольных жителей поселка свой быт — такой ли, сякой ли, но свой. Так и у заключенных: переходя из лагерной зоны в рабочую, они покидали налаженный там быт (как покидал его Бронников, отправляясь в школу), а возвращаясь в лагерь, снова погружались в него. Со слов отца, из кое-каких обрывков собственных невольных наблюдений, из того, что говорилось или делалось в семьях однокашников, он понимал, что этот быт плохо устроен. Как именно — не знал. Общаться с теми, кто сидел за колючкой, возможности не было, а если бы и представилась, он бы не воспользовался: водиться с расконвоированными — себя не уважать. Они преступили черту, отделяющую честного советского человека от негодяя, — так говорили, и ему в голову не приходило в этом сомневаться. А что расконвоированные на свободном хождении, так вовсе не потому, что полностью искупили свои провинности. Вина по-прежнему висит гирей: из поселка им никуда, ни на автобус не посадят, ни попутка не подхватит. А иначе будет побег: поймают, набавят срок и опять вместо «вольного» барака будет лагерный.

Все это было нормальным, само собой разумеющимся положением вещей. Но это якобы нормальное положение вещей было в каком-то смысле совершенно иллюзорным.

В каком именно смысле? В том смысле, что Бронников ему не верил. Так зритель не верит фокуснику, вынимающему из шляпы кролика. Он может даже пощупать животное и убедиться, что оно теплое, часто дышит, косит влажным глазом и вообще делает все, чтобы показаться настоящим. Но когда отойдет, то если остановить его вопросом — реальность это или иллюзия? — он без колебаний ответит: конечно же иллюзия!

Трудно понять этот феномен. Все вокруг зримо, шершаво: все вокруг обладает всеми качествами действительности... И все же в сравнении с тем, *ради чего* все это якобы зримое существовало, окружающее представало призраком. Неясные очертания фальшивой реальности являлись глазу словно выписанные тонким слоем акварели.

Они никак не могли соперничать с жирными, гипнотически убедительными мазками красок, рисовавших жизнь такой, какой она была *на самом деле* — такой, то есть, *ради которой* маячило ненастоящее окружающее.

Стоило лишь раскрыть газету, чтобы с ее полос встали яркие картины осмысленной деятельности. Там не шла речь насчет того, что чертовы казахи никак не везут баранины, или что вчера опять давали хлеба только по буханке в руки. Там не поминали заводских заключенных, от которых, по словам отца, так трудно было добиться трудовой отдачи, не ходили патрули по затихшему к ночи поселку. Там даже овчарка Прима, которую завели в занимавшей вторую половину барака семье Молощагиных и которая оказалась склонной к многочасовым истерикам, не выла по ночам, и отец, подвыпив, не грозился ее застрелить.

Там было много света, осознанной работы, искреннего желания лучшего и решительной борьбы за будущее, всеобщего энтузиазма, беспрестанного повышения трудовых обязательств и справедливого гнева на тех, кто пытался создать помехи неуклонному движению. Там с высоких трибун подтверждали готовность к новым свершениям ткачихи в красных косынках... такие же металлурги, моряки, шахтеры.

Взрослея, он начинал прислушиваться к голосу рассудка. Что еще за живопись такая? Разве можно назвать ее живой или хотя бы яркой? Разве это не всего лишь сухие, безжизненные слова? (В ту пору еще далеко было до куражу назвать их пропагандой.)

Но душа, душа! — эта трусливая собачонка, до последнего норовящая утвердиться в мысли, будто все вокруг налито добром и здравым смыслом.

«Можно ли считать ложью начерченный на ватмане эскиз будущего сооружения? Самого сооружения еще нет, но ведь оно непременно появится — следовательно, линии чертежа правдиво говорят о настоящем: ибо то, чего еще нет, — прекрасная реальность, а что якобы есть — тусклая иллюзия».

* * *

«ГАЗ-51» летел вперед, он стоял у переднего борта, держась за щербатую доску, горячий ветер трепал волосы, заставлял щуриться и выжимал слезу. Грузовик безрассудно мчал, громыхая и кренясь, однако в силу необозримости окружающего казалось, что машина стоит на месте и всего лишь вздымает пыль бесполезным вращением колес. Вокруг лежала степь: вопреки всем учениям о форме Земли, это была золотая чаша, всклень наполненная сухим зноем и выставленная под блекло-голубой и почти плоский купол неба. Никогда потом воздух не был таким душистым и сладким, никогда так не тревожил терпкий запах полыни. Белесые волны ковыля розовели, бежала по ним от горизонта дорожка расплавленного металла, будто вся медь мира хлынула оттуда — но это просто огромное солнце, уже наполовину канув в скорое завтра, все еще тянуло багровые лучи, как будто не желая прощаться с сегодняшней красотой.

Поселка досягали в сумерках. Бронников стучал кулаком по жестяной крыше, «ГАЗ-51» криво тормозил, поднимая вездесущую пыль, он спрыгивал в нее же, фонтанчиками пыхавшую из-под подошв. Разминал затекшие в сапогах ноги, уже намерившись по привычке шагать к баракам и привычно представляя, каким визгом и взлаиванием встретит его неуемная в горе и радости Прима, и вдруг в который раз спохватывался: теперь же нужно к «инженерным»! — так назывались три кирпичных трехэтажных дома, в просторную квартиру одного из которых перебрались родители вскоре после его отъезда.

Менялось многое вокруг, поменялось кое-что и дома. Через раз оказывалось, что отец уже вернулся с работы, чего прежде сроду не бывало. «Да ну их, — отмахивался он от безмолвного вопроса сына. — Без меня разберутся. Садись... Что-то ножки стали зябнуть».

С некоторым сомнением вынимал из полки на кухне графинчик.

«Как дела идут?» — «На Карсакпае?» — «Ну а где ты практику проходишь...» — «Да ничего».— «Разваливается помаленьку?» — «Почему разваливается? — пожимал плечами Бронников. — Вроде нормально».— «Разваливается, — хмуро настаивал отец. — Сводки-то вон они, на столе у меня лежат. С начала года на двадцать семь процентов выработка упала. Больше чем на четверть. И ничего никому не докажешь. Как, что, почему?! Рабочих не хватает — вот и весь сказ».— «Ну да, — кивал Бронников. — У нас начальники участков тоже жалуются. Рабочая сила растекается, а казахи не идут».— «Казахи! — фыркал отец. — Скажешь тоже — казахи. Им баранов только и пасти».

«А баранина не появилась?» — задумчиво спрашивал Бронников: несмотря на кажущуюся простоту, так звучал один из ключевых вопросов тогдашней современности.

Дело в том, что известное ему по школьному курсу прошлое проходило в строгих рамках ясной и определенной истории, которая, если не вспоминать (хотя бы так бегло, как делали это учебники) многовековые ужасы царизма, представляла собой, по сути дела, историю ВКП (б), возглавляемой товарищем Сталиным. Именно под его

80

руководством ВКП (б) совершила свои самые славные дела: во-первых, в семнадцатом году передала власть в руки рабочих и крестьян, во-вторых, провела коллективизацию и индустриализацию, в-третьих, сломила хребет немецкого фашизма.

Человеческой истории в его мире не было. Например, он долго не знал, что на самом деле, когда семейство Петра Никифоровича, деда Бронникова и сына известного по всей Волге купца, сослали на строительство медеплавильного завода, история здешних руд, если считать с получения первых о них сведений, уже насчитывала более ста лет. (Разведал значительно позже, в семидесятых, когда отца уже не было на свете, зато в коридоре заводоуправления перед его бывшим кабинетом появился стенд с пожелтелыми фотографиями, прежде хранившимися, должно быть, по чьим-то альбомам.)

А тогда была только степь, посреди которой стоял завод, а возле завода — поселок: то и другое возникло благодаря дальновидным решениям ВКП (б). Наличествовали также всякого рода мелочи (тоже, впрочем, непредставимые без воли и участия ВКП (б)) — несколько продуктовых магазинов, обычно богатых только хлебом, солью и папиросами, да чахлый базар, куда казахи привозили кислое молоко. Баранину они по каким-то причинам не возили, и поэтому она то и дело всплывала в разного рода разговорах и рассуждениях. Многие сетовали: что ж это — молоко возят, а баранину нет. Нежелание казахов возить баранину заведомо осуждалось. Было понятно, что баранина — это дело именно казахов, а не, допустим, ВКП (б): баранина являлась слишком незначительной субстанцией, чтобы ВКП (б) до нее оказалось дело. Звучало кое-что и насчет того, что казахи доиграются со своим нежеланием привозить баранину. Как понимал Бронников, имелось в виду, что однажды ВКП (б) всетаки возьмется за них, за казахов, по-настоящему, чтобы исправить недопустимое положение с бараниной. И тогда опять станет как прежде, когда по всему простору необъятной степи ходили бараньи отары.

Надо сказать, насчет того, как обстояло дело прежде, говорил только старик Меркулычев, который еще до революции служил при заводе приказчиком не то писарем, да так на всю жизнь и зазимовал. Особой веры ему быть не могло, потому что жил он совершенно не как все, а на манер, примерно, юродивого: местного розлива Диоген, всегда готовый ляпнуть в глаза начальства самую что ни на есть дичь в смысле ее правдивости. Ему было за семьдесят, ютился он в дощатой хибаре за магазином, ходил в рванье и всегда с удочкой, потому что поддерживал тление собственного существования почти исключительно лещами, промышляемыми в петлявой речке Карасушке, что лежала поперек степи километрах в трех от поселка. Частью менял на хлеб, табак и вино, частью ел сам. Говорили, не брезгует и сусликами. Лещей не хватало, и Меркулычев был вынужден по мере сил исполнять обязанности магазинного грузчика; время отрывал от досуга, почему всегда на службе ворчал и досадовал. Вернувшись к нормальному состоянию, то есть захмелившись и сунув под голову тлелый ватник, полеживал на дощатом крыльце с папироской. Когда же, например, начальник милиции Фролов, поднимаясь к дверям, грозно спрашивал: «Что, Меркулычев, новая пятилетка на носу, а ты все валяешься? Когда делом займешься?» — старик, благожелательно щурясь, отвечал что-нибудь вроде: «А вот как Советская власть кончится, так и приходи, поработаем». Ни почему он не боялся такое говорить, ни почему Фролов, вместо того чтобы тут же его упечь, только дергал бритой головой и, бормоча что-то насчет дураков и радостей жизни, скрывался в магазине, Бронников ни тогда, ни позже понять не мог. Сохраняются что ли в жизни, как ее ни крути, как ни выжимай, ни завяливай, некие канальцы, по которым невозбранно струится презрительное — и спасительное — наплевательство?

Но и Меркулычев, бурча о том, что прежде куда ни плюнь, попадешь в барана, а теперь за каждым по всей степи гоняться нужно — и то не найдешь, все же помалкивал о годах коллективизации, накал которой в здешних краях достигал такого градуса, что восстания казахов исчислялись сотнями, сокращение поголовья скота — порядками, а жертвы последовавшего голода — миллионами...

«Что?»

«Баранина, говорю, не появилась?»

«Откуда ей взяться, баранине!» — раздражался отец.

«Что же они тогда делают?» — задавался абстрактным вопросом Бронников. «Кто?» — «Да казахи же».— «Казахи? Черт их знает, что они делают. Еще о казахах у меня голова не болела! С рабочей силой бы разобраться...»

Куда ни сунься — в Джезказган ли, Карсакпай, на байконурские копи, в Сары-Суй, — всюду происходило примерно одно и то же. Веяли новые ветры, вихрясь и пробирая до кишок, дела пересматривались, лагеря понемногу пустели. Перекочевав из-за колючки, в вольных поселках ненадолго появлялись новые люди. Казалось бы, сам бог велел им здесь задержаться, осесть по-настоящему: все знакомо, все свое, и какая, в сущности, разница, откуда шагать к заводскому гудку, из зоны или с воли? Но их тянуло на родину, откуда они когда-то не по своей воле прибыли, и если она, эта родина, не попадала в перечень запрещенных к проживанию городов, скоро уезжали. А многие уезжали, даже несмотря на запрещение, норовя поселиться пусть не в Москве, Ленинграде, Киеве или где-то еще, куда их не пускали, так хоть поблизости, в сотне-другой километров. Уехал даже старик Меркулычев, Бронников нарочно справился в магазине.

Назад не ждали, но кое-кто подчас возвращался: там, откуда лет десять-пятнадцать назад взяли, все уж устроилось иначе и прежнего места возвращенцу не находилось. А здесь, где прежде он состоял на лагерной должности, его с радостью принимали на вольную — опытные работники всегда в цене.

И все это повернуло отцову жизнь так, что он, как чувствовал Бронников, просто не находил себе места. Прежде в его жизни главной была медь. Наверное, он думал, что не только в его собственной, а и в остальной жизни главная — она, медь. Все его в этой уверенности поддерживало: несколько правительственных наград, обязательная осенняя поездка в Москву на партхозактив Цветмета, новая квартира, должность... Про то, что медь — главное, талдычили и теперь, но оказалось, что вопросы ее выплавки могут быть поставлены в зависимость от чего-то такого, что пару лет назад и в голову не могло никому прийти: начали, видишь ли, пересматривать дела, а что в результате этого фронт рабочей силы оголяется, никому и дела нет. А ну как опять сменится руководство — заново дела пересматривать? Будем туда-сюда ерзать, а производство окончательно развалится!..

Отец был уверен, что дела непременно пересмотрят обратно, ибо нельзя допустить такого головотяпства, чтобы заводы и предприятия оставались без рабочих. Медь — главное, а уж в чем там эти рабочие виноваты, ему разбираться недосуг, на то есть соответствующие органы. Уж чего-чего, а органов нагромоздили целые терриконы, да что там — памиры, гималаи: шагу без спроса не шагнешь. Короче говоря, нужно решительно признать, что дела пересматривать — затея бестолковая и даже вредная, хрен на хрен менять — только время терять. Да ладно бы только время, ведь еще хуже: когда прошлое станет возвращаться (а оно непременно станет!), все равно не вернется в прежнем порядке: ну пересмотрят дела в другую сторону, ну нагонят опять мерзавцев — да ведь не тех! Наверняка прежних опытных (кто смолоду при грохотах, при куперштейне и флюсе) зашлют на какой-нибудь тупой лесоповал, где только топором махать. А кто, допустим, прежде на вонючей селедке по колено в воде, того как раз на рудник или завод... Разве так добьешься производительности, о какой без конца трындят газеты?

Улучив минуту, мать рассказала, как отец переживал доклад Хрущева. «Тебя вот не было, — говорила она. — Сам не видел. А сам теперь с ним споришь. Гера, я тебя прошу, не спорь. Знаешь, как он за все болеет? Ах, Гера, Гера!.. Не понимаешь ты его, сынок».

По ее словам, отец несколько дней сидел за столом, обхватив голову руками и «весь черный». Он то вникал в доклад, то заново возвращался к передовицам недавних газет. Два пласта знаний должны были более или менее согласно уместиться в его мозгу — но они ложились поперек друг другу. Поэтому он снова читал одно... а потом другое... тряс головой... и опять прежние передовицы... а следом за ними недавний доклад.

И так несколько дней.

Бронников промолчал. Ну да, вероятно, отец тоже не принимал окружающее за нечто подлинное. Окружающее представляло собой только чуть затянувшуюся подготовку к тому, что должно происходить на самом деле. Потому так ударила его иллюзорная реальность Пленума, устами Хрущева посмевшая покуситься на настоящее — на *настоящее* настоящее, за которым теперь приходилось лезть в старые газеты...

Так мог ли он, Бронников, человек нового поколения (нового, но почти столь же безоглядно и без сомнений волокшего на себе идею того же самого *настоящего* настоящего), упрекнуть отца в его странном горе? — горе, не выходившем за те рамки, в которых он находился сам.

3

Встречали торжественно, ужинали как в праздник. Что ели, забылось. Зато застряло, что отец пил «Столичную» — начальник райпо возил ему из самого Актюбинска. А мама выставила себе отдельно бутылку «Сливянки», с заведомой обидой предупредив, чтобы никто на женский напиток не покушался: ей на год хватит, а они тут же выглохтают. И правда: налила рюмку и убрала от греха подальше. Так и сидели втроем: старший брат окончил институт два года назад, но домой не вернулся, а был распределен в Челябинск.

Напившись чаю, отец отсел в кресло, потребовал направление, прочел и сказал благодушно: «Ну что, все честь по чести... Завтра отдам в кадры. А ты как отдохнешь, заходи. Карабродов подготовит что надо».— «Какой Карабродов? — не понял Бронников. — Что подготовит?» — «Ну что... ты же на преддипломную приехал. Материал нужно собрать для диплома? Или ты защищаться не собираешься?» — «Собираюсь, конечно. Только при чем тут этот Карабродов?»

Отец посмотрел на него поверх очков, потом перевел взгляд на жену: «Верусь, мы с тобой кого вырастили?» — «Ой, да ладно тебе, — мама бросила полотенце и подсела к столу. — Сам никогда ничего толком не скажешь, а все виноваты... Герочка, Карабродов — начальник планового. Разъяснит, что к чему, к кому лучше обратиться...» — «Так заведено, что ли? — спросил Бронников. — Всех практикантов к нему отправляют?» Мать с отцом переглянулись. «Что ты ерепенишься на ровном месте? — миролюбиво спросил отец. — Думаешь, ты первый такой?» — «Первый, не первый, какая разница, — хмуро сказал он. — Не надо мне к Карабродову. Я вообще не к тебе на практику приехал, а на Карсакпай. Видишь, вот тут написано: на Карсакпайский медеплавильный завод...

для прохождения практики».— «Ага, — хмуро отозвался отец. — Вот спасибо тебе. Ты поучи меня, поучи. Сам-то я не соображаю».— «И что ты там собираешься делать, на Карсакпае-то?» — жалостно спросила мама. «Ну что? Практику буду проходить, что еще».— «А жить где?» — «Ну где — в общежитии». Они снова переглянулись. «Блох ему не хватает, — разъяснил отец. — Должна уж понимать: москвичу без блох — как без пряников».— «Каких еще блох? — несколько напрягся Бронников. И с чего это ты меня в москвичи записал?» Отец гнул свое: «Бывал я у них в общежитии. Помню, казахи жаловались: зачем, говорят, русских попрыгушек нам завезли, они всех казахских повыгоняли». Замолчал с усмешкой. Это, разумеется, было начало какой-то шуточки, и лучше было бы пропустить мимо ушей. Все-таки не удержался: «Ну?» — «Вот тебе и «ну». Говорят, казахская блоха куда лучше была: поест и спать ложится. А русская крови напьется — играть начинает». Отец фыркнул и покачал головой, глядя на него с неясным выражением хитро сощуренных глаз.

Но все-таки обошелся без Караброда — не хотелось ему под отцово крылышко.

В первый день попутка бросила его у заводоуправления. Двухэтажное беленое здание с узкими окнами огораживал редкий штакетник палисадника; внутри, так же, как и вокруг, убитая пыльная земля, не способная в нынешнем ее состоянии родить ни былинки.

Вахтер — пожилой казах в выцветшей гимнастерке с двумя медалями на левой стороне груди, долго вчитывался в документы. Затем поднял голову и принялся мучительно моргать и озираться — вероятно, в ожидании помощи. Как ни странно, помощь не замедлила явиться: стуча каблуками, со второго этажа торопливо сбегала молодая женщина в длинном, до середины голени, бордовом платье; но в пронзительном свете, что нес в себе взгляд

Бронникова, она явилась на той лестнице безупречно голой — и он, не успев даже понять, миловидны ли очертания округлого лица, успел содрогнуться от ее совершенной все всех смыслах наготы. Казах обратился к ней с длинной фразой, указывая на Бронникова его же собственным паспортом. «Э-э-э!» — воскликнула женщина, махнула рукой и ответила немногословно и тоже по-казахски, не удостоив при этом самого Бронникова даже мимолетным взглядом, после чего, нисколько не переменив начального устремления, исчезла за углом.

Казах закряхтел, возвращая бумаги. «Второй этаж иди. Отдел кадров иди. Скажи, практика приехал». — «Соображу как-нибудь», — буркнул Бронников. «Э-э-э! — точно с таким выражением, как только что мелькнувшая женщина, сказал казах. — Такой молодой, а такой невежливый!»

В отделе кадров он некоторое время сидел на стуле в застекленном предбаннике, перечитывая направление. Когда погрузился в изучение паспорта, его позвали.

«Здравствуйте, — сказал Бронников. — Вот на практику к вам...»

Кадровичка — русская женщина средних лет, только что оторвавшаяся от писанины, которой, судя по напряженному взгляду, у нее оставалось немало — с торопливым равнодушием взяла документы, но тут же, едва успев прочесть первое слово, посмотрела заинтересованно и улыбнулась. «Вы от Алексея Петровича?» — предположила она. «Почему от Алексея Петровича? — возразил Бронников, отводя взгляд от прозреваемой им нежной ложбинки ее груди — она, несомненно, существовала, пусть и закрытая глухой, под горло, белой блузкой. — Я сам по себе. Вот же направление: на практику приехал».— «Конечно, конечно! — Она уже набирала номер. — Алло... это Бирюшкина... ну да... ага... спасибо. Тут вот какое дело. Сын Алексея Петровича на практику приехал... Ну как приехал... так и приехал. У меня сидит... К вам? Хорошо, — положила трубку, улыбаясь еще приветливее: — Ступайте к начальнику производственного, он вас через пятнадцать минут ждет. Восьмая комната».

Несколько недоумевая — куда ни сунься, а все пути ведут в производственные отделы, — Бронников прошел до конца коридора и постучал: «Можно?»

В большой заставленной комнате за столами сидели женщины. При его появлении все подняли головы, замолкли и уставились. Или, может быть, только одна или две, говорившие в тот момент, замолкли, а которые именно, он не уловил. Он не успел толком рассмотреть этих женщин, среди которых, кажется, попадались довольно симпатичные, не успел даже сказать свое «Здрасте», как отворилась дверь в торце комнаты, за которой, судя по всему, располагался отдельный кабинет, и на пороге появился немолодой казах в светлом парусиновом пиджаке поверх темной клетчатой рубашки. Он с улыбкой махнул рукой и громко сказал: «Ага! Сын Алексея Петровича на практику приехал!». После чего сделал еще два шага и по-родственному приобнял Бронникова, хлопая по спине и хохоча.

Женщины загалдели хором и повскакали со своих мест, сходясь в середину комнаты и окружая. «Бронникова сын! — продолжая хохотать, отвечал парусиновый (который, по умозаключению Бронникова, и являлся начальником производственного отдела), а кому отвечал, Бронников не мог понять, да это и не имело никакого значения, говорили все одновременно. — Весь в отца!..»

Вынужденный поддаться всеобщему интересу, Бронников поворачивался то одним боком, то другим (потому что вскрикивали то с одной стороны, то с другой) и кивал. «Ну да, на практику... Ага, на пятый... Жениться? Да рано еще жениться...» — «Эх у нас какие девушки-то есть! — воскликнула кричавшая громче всех — худощавая, лихорадочно вертлявая, с двумя косичками и бесцветным выражением больших глаз. — Загляденье!» — «Ты у него самого-то спросила? — возразила другая. — Может, он казашку хочет?» Все прыснули, начальник производственного отдела залился одобрительным смехом. «Люся, ладно тебе! Зачем ему казашка?» — «Вот именно, зачем, — подхватила вертлявая. — У них там все не по-нашему!» — «Как это?» — «Да будто сами не знаете: поперек!» И впилась в Бронникова пронзительным взглядом неожиданно потемневших глаз. «Э-э-э! — оборвал начальник производственного отдела точно с таким выражением, с каким экали давешние. — Ц-ц-ц!» — и он подтолкнул Бронникова к двери в кабинет.

«На практику, значит?» Бронников привык к отцовской манере: если входили в кабинет вместе, отец тут же садился за стол, по-хозяйски расставлял локти и поднимал нахмуренный взгляд, в котором читалось: «Моё!». Этот почему-то стал прохаживаться.

«Ну да, — ответил Бронников. Он вытащил тетрадь, назначенную под ведение записей, касающихся будущего дипломного проекта. — Нам на кафедре кое-какие рекомендации давали перед отъездом, я вам сейчас...»

Однако начальник производственного отдела отмахнулся от попытки Бронникова рассказать, что для него лучше в смысле прохождения практики, причем с таким брезгливым выражением лица, будто студент предложил ему отведать какой-нибудь дряни. «Э-э-э! — воскликнул он, интонацией опять-таки напомнив Бронникову нагую казашку на лестнице и вахтера с медалями. — Институт-шминститут, кафедра-шмафедра — это все я могу понимать. Там тебя умные люди учат. Но им бы только на машинке печатать. А скажи из карьера руду взять, сразу *ой қандай қорқынышты*[1] закричат.

---

[1] Қандай қорқынышты — Ой, как страшно *(казах.)*

КРЕДИТОР

Как взять, если не умеешь?» — он пронзительно смотрел на Бронникова, ожидая ответа; Бронников пожал плечами. Начальник производственного отдела удовлетворенно мотнул головой и прошелся по кабинету, поднимая палец в знак важности того, что прозвучит далее. — Наука хорошо, на машинке печатать — тоже хорошо, но практика главное значение играет! Ты ведь сам уже почти ученый, — при этих словах он сощурился, явно приготовив каверзный вопрос; глаза, и прежде довольно узкие, превратились в черные щелочки. — Почему, например, на карьер бачок воды нужно каждый день привозить?» — «Какой бачок? — спросил Бронников. — И при чем тут вода?» Сострадательно качнув головой, начальник производственного отдела посмотрел на него как на младенца. «Как при чем вода? Питьевая! Пить человеку надо? — он грозно свел густые брови, как если бы Бронников попытался воспрепятствовать его собственному питью. — Без воды как работать можно? Степь, жара, ветер. Высохнет как вобла».— «Ну хорошо, — беспомощно улыбаясь, сказал Бронников. — И что?» — «Как что? Можно цистерну привезти? Когда кончится — новую. Верно?» — «Вообще-то верно, — согласился Бронников. — Но может быть свежую лучше?» — «Э-э-э! Им какая разница? Свежая, несвежая, вода она и есть вода».— «Тогда можно», — твердо сказал Бронников. Начальник производственного отдела победно расхохотался. «Вот и нельзя! — возгласил он. — Нельзя цистерну!» — «Почему?» — теряясь от всей этой нелепицы, спросил Бронников. «Мыться станут, — доверительно и горько сказал начальник производственного отдела. — Сколько ни привези — всю выльют. Из-под крана не будут вылезать. Работу бросят — только бы плескаться. Хоть три цистерны пригони. Такой несознательный народ — ужас!»

Дверь открылась, и в кабинет вошел человек лет тридцати. Начальник производственного отдела отшагнул в сторону и начал мелко кланяться.

«Это ты — Бронников? — гадательно произнес вошедший, указав на Бронникова пальцем. — Мне из кадров звонили. — И тут же недовольно и вопросительно, но все-таки вежливо сказал парусиновому: — Рахмат Жайдарович, вы еще здесь? Я же сказал, насчет транспорта завтра решим. Или что-нибудь новое?»

Тот прижал руки к груди — «Нет, нет. Завтра, я помню. Хорошо, пойду» — и вышел.

«Так это не начальник производственного отдела? — растерянно спросил Бронников.

Хмыкнув, вновь появившийся сел за стол и по-хозяйски широко расставил локти.

«Нет, это не начальник производственного отдела, — ответил он, поднимая взгляд немного нахмуренных серых глаз. — Начальник производственного отдела — это я буду. Ковалев моя фамилия. А ты, значит, к нам на практику?»

* * *

Среди того, что он здесь увидел, самым главным, несомненно, являлся карьер.

Все остальное — и дышащая зноем бугристая степь, увал за увалом уводящая взгляд до самого горизонта, почти всегда переливающегося маревом, и коричнево-желтые змейки автомобильных следов — они то и дело сбегались, чтобы снова разойтись, поскольку ездить можно было везде и в любом направлении, а потому и дороги (кроме самых главных, отсыпанных гравием), едва означенные колеями, забрасывались после нескольких проездов, — и широко раскинувшиеся разновысотные ангары обогатительной фабрики, полуокруженной лунными терриконами собственных ее отвальных хвостов, и столь же обширное и разновысотное скопление зданий и сооружений, из которого тут и там торчали трубы, а цветастый дым тянулся по белесому небу длинными полотнищами, складываясь в подобия сложных флагов неведомых государств, — так вот, все остальное по сути дела являлось придатками: вроде как сам карьер — глаз, а мелочевка окружающего — всего лишь его многочисленные ресницы.

Ночью, когда небо сияло серебряной паутиной звезд, это огромное, широко распахнутое око безмолвно смотрело в самый космос.

Когда Бронников впервые оказался на его краю, буквально оторопел — зрелище ошеломляло и завораживало. Чтобы рассказать о нем, нужно уменьшить все в миллион раз: в голой степи вырыть яму в человеческий рост, бросить на дно пригоршню скрепок, камушков, вдребезги разбитых стеклышек, потом рассыпать горсть мелких мурашей, чтобы они там ползали между блестками, — именно так это выглядело сверху.

Припрыгивая, взгляд сбегал по террасам, по спирально нарезанным ярусам отработки (с одного на другой тут и там зигзагами тянулись соломинки деревянных лестниц). На коричневой тесьме дороги, аккуратно разложенной по кривулинам серпантинов, двигались жучки самосвалов, и за каждым недвижно стоял шлейф вызолоченной пыли.

Самосвалов скреблось много: нескончаемой вереницей, с дымом и ревом (впрочем, их рев, как и гул и лязганье экскаваторов, скрадывался расстоянием, превращаясь во что-то вроде дальнего жужжания) они ползли по террасным нарезам, перебираясь с одного серпантина на другой, постепенно оказываясь все ближе к поверхности Земли, — чтобы в конце концов выбраться на край, доставив смехотворную щепотку своего груза.

Двигались гуськом, скользили мелкозвенной цепочкой, сохраняя положенные интервалы. Если не моргать, начинало казаться, что они мертво стоят, а ползет само полотно дороги; достигнув же края и оставив их на тверди, оно скрывается с глаз, уходит куда-то вглубь, там делает петлю и снова показывается на дне карьера, чтобы тащить новые машины, груженные новой щепоткой руды.

Карьер был богом здешних мест. Он владычествовал. Он царствовал. О чем бы кто ни думал, в конце концов все мысли, как все дороги, приводили к нему. Куда ни поехать, как ни петлять по окрестностям, чудище оставалось в поле зрения. По мере движения вокруг него, вокруг центра и смысла происходящего, карьер неспешно поворачивался, подставляя взгляду то одни, то другие пространства, то северные, то западные склоны, чуть наискось сложенные чередованием бурых, зеленоватых, коричневых пластов.

Все было затянуто гарью, пылью, зноем. И, наверное, если бы взлететь и глянуть с той блеклой высоты, на какой в других краях плывут облака, эта пустая глазница Земли показалась бы огромной чашей, наполненной волшебным, опасно курящимся питьем.

Карьер манил, но оказываться рядом Бронникову доводилось не часто: он проводил время в заводоуправлении. Ковалев завалил работой. По мнению начальника производственного отдела, лучшая тема будущего дипломного проекта звучала так: «Структура социалистического металлургического предприятия и ресурсы повышения производительности труда на примере Сталинского (Карсакпайского) медеплавильного завода». Уже в первые двадцать минут их знакомства Ковалев, стремительно чиркая осиным жалом карандаша по листу «оборотки» (другую сторону бумаги портила зряшная машинопись), наметил главы планируемого проекта, соответствующие подразделениям исследуемого предприятия. На робкий вопрос Бронникова, не тянет ли подобный замах на кандидатскую или даже докторскую степень, Ковалев презрительно фыркнул: шесть не то семь лет назад он писал точно такой диплом, и, вопреки его ожиданиям, защита прошла без особых восторгов — даже кто-то, напротив, задался едким вопросом, не мало ли материала привлек будущий командир производства. «А как же реальный опыт? — спросил Бронников. — Я хотел в карьер».— «Забудь, — отозвался Ковалев. — Ты не в самосвальщики готовишься. Производственную где проходил?» — «На Высокогорском».— «В карьере?» — «Да какие там карьеры...» — «Уж какие есть. Неважно. Теперь ты производство сверху видеть должен». Еще кое-чего начеркав, бросил карандаш и откинулся на стуле. «Примерно так, да? — Бронников кивнул: и впрямь все выглядело складно. — А воды сам нальешь. Про то, про се, про заветы, про цели. Загляни к парторгу, у него всякая шелуха мешками лежит. И помни: текста много не нужно, главная сила — графика».— «Начать и кончить», — с сомнением сказал Бронников. «Нормально. Оформим инженером. Если халтурить не будешь, месяца за полтора сделаешь. Вернешься со всем готовым — хоть завтра развешивай. Еще и отдохнуть успеешь. Понял? Тогда приступай, — хлопнул ладонями по столу и порывисто встал, неся папиросу на отлете. — Пойдем».

Он широко распахнул дверь кабинета. Голоса стихли. «Товарищи, — сказал Ковалев. — Студент Бронников прибыл на преддипломную практику. Маша, — уставил тлеющую «беломорину» на дебелую у окна. — Зуева в декрете, разбери стол для студента. И чертежными инструментами пусть ее пользуется. — Маша с готовностью вскочила. Ковалев повернулся, папироса снова смотрела на Бронникова. — Ватман дефицит, у технологов будешь брать, я договорюсь. Все, пошли насчет общежития. Сегодня обустроишься, завтра к восьми сюда. Без опозданий, у нас строго».

* * *

В первые дни он, должно быть, отнесся к делу слишком серьезно.

Являлся без опозданий, тут же принимался за работу. С левой стороны стола громоздилась кипа бесчисленных документов, регламентирующих деятельность отдельных звеньев завода. На правой расстилал лист ватмана, ждущий появления очередной схемы. Попадались такие, что в конце концов превращали его во что-то вроде китайской головоломки, почти сплошь зачерняя белое пространство бумаги бесчисленными стрелками, мелкими подписями, линиями, прихотливо соединявшими схематические изображения подсобных производств или узлов. Много времени уходило и на то, чтобы кропотливо переписывать куски пояснительных записок — им предстояло стать машинописью дипломного проекта. Его и в самом деле оформили, положив девятьсот дореформенных рублей оклада — минимальную в ту пору ставку инженера. Уходил как все — в пять. Правда, отличие между ним и другими работниками (точнее, работницами) производственного отдела состояло в том, что он с утра до вечера сидел не поднимая головы, а они все это время щебетали и галдели, как пяток беспокойных птиц в тесной вольере. Ради справедливости нужно отметить, что случались часы, а то и дни, когда все погружались в срочную работу: безостановочно гремела пишмашинка, как заведенный звонил телефон, хлопала дверь, кто-то то и дело несся в тот или иной цех, прибегал назад и убегал снова, сам Ковалев вылетал из кабинета, чтобы, бросив срочное указание, кинуться назад к своим бумажкам. Но такое случалось довольно редко.

Никогда после не оказывался он в столь тесном женском коллективе, и много раз потом ему приходила мысль, что очень многое о женщинах он узнал именно там — в производственном отделе Карсакпайского медеплавильного завода.

КРЕДИТОР

На второй или третий день о нем забыли. То есть что значит — забыли? Нет, не забыли, конечно, он всегда чувствовал натяжение неких нитей, что тянулись к нему от каждой из них: казалось, в любую секунду можно нежно подергать, чтобы привлечь к себе внимание, и оно, это внимание, будет в той или иной степени ему оказано. Особенно напряженно позванивала струнка, соединявшая его с Мариной — той самой вертлявой худышкой с косичками и крикливым голосом, что в первый день столь вызывающе, по мнению лженачальника отдела, себя вела. Она то вовсе не проявляла к нему интереса, не замечала, будто его здесь и не было, то вдруг пускалась в нахальные расспросы или насмешки, и тогда ее бесцветные глаза снова темнели, и она с вызовом подавалась плоской грудью вперед. Подчас женщины начинали ее урезонивать: «Маринка, ну что ты к парню прицепилась?! Вот Кольке-то расскажу, он тебе задаст на студентов вешаться!» Они растили двоих детей, Колька работал шофером при складе, пил, часто уезжал в командировки в Джезказган или даже Актюбинск, и Марина говорила о его отлучках со злостью и матерно — ее не покидала уверенность, что он изменяет ей с любой, какая даст. «Ой, девушки, откуда же блядей-то столько на нашу голову!» — гневно восклицала она, переводя взгляд на Бронникова, и он понимал, что в ее заново потемневших глазах сверкает вовсе не гнев, а лукавство и необъяснимая победительность. Остальные при этом понимающе усмехались, и даже дебелая Маша — полная, очень плавная, медленная, большегрудая и круглолицая — лениво улыбалась, опуская голову ниже, а потом вскидывала на него глаза — и в глубине ему тоже мгновенно мерещилось что-то опасное.

Ровно в пять женщины торопливо покидали помещение (все они спешили к детям, к мужьям, и, разумеется, никто из них не вспоминал о нем до следующего рабочего утра, а он еще прибирался на столе, раскладывал по футлярам принадлежности, крепко-накрепко закручивал пузырьки туши, размышляя попутно, на самом ли деле каждая из них бессознательно струит в его сторону опасные флюиды — или он вполне самостоятельно свихивается от собственного неутоленного вожделения.

* * *

Как они встретились? — запамятовал. Может быть, если спросить у нее самой, она бы вспомнила, но это не представлялось возможным: с тех пор утекла целая река времени, трудно даже вообразить, куда унес Лилечку ветер жизни, когда они разомкнули объятия.

Зато врезался в сердце нежный шепот ковыля, клонившегося под ласковым ветром, молочная белизна ночной степи и то, как покорно Лиля раскрывалась навстречу нетерпеливой луне, жадно стремившейся пролить на ее наготу горячие сгустки своего белесого света. И радость, и гордость, и нежность, и оттенок покровительственности, сам собой возникавший, когда они глубокой ночью медленно брели назад к поселку, и он рассказывал об их общем будущем, сам еще не умея толком его вообразить.

Лилечка Рябинова с отличием окончила институт годом ранее. Ее оставили на кафедре, каким-то образом сумев обойти правила и не отпустив на положенные всем три года работы по распределению. В Карсакпае она оказалась в связи с полугодовой командировкой, посвященной сбору материала для кандидатской. «Здесь такая тоска, — говорила она то и дело. — Вообрази, Гера, поговорить не с кем!» Разумеется, он рассказал о себе, упомянул и начальника производственного отдела Ковалева, завалившего его графикой и инструкциями, и вдруг показалось, что Лилечка нежно затуманилась, как будто это имя сказало ей больше, чем могло бы сказать вовсе незаинтересованному человеку. «Ну что ты, глупый, — говорила она потом, когда он, прожигаемый ревностными подозрениями, стал допытываться правды. — Ну конечно же я его знаю! Чем, по-твоему, я могу здесь заниматься, если не имею дела с начальником производственного отдела?» Аргумент веский: действительно, если даже написание диплома не могло без него обойтись, то кандидатская и подавно требовала деятельного участия. Правда, пока Бронников торчал там лично, Лилечка ни разу в производственном отделе не появилась: как будто вовсе не была вынуждена иметь с Ковалевым дело, а, напротив, почему-то его намеренно избегала.

Близилась осень, немного оставалось ему дел в Карсакпае, недолго предстояло делить с кудесницей Лилечкой широкую степь, таинственно шептавшую им свои колдовские заговоры. Она запрещала провожать себя даже до общежития, а чтобы какие нежности на людях позволить, о том и речи не было. (Удивительно, конечно, но их связь до самого его отъезда осталась нераскрытой: даже вертлявая Марина, вечно с визгливым смехом находившая повод спросить, не завел ли он еще кого-нибудь, ничего не пронюхала.)

Расставание с любимой терзало его душу, и он крепко надеялся, что к тому времени, когда она в декабре вернется в Москву, он уже что-нибудь предпримет: найдет комнату, что ли... подработку какую-то приищет, чтобы за эту комнату платить... продумает жизнь.

Он писал ей в Карсакпай — поначалу каждый день, потом через, поначалу с признаниями, потом с упреками. Ни разу не получил ответа. Грешил на почту, на сложности сообщения с дальним поселком. Но время шло, и даже если бы письма возили на верблюдах, конверты все-таки достигли бы этого чертова Карсакпая. Если бы отец не втемяшил себе в голову всю эту чушь, Бронников попросил бы его съездить и узнать, что с ней стряслось...

В конце октября догадался пойти на кафедру, куда Лилечку взяли аспиранткой.

«Рябинова? — переспросила секретарь кафедры, полная женщина с очками на самом кончике носа, поверх которых серые глаза смотрели удивленно и даже несколько жалобно. — Рябинова в Карсакпае...» «Ну да, я в курсе, — сказал Бронников и нашелся соврать: — Она должна прислать кое-что, а вот уже сколько времени ни привета ни ответа». «Не знаю, — пожала плечами секретарша. — Откуда мне знать? Из аспирантуры Рябинова ушла».— «То есть как это — ушла из аспирантуры?» — «Да так, — полная секретарша поправила очки и взглянула на Бронникова сквозь их круглые стекла. — Ей теперь наука ни к чему. Замуж вышла». Бронников молчал, моргая. «Говорят, за начальника производственного отдела...» — «За Ковалева, что ли?» — проскрипел Бронников. «Ой, молодой человек! — почему-то вдруг рассердилась она. — Я же сказала: откуда мне знать? Мало ли что болтают! Я, знаете ли, сплетен не собираю».

3. Таня

1

Дефицит томил, мозг не выдерживал его нервирующего напора. Как-то раз, например, Бронников заметил оживление в полувымершей «Галантерее» на Ленинградке. Оказалось, выбросили часы наручные мужские «Чайка» двух модификаций — одна с белым циферблатом и строгой черной цифирью, другая — золотые римские на синем. И на кой-то черт, заведенный общим и заведомым ажиотажем, хапнул две пары — хотя никому в их семействе ничего такого не требовалось: у каждого на запястье и без того исправно что-нибудь тикало. Да еще, пожалуй, и получше этой корявой «Чайки»...

КРЕДИТОР

Но знобящее ощущение нехватки, недостачи не проходило, заставляя соваться в любую толпу у дверей любого магазина, с холодеющим сердцем нащупывать, на месте ли паспорт и талоны (треугольные в просторечии звали «косынками», прямоугольные — «шарфиками»). Паспорт доказывал московскую принадлежность: иногородних, шатавшихся угрюмыми стаями в надежде оторвать в столице килограмм-другой какого-нибудь продукта (на периферии, судя по газетам и телепрограмме «Шестьсот секунд», дело было вовсе швах), безжалостно отсекали. В спины им летело привычное: «Понаехали тут!..». Но как-то раз одна обернулась, чтобы ответить со зловещей улыбкой: «А ведь мы скоро перестанем ездить!». И Бронников с замиранием сердца вообразил всю обреченность городского, отрезанного от пригорода и деревни, которые, если разбираться, на самом деле его кормят.

Давно уехавшая институтская подруга прислала Кире пуда полтора куриных ног. Из Хайфы ноги ехали рефрижераторами, внешне напоминали небольшой айсберг. Притаранив льдину с Девятого хладокомбината, затерянного на бог весть каких окраинах голодного мегаполиса, Бронников всю зиму выколупывал из нее, мерзнувшей на балконе, по одному окорочку детям на ужин; именно в ту пору всем сердцем полюбил крепкие русские морозы, проникшись взамен неприязнью к неожиданно частым оттепелям. Другой раз обомлел, услышав в телефоне ворчливый голос: «Бронников? Герман Алексеевич? Из ЦК беспокоят...» Оказалось, слава богу, беспокоили вовсе не по партийным, не приведи господи, делам: просто он, как руководитель семинара, учрежденного ЦК комсомола, должен был в среду получить по четыре куска мыла на всех с ним прописанных... Запомнилось, как замер, затаив дыхание, моля всех на свете богов, чтобы ничто не спугнуло работницу ЖЭКа: задерганная, она выписывала ошибочный водочный талон на шестилетнюю Анечку.

Что касается одежды, то она вся перестала быть индивидуальной собственностью, незаметно превратившись в предмет общего пользования — примерно как замызганное полотенце в бараке.

Леша жаловался, что в школе за ним закрепилась кличка «Прощай, молодость!», поскольку он не носил никаких вещей, кроме тех, что Кира кое-как перешивала из старых Бронниковских. «Не от безденежья взялась, а от безысходности», грустно разъясняла она свое благоприобретенное умение. Почему именно Лешу отметили прозвищем, Бронников не понимал: ну и что, все так ходят. Новые взять негде, если не считать всякого рода экзотику: то в Кириной больнице профком устраивает замечательную акцию — врачи и медсестры приносили старье, чтобы меняться, и это было прекрасно, потому что чужое старое считалось своим новым, то в детском садике распределяли «гуманитарку», и гордая Анечка тащила в дом отрез мануфактуры качеством вроде парашютного шелка, то на четыре лифтерские вахты выпадало откуда-то два румынских плаща сорок четвертого размера, Бронников чудом выигрывал один из них (обычно в жребиях ему не везло) и тут же отдавал Блекотинской Юле в обмен на меховые ботинки сорок шестого (пусть они тоже никому в их семье не подходили, но являлись, несомненно, значительно более ценной единицей обменного фонда); а на что она сама, барышня довольно корпулентная, предполагала махнуть этот маломерный плащ, его уже не касалось.

То есть куда ни кинь — тоскливая тараканья суета и неуверенность.

К тому же и митинги стали совсем привычны, не вызывали сердцебиения, многие ходили на них как на службу (тем более что и на рабочих местах теперь по большей части не производили ценностей, а галдели о политике и скудости жизни). Хрипло гавкая, мегафоны разносили над площадями лозунги и упреки, призывы и гневные жалобы, и Бронников вместе со всеми поднимал руку, яростно голосуя за что-то (как правило, если и расслышанное, то частично). Где-то упирали на слово и мысль, где-то, слившись в общем порыве, по-военному маршировали и скандировали, размахивая плакатами.

Однако то, что творилось сегодня, выходило за привычные рамки. Прежде город не видывал таких сборищ. Чтобы сразу полмиллиона! Да что там — миллион!

Огромная людская река, выходя из берегов и захлестывая тротуары, текла по улице Горького к Манежной.

День выдался по-весеннему теплый — под ногами лежал сухой асфальт, а редкие клочья снега здесь, в самом центре Москвы, казались нарочно подброшенными.

Лица шагавших бок о бок с ним светились чем-то таким, что не назовешь радостью, ибо радость — чувство светлое и ясное; а какая к черту ясность и светлость, если в каждом переулке, мимо которых все они текли, маячили физиономии, залитые совсем иным, недобрым, сумрачным и опасным светом: милиция, грузовики с солдатами, черные «Волги», возле которых переминались крепкие парни с волчьими рожами... поливалки, за каким-то лядом перегородившие узкие улочки, как будто не понимая, что неслыханную толпу эти жалкие переулки совершенно не интересуют.

Нет, не радость светилась в лицах, а вызывающее торжество: толпа желала с вызовом идти по самой широкой, самой большой, самой главной улице — и шла! Чтобы все видели и знали: да, они идут и ничего не боятся!

За неделю-полторы до сегодня коммунистические и близкие к ним газеты принялись талдычить, что проводить шествие не следует: возможны провокации со стороны антинародных элементов, беспорядки и кровопролитие. Эти угрюмые пророчества они называли «голосом трезвой общественности».

За три дня — такое же угрюмое, сквозь зубы заявление Верховного Совета СССР: «Многие советские люди выражают тревогу по поводу того, что к массовым митингам и шествиям могут присоединиться экстремисты и даже преступные элементы».

Накануне: «В Совете Министров СССР. Правительство страны обращается ко всем гражданам, трудовым коллективам предприятий и организаций с призывом проявить выдержку, благоразумие и ответственность, не поддаваться эмоциям и провокациям, активно противодействовать антиобщественным, антизаконным действиям».

И еще — заметка анонимного корреспондента ТАСС «Будем благоразумны!», в которой сообщалось, что многие трудовые коллективы осудили предполагаемый митинг и «решили не выходить в воскресенье на улицы».

Но все это бурчание (тоже ставшее привычным) звучало зря, наоборот, только пуще заводило — и сейчас Бронников, влившись в неохватный поток и шагая со всеми вместе, почти с восторгом чувствовал, как этот завод толкает его вперед, дальше и дальше к Манежной. И если на пути встретится, не дай бог, какая-нибудь преграда, его пружина погонит их с таким ожесточением, что будь то рогатки, поливальные машины, грузовики с солдатами или хотя бы даже недавно придуманный ОМОН со щитами, дубинками и в космонавтских шлемах — ничто не устоит перед напором толпы: отступит или будет безжалостно сметено.

Он испытывал странное, редко посещавшее его чувство (может быть, именно оно и должно называться счастьем?), что все плохое уже случилось. Конечно, прежде было и немало хорошего, но в бочке меда непременно оказывалась ложка дегтя (это как минимум, а порой и ведрами нахлестывали); зато от сего мгновения и дальше (возможно, уже после Манежной или, может быть, несколькими днями позже, но все равно скоро) всех их ждет какая-то чистая, беспримесная радость.

КРЕДИТОР

Оглянулся, отгоняя неприятные мысли — ну в самом деле, плохое должно когда-нибудь наконец кончиться!.. Юрец рядом вставал на цыпочки, норовя рассмотреть, что впереди. И прежде-то сухощавый, в Мордовии совсем высох — живые мощи. Только глаза жили по-старому, и на худом лице казались даже ярче, чем прежде.

— Что, былинка, к солнцу тянешься? — смеясь, спросил Бронников. — Хочешь, подниму? Оглядишься как следует.

Толпа снова шатнулась. Потекли дальше

— Стохастические возмущения, — виновато заметил Юрец. — Целая теория есть... Например, если в потоке машин кто-то тормозит, вынуждая и следующих, волна неоднократно прокатывается по всему потоку.

— Верно говоришь! Возмущения не замылишь. Вон какими потоками народ чешет, — подхватил Бронников. — И стохастически, и хаотически, и регулярно.

Юрец махнул рукой: с ним о серьезном, а он вон чего.

— Ты оглянись! — не унимался Бронников. У него было острое, лихорадочное настроение: толпа, общее движение, ощущение небывалой слиянности с другими возбуждало, будоражило: что-то играло в душе, будто в только что откупоренной бутылке шампанского. — Смотри!

Он повел рукой, обводя пространство залитой народом широченной улицы, уже начавшей плавно стекать к площади, и вдруг застыл.

— Что с тобой? — спросил Юрец. — Черта увидел?

Но Бронников увидел вовсе не черта (хотя, возможно, в некоторых отношениях это было бы лучше). Он увидел Таню Крапивину: она шла совсем рядом, отделенная от него буквально двумя или тремя рядами; возле нее шагала другая девушка — должно быть, подруга; обе сейчас смеялись.

И он совершенно не понимал, почему не разглядел ее раньше.

2

Приехал минут за пятнадцать до условленного срока.

Некоторое время стоял в центре зала станции метро «Комсомольская»-кольцевая между двумя уводящими вниз лестницами — по одной народ тек на радиальную, по другой — вытекал оттуда. Надеялся, что, может быть, Таня тоже явится раньше и ему повезет увидеть ее здесь. Воображал, как она удивится, рассмеется, как он обнимет ее, подхватит сумку — и дальше пойдут вместе.

Поглядывая на часы, машинально рассматривал огромные люстры над головой, мозаики с конями и витязями, причудливые медальоны со знаменами, пиками, стягами и башнями на боковинах и сводах подземного вестибюля...

Поезда с громом и визгом выкатывались из туннелей, шипели дверями, вываливали пассажиров, заглатывали новых и опять пропадали в темноте подземелий, откуда еще доносился их надрывный вой.

Когда подошло время, эскалатор вынес его из подземелья. Подходя к ступеням, за которыми начинались перроны, где они договаривались встретиться, воображал, что, возможно, она уже там: сейчас обрадуется и рассмеется.

Но Тани не было. Он ищуще смотрел в сторону метро, чтобы заранее приметить ее всегда немного растерянную походку — будто не совсем уверена, в нужную ли сторону шагает. Нет, не видно.

Понятно, опаздывает (мысли не допускал, что в конце концов придется употребить глагол совершенной формы «опоздала»). Отношения со временем у Тани складывались сложные, не было случая, чтобы не пришлось ждать ее минут пятнадцать, а то и полчаса. Появившись, всегда выглядела виноватой и обескураженной. Однажды дело обернулось целым часом. Попытки дозвониться из телефона-автомата натыкались на беспрестанное «занято» — тревожные гудки как раз и могли свидетельствовать о какой-то катастрофе. Когда он с досадой и тревогой поспешил к метро, чудом заметил в страшной дали на другой стороне улицы Горького: она стояла понурившись возле газетного киоска, всем обликом являя обреченность и готовность к худшему. Он кинулся наперерез, кое-как уворачиваясь от машин под возмущенные вопли клаксонов. Она с облегчением разрыдалась. «Почему ты тут стоишь?! — повторял он, целуя мокрые щеки. — Ты же сама сказала — напротив! Сказала «напротив», а стоишь «у»! Ты не понимаешь разницы между «у» и «напротив»?!» В процессе нежного разбирательства выяснилось, что ничего подобного, все она прекрасно понимает, просто обмолвилась (хотя он, когда договаривались, трижды переспросил: не мог взять в толк, почему им нужно встречаться именно «напротив» книжного, а не «у»; «напротив» представлялось вовсе не подходящим местом); короче говоря, она нечаянно обмолвилась, а если бы знала, что из пустяка получится такая история, вовсе никуда бы не поехала (позже, правда, не раз и не два обмолвливалась точно так же, и в конце концов ему самому пришлось всегда быть настороже, поскольку, действительно, уловить разницу между «напротив» и «у» Таня так и не смогла). Вечная история: сама напутала и сама же в отчаянии нахлынувшего одиночества ждала его невесть где, глупышка.

Семнадцать минут.

Что-нибудь могло случиться с ее бабушкой.

Пару раз он туда заглядывал. Квартирка оказалась любопытной: все возможные горизонтальные поверхности — стола, комода, книжных полок (местами даже вместо книг), тумбочки и постельного ящика — занимали толпы разнообразных безделушек.

Заинтересовавшись этой почти музейной обстановкой, Бронников переводил взгляд справа налево, отмечая деревянное на деревянной же подставке резное яйцо в размер страусиного, каслинских кровей коня, стоявшего на дыбах с совершенно невозмутимой мордой, двух разноростных, но одинаково добродушных медведей — малого коричневого с желтым бантом и большого сиреневого с зеленым, а также ядовито-желтого пластмассового пингвина с кокетливым коком на клювастой голове. Из-за бедра белолицей японки ростом со столовую ложку, одетой в узорочье алого кимоно, опасливо выглядывал глиняный морской котик. Парчовая божья коровка величиной с яблоко соседствовала с несколькими соразмерными представителями водной стихии — белозубой акулой (тоже в крупный горох), можжевеловым дельфином, виртуозно вставшим на полусогнутом хвосте, и шелковой пучеглазой рыбой, моделью для создания которой служил, судя по ее матрасной расцветке, аквариумный барбус. В небольшом нагромождении мелкой гальки поблескивала пластина черной слюды. Край полки занимала вторая лошадь — по габаритам точь-в-точь как первая, будто из одного табуна, но не чугунная, а бронзовая, вся в яркой зеленой патине; она застыла в состоянии стремительной иноходи и с таким изумлением на малахитового цвета физиономии, будто прежде этим аллюром не пользовалась. Всю живность щедро покрывала серая домашняя пыль, кое-где (особенно между конскими копытами) свалявшаяся волоконцами.

Заметив его иронический интерес, Таня, оправдываясь, сообщила, что бабушка в прошлом актриса, так что засилье сувенирных безделок отражает не столько страсть к финтифлюшкам, сколько маршруты ее гастролей — из каждого города, куда выезжал театр, она привозила то или иное подтверждение своего там пребывания. «То есть и в Японии бывала?» — уточнил Бронников, кивая на кимоно. «Нет, — смутилась Таня. — Это я ей в позапрошлом году на день рождения подарила». Бронников расхохотался.

Она часто его смешила. Так молода! и временами так наивна! — его не покидало почти отцовское чувство заботливости, старательного предвосхищения всякого рода сложностей, которые могли бы затруднить ее жизнь, а это чувство, в свою очередь, наполняло его уверенностью и весельем...

До отправления поезда осталось десять минут. Еще пять он мог беспокойно крутить головой у колонн, но когда они истекут, нужно бегом мчаться к вагону. Бронников чертыхнулся.

«Может быть, вернулся Вадик и снова ее мучит своей идиотской любовью?» — подумал он не столько с ревностью, сколько с досадой.

Вадиком звался тот самый «Отелло», о котором когда-то толковала Юля Скворчук. В ту пору Бронников подверстал ее сообщение к пачке аргументов «против». Собственно говоря, в другой стопе — «за» — не было ничего, кроме его необъяснимого и неизъяснимого беспокойства, да и то не постоянного, а накатывавшего время от времени. Но в эти минуты он и в самом деле начинал не на шутку волноваться: лицо Тани — то спокойное, то умоляющее, то смеющееся, то залитое слезами — плыло всюду, куда бы он ни обратил взор. Когда же все мгновенно и чудно переменилось таким образом, о каком он, в сущности, даже не позволял себе мечтать, скоро стало понятно, что загадочные исчезновения, происходившие два, а то и три раза в неделю, когда Бронников не мог найти ее ни дома, ни там, где она должна была, по собственным словам, в те часы находиться (а он ехал, напряженно искал, после чего с перекошенным лицом выходил из музейных залов или библиотек, с горечью понимая, что снова слукавила), говорят именно о том, что он, старый дурак, ее с кем-то делит; еще глупее было закрывать на это глаза, пробавляясь самоуговорами.

Несколько раз решал намертво — все, хватит, баста, мне не к лицу и не по летам, — но потом она звонила в лифтерскую, лепетала, в голосе слышалось раскаяние и любовь, и он сдавался. Хорошо еще, хватало выдержки не сорваться, не обрушить на нее свою ревнивую требовательность, не подломить все то неокрепшее, даже еще не до конца проясненное, что только-только начинало между ними появляться, и это оказалось верной тактикой: недели через две Таня открылась сама.

В покаянных признаниях звучала растерянность. Да, она зря внушила себе, что любит Вадика; но откуда ей было знать, что скоро появится Бронников? Ей бы хотелось, чтобы Вадик забыл о ней, исчез, пусть бы даже попал под машину, умер — она не пожалеет. Но он не исчезает, а, наоборот, с каждым днем становится навязчивей. Она ему, естественно, ничего не говорила о переменах в своей жизни, но он, должно быть, чувствует, что стал ей безразличен, и назойливо ищет встреч. По большей части не находит — да и как может найти, если она в это время с Бронниковым? — и оттого заводится пуще. («Ну просто как в зеркало заглянул», — усмехался про себя Бронников, и в зародыше давил эту горькую усмешку, чтобы снова смотреть на нее сочувственно и ободряюще.) А то еще заявляется к ней и ждет, когда она вернется. Даже с бабушкой подружился — часами болтают бог весть о чем; совершенно непонятно, с чего он ей глянулся: всегда прежде бабушка с неодобрением косилась на молодых людей, ухаживавших за ней, неприступной...

Таня прильнула к нему, всхлипывая. Бормоча что-то успокоительное и гладя по спине, он вдруг с ошеломлением подумал: господи, ну какая же она молодая!.. Они уже оделись, пили чай и собирались уходить. Блекотин давал ключ с жестким условием, чтобы в половине четвертого в квартире и духу их не оставалось, и всегда это оказывалось чрезвычайно неудобно. Приходилось выискивать способы нарушения давно привычного всем графика: часто выпадало, что Блекотин, как назло, мог дать ключ именно в тот день, когда Бронникову следовало сидеть в своей выгородке под лестницей, а вовсе не встречаться с Таней, чтобы захлебываться ее свежестью, молодостью и любовью. Почти всегда в соревновании приоритетов победждала Таня, а не выгородка, он выкручивался всеми правдами и неправдами, только однажды так и не смог уговорить никого из сменщиков (один болел, другой с внуками, сорвалось), и сидел как дурак под лестницей, мечтая о ней тоскливо и потерянно.

По его настоянию она в конце концов решилась на серьезный, последний разговор. «Ты просто должна ему сказать, что между вами все кончено. Но сказать твердо. Пусть уяснит: ты любишь другого. Что делать, такова жизнь».

А у самого в груди что-то ахало и обрушивалось. Что он делает? — он шагает к пропасти. Что если Таня и на самом деле его всерьез, по-настоящему полюбила? Все рухнет!.. Разум говорил ему, даже кричал: вскочить прямо сейчас, проститься, немедленно уйти и никогда больше ее не видеть: пусть остается с Вадиком, с чертом, с дьяволом — только бы ему самому вырваться!..

«Ты согласна?»

Таня неуверенно кивала, смотрела большими темными от несчастья глазами. Ему было ее жалко, и минуты этой жалости красили их близость в незабываемые палевые цвета нежности и заботы.

Она пыталась поговорить, но, по ее словам, Вадик не стал слушать, а, наоборот, зашелся в гневе и потребовал встречи с соперником — с Бронниковым то есть. Вроде как ему просто нужно посмотреть в глаза, а потом уже пускай Таня катится куда хочет.

Поначалу Бронников только рассмеялся. Однако она настойчиво упрашивала, говорила, что измучилась, что ей хочется по-хорошему развязать этот узел. Дескать, если ее не будет мучить совесть за то, что она плохо рассталась с Вадиком (ведь вообще-то он хороший, он не виноват, что Таня полюбила Бронникова), она сможет стать совсем-совсем его, Бронникова, и тогда дело будет за ним, чтобы и он когда-нибудь сделался совсем-совсем ее, Танин. «Вот я иногда иду по улице, — сказала она, моргая полными слез глазами. — Или в метро еду... И замечаю, что кто-то смотрит. Ты же знаешь, как мужчины смотрят. И мне хочется сказать: не надо, не приставайте, я не ваша, я Герина!»

И тогда Бронников скрепя сердце согласился...

Отогнав воспоминание, нетерпеливо взглянул на часы: прошло полминуты.

Нету. Не пришла. Ведь обещала!.. хотела оказаться с ним в дороге!.. вдвоем!.. молча улыбаясь, слушать, как стучат колеса!.. Все. Неужели не придет?... Не может быть! Вечная эта ее манера опаздывать!..

Сейчас он, беспрестанно крутя головой, стоял на ступенях Ленинградского, а для решительного разговора месяца полтора назад свиделись буквально в двухстах метрах отсюда, возле выхода из метро: Вадик собирался куда-то электричкой, другого времени у него, видите ли, не находилось, и Таня уговорила Бронникова пойти на его условия.

Увидев в свете вечерних фонарей невысокого худощавого юношу, Бронников подумал, что тот похож на его сына Лёшу. Впрочем, сходство истаяло, как только Вадик стянул вязаную шапку: совсем другая шевелюра. Да и абрис лица не угловатый, а круглый, и глаза карие, а не синие, и в целом ничего общего.

Беседа, ясное дело, не заладилась. Поначалу перекидывались незначащими фразами чуть ли не о погоде. Но светская расслабленность длилась недолго. Разговор стал резко заостряться, Вадик пустился в неприятные для Бронникова рассуждения насчет того, сколько ему, Бронникову, лет и можно ли при такой разнице в возрасте рассчитывать хоть бы даже на минимальную гармонию.

Бронников холодно отвечал в том смысле, что, мол, пусть Вадик подумает лучше о своей прискорбной юности, ибо не аморально ли, будучи столь желторотым юнцом, самонадеянно пытаться взять на себя заботу о женщине.

Таня стояла молча, безвольно опустив руки, кусала губы, переводила взгляд то на одного, то на другого и только изредка жалобно просила: «Ну не надо так!.. Ну зачем!..»

Представленные несколькими бомжами как мужского, так и женского пола, к ним стали стягиваться местные старожилы — будто лярвы, привлеченные запахом крови. Мужчины не выдавали заинтересованности, только молча помаргивали (одеты все были по-зимнему, так что дух шел дай бог каждому), женщины отпускали оживленные замечания и давали советы. Одна то и дело изумленно повторяла: «Господи, из-за кого мужики-то лаются!» Их интерес ускорил развязку. Последним аккордом стала краткая, но гневная и даже презрительная речь, в которой Вадик заявил, что Бронников напрасно думает, будто Таня его любит, а потом в обвинительной фразе употребил в ее адрес слово «существо», начав фразу: «Потому что это существо...» — «Ну-ну, — угрюмо оборвал его Бронников. — Держите себя в рамках, юноша!» — «Именно это я и делаю! — зло ответил Вадик. — Если бы стал называть вещи своими именами, у вас бы уши завяли!» Бомжихи заахали, запричитали. «Ну ты смотри, из-за такой-то селедки!..» — донеслось оттуда. Так вот, напрасно он думает, что это существо его любит; это бездушное существо не способно никого любить и скоро бросит Бронникова так же холодно и бессердечно, как сейчас собирается бросить Вадика, и что она всего лишь хочет с помощью Бронникова сделать литературную карьеру, а сейчас просто платит ему авансом. Насчет литературной карьеры и аванса царапнуло не на шутку, Бронников утробно заскрипел, сжимая кулаки. «Так ты идешь или нет? — крикнул Вадик. — Последний раз спрашиваю: идешь, нет?!»

Танино лицо, мокрое от слез, блестело в свете фонарей. Бомжи оцепенели. Широко раскрыв глаза, налитые влагой (и оттого похожие сейчас на линзы, мелькнула у Бронникова мысль, на увеличительные стекла несчастья), она отрицательно помотала головой и, всхлипывая, в отчаянии закрылась ладонями.

«Ну и черт с тобой, дура», — спокойно сказал Вадик, повернулся и быстро пошагал в сторону пригородных платформ Ярославского вокзала.

«Шарах! — и Ленского не стало», — упавшим голосом возвестила одна из местных.

С тех пор ни Бронников его не видел, ни Таня его вслух не поминала. Так что эту мысль следовало, вероятно, отнести на счет его нервозной растерянности.

Черт возьми, ну куда же она запропастилась?! — подумал он.

— Заканчивается посадка на пассажирский поезд Адлер—Ленинград! — гулко разнесли громкоговорители тревожный зов. — Просим пассажиров срочно пройти на посадку!

Бронников еще раз оглянулся, смятенно и безнадежно надеясь в эту последнюю секунду разглядеть в толпе ее тонкую фигурку.

Потом подхватил портфель и рысцой побежал к перрону.

* * *

Колеса стучали, полка покачивалась.

Миновав окраины Москвы, поезд нырнул под шапку туч. Недолгое время их еще озарял с краю последний свет бессонной столицы. Еще через несколько километров тьма окончательно сгустилась.

В разных концах плацкартного вагона слышалось похрапывание, а в дальней стороне, у туалета, кто-то давал такого дрозда, что соседям наверняка не спалось. Хоть в этом повезло... Хотя кой черт повезло? — ему тоже не спалось, пусть и по другим причинам: куда ни сунься, мысли разбегались в разные стороны, как тараканы на грязной кухне, когда под потолком неожиданно вспыхивает свет.

Таня не пришла... он едет один... куда несет нелегкая? Зачем?.. В сущности, он и затеял это все, чтобы остаться с ней наедине не на час, не на два, а на целых двое суток. И вот на тебе — ту-тук, ту-тук говорят колеса, а ее нет.

Пощупал нагрудный карман, где лежала бумажка с именем и адресом того мужика, к которому направил его Криницын — не потерял ли? Не потерял, шуршит...

Заворочался в темноте — а тут как раз прогремели мимо полустанка и фонарь (вероятно, единственный в этой глуши) озарил внутренность вагона, спящего крепко, но шумно: со стонами, всхлипываниями, разнотонным похрапыванием. Потом еще ребенок заплакал, но негромко, и скоро успокоился.

Тетрадка лежала в портфеле. Кира тоже принялась было ее читать, но скоро бросила: слишком тяжело.

Это правда, чтение не из легких. И дело вовсе не в недостатках слога, а в том, что записки Кременчуга от самого начала и до самого конца звучали странно, если не дико. Уж о чем о чем, а о войне все они — люди его поколения — кое-что знали. Кое о чем слышали. Но такое! — нет, ничего похожего он нигде и никогда не встречал.

Томился непониманием. Вранье?.. выдумки?.. плоды нездорового воображения?..

Начал доискиваться.

Скоро повезло: в приятельской болтовне как бы обмолвился. Очень осторожно обмолвился, вскользь, о тетради не говорил, разумеется, помнил слова Криницына, что в случае чего будут бить по голове железом. И Киря Золотов, очеркист-семейник, с которым столкнулись в ЦДЛ

(Бронникова уже года два как стали пускать туда без писательского билета, но кого за это благодарить, он не знал) и разболтались за рюмкой, сказал в ответ: «Слушай, Гера! Так это же тебе надо к моему тестю! Он там воевал. Знаменщиков Федор Карпович. Мировой мужик. Он и сам пытается писать — что-то вроде мемуаров, историческое. Но всё в стол. Даже не показывает. Говорю, Федор Карпыч, вы бы дали мне, я посмотрю, может, и пристрою куда-нибудь. Куски напечатаем — тогда и книжку не грех попытаться. Нет, говорит, Кирюша, рано. Время не пришло. Как же не пришло, гласность кругом! Усмехается... Хочешь, спрошу?»

Как встретились впервые, Федор Карпович держался настороженно, соблюдал дистанцию. Ну и понятно: если считал, что, несмотря на гласность, время не пришло, так небось и насчет криницынского железа все понимал и иллюзий не строил, и с первым встречным-поперечным брататься ему резона не было. Да и статус разный: он боевой офицер, полковник в отставке, почти всю войну прошел, только в Чехословакии потерял ступню и был комиссован, а перед ним любопытствующий Бронников — шпак шпаком и пороха не нюхал.

Но скоро лед растаял. Бронников рассказал ему кое о каких своих злоключениях. Удивленно поднимая брови, полковник спрашивал: «Да неужто прямо так?» — а в конце вздохнул и сказал задумчиво: «Да уж. Мне они тоже крови попортили — будь здоров». Кроме того, Федор Карпович почуял в нем по-настоящему заинтересованного слушателя.

«Все уходит, Герман Алексеевич, все быльем порастает. Собственно, на вас одна надежда: может, запишете что толком...»

А то, говорил он, в школу, например, позовут, или в техникум какой — встреча с ветераном. А что с них взять, с детей-то? Дети есть дети, правды им не откроешь, пожалеешь... а скажешь — не поймут. И учителя не поймут, да вдобавок и не поверят, только потом в Совет ветеранов стукнут: так и так, приходил тут один, странные вещи рассказывал. Нам такого в другой раз не надо, давайте нормального участника, боевого!.. Да и понятно: войну знают по киношке да по телику... а там известно какая война: всё «ура» да «за мной». Привыкли, въелись, только такое и нравится: им теперь правды на дух не надо, им бы только в понятную войнушку играть... Ах, Герман Алексеевич, как растолкуешь? Ведь какая дрянь эта война, какая сволочь!.. а на них посмотришь — прямо будто медом намазана. Почему так?

Переходя к делу, докладывал четко, по-военному, время от времени замолкая, чтобы дать писаке несколько лишних секунд настрочить самое важное.

Бронников убористо заполнял страницу за страницей, тетрадь за тетрадью. К вечеру у него сводило пальцы; к тому же томило сожаление, что слишком многое в спешке приходится опускать. Потом догадался попросить у Блекотина портативный магнитофон «Карпаты». Миша жался, гнусил, что вещь ценная, может поломаться, и чем тогда Бронников ответит? Бронников клянчил Христа ради и выклянчил, клянясь всем на свете, что всякую клавишу будет трогать как родничок у младенца. Теперь половину времени писал сам, другую на ленту. Расшифровывал на следующий день в лифтерской выгородке — если не сделать, не будет кассет для новой встречи. Звук убирал до минимума, чтобы не привлекать внимания, припадал к динамику ухом.

Когда отношения сделались совсем доверительными, осмелился показать тетрадку Кременчуга. Вопреки ожиданиям, написанное в ней полковника совершенно не удивило. «Ну да, ну да, — равнодушно бормотал он, проглядывая. — Так и было... Очень может быть... Конечно, что ж... — Перелистнув несколько страничек, откладывал и говорил (понятно, свое интереснее рассказывать): — А вот еще, Гера, у нас похожий случай, послушай-ка!..»

И теперь он лежал на вагонной полке, поезд стучал колесами, мчался в темноту, время от времени прогромыхивая мимо каких-то полустанков, узнаваемых по тому, что их фонари на мгновение заливали вагон тусклым светом, и железнодорожное эхо гулко билось в окна. Не спалось, он думал, представлял, как будет приезжать к Знаменщикову снова и снова — слушать, конспектировать, писать на ленту, задавать вопросы, чтобы в конце концов вникнуть в самые мелочи фронтовой жизни, войны и человеческого несчастья. А то, что уже успело угнездиться в мозгу, крутилось в голове, без конца меняясь местами: что-то начинало казаться не столь уж важным, не столь ярким — и тогда до поры до времени уплывало в тень сознания, а на смену являлось нечто другое — по-настоящему сочное, живое, потрясающее. Но проходила минута, и все снова преображалось: только что живое и лучезарное неожиданно тускнело и пряталось в тень — а вместо него опять показывалось иное, и подчас это было то самое, что минуту назад он признал тусклым и малоинтересным...

Бронников заворочался, повернулся и вдруг понял, что начать нужно с Горшечникова.

Ну конечно же, с начарта!..[1] то есть, значит, с появления Мехлиса: с того октябрьского вечера сорок первого года, с опушки леса неподалеку от деревни Заборовье, с той самой минуты, когда начальник Главного политуправления нервной припрыгивающей походкой прошел туда и назад вдоль строя измученных и смятенных офицеров штаба.

Все они чувствовали вину за свое отступление. Здесь, получив краткую передышку, они смогли осознать, что

---

[1] Начальник артиллерии.

случилось. Измочаленная армия расползлась на лоскуты. Последние донесения, полученные накануне, говорили, что в полках оставалось по триста, по четыреста бойцов. Слово «тыл» утратило смысл: тыл потерялся, с ним не было связи, а если бы она каким-то чудом и возникла, то смысла все равно бы не прибавилось, поскольку еще восьмого числа стало ясно, что тыл не в состоянии поставить на передовую ни оружия, ни боеприпасов. Рассеченная в нескольких местах глубокими клиньями, армия превратилась во что-то вроде пчелиных сот, где каждая ячейка представляла собой то или иное, но всегда незначительное по численности скопление солдат, окруженных превосходящими силами хорошо вооруженного и расчетливого противника.

Примерно в таком же положении оказался и ее штаб.

Еще утром Горшечников полагал, что до их полного уничтожения остается несколько часов. Ему, командиру высокого ранга, нельзя было живым попасть в руки врага, и он помнил (то и дело проверяя себя — не забыл ли, ведь это важно, очень важно!), что, как бы ни складывалась обстановка, в его «маузере» должен остаться один патрон. Но скоро стало понятно, что немцы почему-то их все же прошляпили: штаб выбрался из окружения, в котором должны были сгинуть остатки армии.

И теперь, глядя на нервную походку начальника Главного политуправления, многие офицеры ловили себя на мысли, что им было бы лучше остаться там, внутри, вместе с теми, кем они командовали.

«Кто начарт?»

Очнувшись, Горшечников — высокий, сутулый, сгорбленный, как будто придавленный случившимся, — сделал два уставных шага.

«Генерал-майор Горшечников!» — сипло сказал он.

Начальник Главного политуправления, все выше задирая голову, стремительно пошагал к нему, резко, будто запнувшись, остановился напротив и крикнул в его серое лицо: «Где пушки?!»

Горшечников не мог внятно ответить на этот вопрос — честно говоря, откровенно дурацкий. Где пушки? — часть уничтожена немецким огнем или подавлена танками, другая утрачена вместе с гибелью расчетов или брошена из-за отсутствия тяги: в той железной мешанине люди хоть и оказались способны на воистину нечеловеческие усилия, но все же никакая надсада не могла в полной мере восполнить потерю убитых лошадей.

Он неопределенно махнул рукой в направлении, где попали в окружение остатки армии, надеясь обобщающим жестом навести на мысль, что говорить не о чем.

«Где, я вас спрашиваю?» — вновь выкрикнул Мехлис. Горшечников не ответил.

«В соответствии с приказом наркома обороны СССР номер двести семьдесят...» — вытягиваясь и даже, казалось, привставая на цыпочки, яростно закричал начальник Главного политуправления в серое лицо генерала...

И как только Бронников понял, с чего все начнется, он испытал несказанное облегчение — будто долго и безуспешно бился в створки крепко-накрепко закрытых ворот, за которыми ждало что-то очень важное, без чего невозможно жить дальше, и вот, когда потерял последнюю надежду и отчаялся, воротины дрогнули и стали отворяться.

Он перевел дух, снова и снова повторяя то, что сейчас осознал, чтобы воображение четче прорисовывало те несколько ясных образов, что каким-то чудом возникли в недрах сознания. Картины не тускнели, не гасли, не растворялись. Окончательно уверившись в них, невольно улыбаясь, он с новым вздохом повернулся на бок.

Опустил отяжелевшие веки, и почти сразу все под ними заколыхалось и потекло — как течет, бывает, сизый дым, переливчато струясь с тлеющей папиросы. Мысли начали слоиться и путаться; послышались дальние голоса, покрикивания, плеск; кто-то хмуро сказал басом в самое ухо: «Зря ты, Гера, зря!»; ему хотелось возразить, но уже гремел трамвай, страшно наезжая и лязгая; он похолодел, в ужасе дернулся в ту сторону, где рельсы превращались в железное, звенящее листвой дерево, на мгновение открыл глаза, силясь понять, что происходит, — и уснул.

3

Начальнику Главного политуправления потребовалось совсем немного времени, чтобы выкрикнуть в серое лицо генерал-майора слова приказа, а то, что приходилось складывать его на ходу, совершенно не портило дела: на своем веку он создал и подписал столько похожих директив, что и разбуди ночью, отбарабанил бы без сучка и задоринки.

Мало того: десять секунд назад начальник ГлавПУ еще не знал, что начнет вдруг этот приказ надсадно проговаривать. Однако теперь, приняв импульсивное, мгновенное решение, он произносил фразы так, будто читал по бумаге окончательный вариант, а перед тем долго раздумывал над ним, правил, многажды переделывал, добиваясь звучной, уверенной твердости.

Несомненно, это был акт вдохновенный — примерно как судорога творчества, бросающая поэта к листу, после которой он устало приходит в себя и не может понять, кто оставил эти гениальные строки: не сам ли Бог в эти минуты водил его косной рукой?

Важную роль в тексте приказа играли некоторые особенности армейского языка. Не секрет, что они далеко не всем даются: цивильному профану недоступны, на несведущего человека производят впечатление нарочитой бессвязности. Зато военный слышит в них смыслы, намертво сбивающие грубые слова в нечто непреложное, ответом на что может быть только немедленное и добросовестное исполнение.

Начарт интуитивно понимал, чем закончится приказ, начало которого начал произносить Мехлис, но понимал как-то стороной, как будто речь шла о вещах, его не касающихся. Вероятно, равнодушие было единственным способом смириться с тем, что произошло: ко вчерашнему вечеру, когда стало очевидно, что армии больше нет, оно заполнило начарта целиком.

Ранним утром восьмого октября армия получила приказ фронта, в соответствии с которым ей предстояло нанести удар во фланг и тыл наступавшему противнику, уничтожить его и победно выйти на новый рубеж. Ставя армии боевую задачу, командование фронта исходило из той оперативной обстановки, что сложилась на поздний вечер седьмого октября. Однако уже к середине дня восьмого, а тем более к девятому октября обстановка в полосе обороны армии резко ухудшилась: окруженные войска, вынужденные действовать в отрыве от соседей и тыла, не могли не то что «нанести удар во фланг и тыл наступавшему противнику», а даже хоть сколько-нибудь успешно сопротивляться напору немцев: счет патронов шел на десятки; снарядов, мин и пулеметных лент — на штуки.

Утром десятого октября все было кончено. Штаб армии разместился на окраине села Березовики, куда к вечеру неожиданно подтянулись остатки стрелкового полка одной из дивизий — около двухсот человек. Артбатарея вышедшего полка состояла из одной 76-мм пушки (снарядов не осталось) и одной лошади. Тело убитого осколком комполка солдаты тащили на волокуше из березовых лесин. Штаб еще не успел осмыслить случившегося (по идее, этот полк должен был держать оборону на рубеже Сухонь—Кащеево), когда в небе появились семь «юнкерсов». Посыпались оконные стекла. Начарт выбежал на крыльцо, увидел, как прямо на него, стремительно увеличиваясь в размерах, падают две бомбы. Он прыгнул вправо от крыльца и угодил в какую-то яму, скрытую высоким бурьяном. Бомбы падали одна за другой, во все стороны летели жерди, солома, комья земли. Когда через десять минут он поднялся, деревня представляла собой мешанину перепаханной земли, бревен, человеческих останков, просто бесформенных кусков мяса и обрывков одежды. Несколько разваленных домов на краю горели, валялись повозки, домашний скарб, трупы лошадей. Метались уцелевшие, пытаясь помочь раненым...

Еще восьмого, когда выдвижение и прорыв двух танковых полков вермахта, поддерживаемых мотопехотой, столь разительно переменил ситуацию, Горшечников полусознательно ждал (сознательно при этом понимая, что его ожидания не могут сбыться, и все же не имея мужества окончательно отделаться от приступов здравого смысла), что сейчас, когда о переходе в наступление уже не может идти речи — ведь это значило бы пытаться тушить огонь сухими дровами, — командарм Грушков оставит попытки сохранить прежние позиции расчлененной армии.

Разгром вклинившейся группировки немцев, а затем и достижение намеченных командованием фронта целей если и могли произойти, то исключительно после радикальной перегруппировки сил и стабилизации войск армии. И если бы решение об отступлении было принято хотя бы вечером восьмого, армии удалось бы отойти, оторваться от противника, не потеряв управления войсками и связи с тылом, укрепиться на новых позициях и встретить врага не разбитой и растерянной, а полной сил и готовности к действию.

Да, но что значит — ждал? К чему эти лишние слова — «сознательно», «полусознательно»?.. Ерунда, ни о чем похожем Горшечников не думал. Потому что кроме тактики ведения войны, кроме необходимости сохранения боевых ресурсов, кроме здравого смысла существовали и другие материи, на фоне которых все эти категории выглядели не более чем смешными уловками, направленными на то, чтобы скрыть свою трусость и сохранить никчемную жизнь.

Слово «отступление» стало запретным с конца июля 1941 года. Народный комиссар обороны СССР И. Сталин требовал, чтобы все командиры, красноармейцы и политработники руководствовались в схватке с врагом одним-единственным принципом: ни шагу назад! Посмевшие его нарушить должны истребляться на месте. Признавалось крайне необходимым организовать штрафные батальоны и роты, где некоторым провинившимся будет предоставлена возможность искупить свою вину кровью, а также заградотряды: их следовало размещать в непосредственном тылу неустойчивых дивизий, чтобы в случае беспорядочного отхода частей расстреливать паникеров и трусов, помогая честным бойцам выполнить свой долг перед Родиной.

Еще не прошло и полугода этой войны, а Горшечникову приходилось гнать от себя мысли насчет того, во что она в конце концов выльется. Он мало видел и мало знал, как всегда мало видит и знает человек, мощной силой государственной воли вкрученный — подобно винту или шурупу — туда, где следует ему находиться, исполняя долг. И все же он понимал: потери неслыханные, невозможные. Казалось, главной задачей командования и руководства является не достижение тех или иных целей, а наиболее полное истребление собственных войск.

Он находил этому только одно объяснение. Жить хотелось всем, в том числе и командному составу. Даже, может быть, командному составу в первую очередь. Потому что, если тебе дано право посылать человека на смерть, глупо рваться к ней самому. Зачем, если есть те, кто пойдет по твоему приказу?.. Но все-таки чтобы по-настоящему выжить, необходимо в конце концов отступить, потому что если стоять насмерть со всеми вместе, то она, смерть, и будет. Однако отступить, имея в распоряжении хоть какие войска, хоть какую живую силу, еще способную к бою и героической гибели, было никак нельзя. Приказ требовал именно стоять до смерти, пропадать и гибнуть; а кто приказ нарушил, получал уже не вражью, а свою, советскую пулю. Что оставалось делать в этой безвыходной ситуации? — только растратить живую силу, дорасходовать ее, превратившуюся в опасное, гибельное обременение, сократить до такого количества, про которое уже никто не скажет, что это все еще *живая сила*: да какая там живая сила, горстка измученных, израненных бойцов... А тогда уже, получив законное право отступать, отступить вместе с ними. И пойти на переформирование.

Так он подчас прикидывал — и гнал от себя эти жуткие мысли. Но все-таки голова не выключалась — в ней блуждали, слоясь и не находя ответа, смутные вопросы, касавшиеся происходящего. Ну да, на этой войне не щадили солдат — своих солдат, а ведь, казалось бы, живая сила оставалась опорой всего дела и могла бы дать надежду на будущее, как бы ни страшно выглядело настоящее. И, пытаясь найти иное, более разумное, менее страшное оправдание чудовищным потерям, начарт сваливался в объяснения, которые ничего на самом деле не объясняли и объяснить не могли. Ну да, все так, потери ужасные, — говорил себе начарт, — но на то ведь она и война! И эта фраза, по сути дела совершенно бессмысленная, все-таки его немного успокаивала. Вот именно: война, война! Война жестока, на войне люди гибнут, гибнут и гибнут!.. На войне долго курят, долго молчат, долго мечтают и недолго живут, такая она — война!..

А потом ему снова начинало казаться, что дело не в войне. То есть не в том, что случилась эта большая, огромная война и, случившись, оказалась особенной, из ряда выходящей. До нее громыхала другая — финская. Разве там дело шло по-другому?..

На финской он оказался сразу после похода в Польшу. Вот его он вспоминал с истинным удовольствием: ну просто прогулка, как будто нарочно придуманная, чтобы вселить в ее участников уверенность в своих силах и беззаботность. И задача стояла благородная — взять под защиту жизнь и имущество населения Западной Украины и Западной Белоруссии, и поход складывался благоприятно. Тогда Горшечников служил в штабе стрелковой дивизии имени Железняка. Говорили, кое-где случались более или менее серьезные бои — под Гродно, что ли, — но в целом поляки не могли оказать сколько-нибудь серьезного сопротивления: отступали, сдавались целыми батальонами, церемонно капитулировали, уходили в Венгрию. Население встречало освободителей цветами, хлебом-солью, ликованием — в советских видели защиту от немцев. С немцами, кстати говоря, случилось неожиданное боестолкновение подо Львовом: немецкий полк принял танки советского разведбата за польские, открыл огонь и сжег две машины. В ответ разведчики, тоже не вполне понимающие, с кем воюют, захватили два самолета и несколько пушек. Общие потери составили пять раненых, трое убитых и три броневика с советской стороны; четверо убитых и два орудия — с немецкой. Недоразумение разъяснилось, вскоре были определены демаркационные линии, а уже через неделю после начала кампании в Бресте прошел совместный с немцами парад — торжественный марш подразделений XIX моторизованного корпуса вермахта под командой генерала Гудериана и 29-й отдельной танковой бригады РККА комбрига Кривошеина...

В дивизии царило бодрое, веселое расположение духа: большое дело далось легко и без потерь, личный состав настроился на новые победы. Поэтому с радостью приняли известие, что из украинских степей дорога лежит на север, за Ленинград, в Карелию. Там они освободят местных трудящихся от гнета помещиков и, возможно (на это частенько намекали политруки), Финляндия сделается еще одной республикой Страны Советов.

В Житомире дивизию укомплектовали приписным составом до штатов военного времени. Тем временем лето заехало в глубокую осень. Почему-то не выдавали зимнего обмундирования. Самые понятливые и дальновидные (особенно политруки) разъясняли: «Сколько той войны будет-то? Кой черт на три дня тулупами обзаводиться? Только ворон смешить. А, товарищи бойцы?» И товарищи бойцы отвечали веселым ржанием, подшучивая над тем бестолковым, что вылез с дурацким вопросом.

Войска сосредоточились в районе деревни Кимасозеро, где, как могли, принялись бороться с подступающим холодом, а в самом конце ноября начали наступление на юго-запад, в направлении Суомуссалми.

Узкая Раатская дорога, по которой прежде разъезжали лишь повозки да сани финских крестьян, лежала в глухих чащобах. Железняковцы еще помнили сладостное тепло украинского солнца, может быть, поэтому подразделения двигались так же, как шли части РККА на недавнем параде — колонной, пренебрегая организацией боевого охранения.

Да и кого тут было сторожиться — чухны этой немытой?.. Войска беззаботно растянулись на тридцать километров. Единственное, что могли позволить себе финны, это время от времени кинуть десяток-другой мин, пренебрежительно называемые в войсках «пукалками». Смех смехом, но, как на грех, двадцать первого декабря одна из них подарила Горшечникова осколком. Рана не внушала опасений, он отказывался от эвакуации, но все же его отправили в тыл — а потому все последующее Горшечников узнавал с чужих слов.

На следующий день, ранним утром двадцать второго заслон противника в лице 15-го пограничного батальона попытался воспрепятствовать движению дивизии. Поначалу это не вызвало особой озабоченности командования — силы были слишком неравными. Однако финны, ловко маневрируя подкреплениями с других участков фронта, сумели плотно перекрыть Раатскую дорогу. К вечеру комдив Яблоков запросил у командования разрешения временно отступить к советской границе, но не получил его. Все дальнейшее стало погружением в ледяной ад. Через день финны закрыли и северный путь доставки подкреплений. Затем, действуя с флангов отрядами лыжников, они разрубили дивизионную колонну, будто змею лопатой, на шесть частей. Все коммуникации были перерезаны, управление потеряно. Густые леса, каменистые кряжи, глубокие лощины, заваленные снегом болота, остававшиеся топями даже в лютые морозы, что крючили одетых в летнее обмундирование солдат, препятствовали применению боевых машин. Подразделения лишились подвоза боеприпасов, горючего, продовольствия. Эвакуация раненых также оказалась невозможна. Вынужденные кучковаться на небольших участках, люди и техника стали отличными мишенями как для стрелкового оружия солдат и снайперов, так и для артиллерии противника. Новый год не принес радости. Боеприпасы кончались. Раненые умирали. Утром пятого января сорокового года финны начали решающую атаку.

Комдив Яблоков все просил разрешения отойти, чтобы сберечь остатки вверенных ему войск, и шестого наконец получил его. Он немедленно начал отступление. Однако, судя по всему, эта важная мера несколько запоздала.

Часть бойцов смогла уйти на север — и большинство их замерзло на этом пути. Тех, кто двинулся на восток, встретили небольшие, но решительные и умелые силы противника. Остатки дивизии отошли к границе. В итоге, говоря языком военных реляций, дивизия понесла тяжелые потери: из почти четырнадцати тысяч приписного состава погибло и пропало без вести до девяти тысяч военнослужащих.

КРЕДИТОР

Одиннадцатого января комдив Яблоков, начальник политотдела Штременко, начальник штаба Зайцев, несомненно виновные в случившемся, были преданы суду военного трибунала. Первый и единственный допрос проводил этот самый начальник ПУ РККА Мехлис. Когда он закончил, осужденных расстреляли перед строем сумевших избежать окружения бойцов...

«То есть было то же самое, — механически подумал Горшечников, глядя в его сощуренные сердитые глаза. Полупрозрачный пар вылетал из полных губ, сопровождая слова, и таял в холодном воздухе. — А еще раньше?»

Ровесник века и сын учителя, сам не успевший окончить двух последних классов гимназии, он надел красноармейскую гимнастерку через год после революции. Еще годом позже его приняли в ряды РКП (б). Карьера Горшечникова пошла по политической линии — сначала его назначили военкомом эскадрона 2-й Конной армии, потом — то одного, то другого ее полков; в конце концов поднялся на должность инструктора политотдела 5-й кавалерийской дивизии.

Кстати говоря, именно тогдашний опыт позволял ему сейчас понимать не слова, выкрикиваемые Мехлисом (они оставались за вязкой стеной охватившего его равнодушия), а душевную устремленность этого человека.

Ведь Горшечников по себе знал, что это такое — быть военным комиссаром. В ту пору он гордился собой. (Гордился втайне, не выказывая превосходства и даже, наоборот, временами излишне скромничая, но при этом самому себе признаваясь в своем превосходстве и находя его справедливым.) Да и как не гордиться? — именно ему партия доверила самый важный фронт в общем деле завоевания будущего; следовательно, в глазах партии он оказался чем-то лучше других. И он хотел добиться еще большей веры: она дала бы ему еще больше власти и вселила бы в него еще больше гордости.

В двадцать первом его в числе других бросили на подавление грозного, кое-кому из маловеров уже казавшегося негасимым Тамбовского восстания.

Он считал себя крепким, закаленным бойцом, и все же на Тамбовщине навидался такого, что по сей день если и вспоминалось, то так, будто он в ту пору не жил собственную жизнь, а расхаживал по комнатам страшного, изуверского музея, посвященного тому, как дико человек может относиться к другому человеку, — вот кое-какая его живопись, вопреки беглости экскурсантского взгляда, и застряла в памяти.

Сознание не хотело нести в себе правду, пыталось вытеснить ее, — вместо того чтобы признать справедливой и нацеленной на будущее счастье всего человечества.

Следовательно, он оказался слаб. Его слабость не миновала зоркого ока бдительных товарищей. Ждал худшего, ведь и сам он сколько раз находил вескую причину для расстрела шатнувшегося. Но каким-то чудом пронесло, и он продолжил жить — однако уже не на политической, а на чисто военной работе: из артбригады направили в училище, а когда с отличием его окончил, встал на командование горно-артиллерийской батареи...

Артиллерия оказалась его родным делом, будто специально для нее и родился. Он много воевал — и Китай, и КВЖД, и Испания. А когда не воевал, чувствовал себя хуже, чем на войне. Потому что на войне понятно, где противник, а где свои. А хуже, чем на войне, это когда неприятель не за линией фронта, а повсюду. А своих вовсе нет, потому что в любую секунду тот, кого ты считал своим, может оказаться врагом: придут ночью, арестуют и увезут — и больше о нем не будет известий, а только твои мрачные догадки, которыми не с кем поделиться из опасения навлечь на себя похожие обвинения.

Везде, везде враги! Это как плесень, насквозь прорастающая хлеб: сколько ни ломай порченый каравай, сколько ни выискивай живое место, черта с два — всюду зеленые волоконца, всюду зараза, отовсюду приходится ее беспощадно выжигать. Понятно, ведь борьба не на жизнь, а на смерть. И все же он был поражен, когда в числе заговорщиков оказался и его кумир, когда-то командовавший войсками Тамбовской губернии.

Ему не довелось наблюдать (еще мелковат был калибр Горшечникова, чтобы оказаться на Красной площади), как утром 1 мая 1937 года Тухачевский шел к трибунам.

Он был в парадной форме. На взгляд какого-нибудь старого служаки, иссохшего на армейском пайке, она сидела на нем, пожалуй, слишком щеголевато. Однако это было бы только ощущение, какого к делу не пришьешь; что же касается требований устава, они соблюдались в полной мере.

Если бы не одна деталь: маршал шагал, держа руки в карманах!

Удивительно, как может повлиять на облик человека столь ничтожная подробность.

Вынь он руки, и все бы увидели, что к трибуне Мавзолея собранно идет закаленный, заслуженный боец, многими годами воинского труда доказавший свое бесстрашие.

Но руки в карманах форменных брюк! — а потому походка беззаботна и расхлябанна. Он явно пребывает в состоянии рассеянности. А если и думает, то наверняка о ерунде.

Ну и впрямь, разве может подобный субъект размышлять о вещах серьезных? — об укреплении обороноспособности страны, о новых видах вооружения, об отказе от устаревших стратагем, о настоятельной необходимости реформирования армии, о том, как сладить с теми, кто противится назревшей реформе? Нет, нет и нет.

А потому ни золотые звезды, ни угольники, ни прочая мундирная финифть не могли избавить наблюдателя от уверенности, что сей забрел сюда случайно, по ошибке или недосмотру. И совсем не заслуживает места, что отведено ему рядом с теми, кто и выглядит совсем иначе, и размышляет, конечно же, совсем о другом.

Но все-таки он поднялся на трибуну и встал у гранитного барьера, едва заметно покачиваясь с пятки на носок и рассеянно глядя на залитую солнцем площадь. А рук из карманов так и не вынул.

Несколько минут спустя туда же взошел маршал Егоров. Как ни странно, он не отдал чести маршалу Тухачевскому. Даже не посмотрел в его сторону. Просто остановился неподалеку, оглядываясь холодно и независимо.

И Тухачевский не взглянул — по-прежнему на солнце, будто ничего вокруг не замечая.

Еще через минуту появился замнаркома Гамарник. Этот не обратил внимания ни на Егорова, ни на Тухачевского. Молча занял свое место, словно рядом никого и не было.

Так они стояли, поглядывая на залитую солнцем площадь.

Стояли молча — наверное, не о чем было говорить.

Или каждый знал о двух других нечто такое, что мешало ему открыть рот: как перемолвиться словцом с теми, кто смотрит уже с той стороны? Кроме того, заговорить — значит самого себя подвергнуть риску. Ведь несчастье подобно чуме: хватит дуновения, чтобы даже в такой солнечный и теплый день подхватить смертельную заразу.

А может быть и совсем другое: именно потому, что день был такой теплый и солнечный, они, понимая, сколь мало осталось им солнца и тепла, не хотели тратить зря даже несколько его блаженных мгновений.

* * *

Что касается свободного от службы времени, Горшечников душевно сошелся с командиром 3-й танковой бригады Звягиным.

КРЕДИТОР

Жили в одном доме на четыре семьи. Две другие квартиры занимали штатские — какой-то, что ли, инженер (чуть ли не главный) какого-то завода (по утрам за ним приезжала машина), с семьей; с семьей же и начальник какой-то коммунальной, хрен поймешь, службы — не то воды, не то канализации. То есть оба шпака занимались делами загадочными, сути которых армейский человек до конца уяснить не может, а потому испытывает по отношению к ним чувства смутные и даже опасливые. Только кивали при встрече, вот и все знакомство.

А военные не сторонились друг друга. Сначала сошлись жены — одни заботы, одни разговоры, потом и мужья подружились. Бывало, вместе ездили рыбачить, встречали рассветы над тихим Днепром. Горшечников томился происходящим вокруг, но заговаривать со Звягиным не решался. Говорить (особенно если о чем-нибудь таком, что тебя волнует или кажется странным) — это дело опасное, чреватое, мягко говоря, большими неприятностями.

Но привычка! — проклятое это свойство человеческой натуры. Она появляется помимо твоей воли, исподволь, и мало-помалу то, что еще недавно казалось опасным и страшило, становится знакомым, как домашние тапочки.

Звягин не разделял сомнений Горшечникова. «Ты пойми, чудак человек, — говорил он, закусывая мундштук папиросы и щурясь так, будто уже брал собеседника на прицел. — Грозные времена настали. Понимаешь, где-то прошляпили, упустили. Военно-фашистский заговор — не шутка, как думаешь? Если эту гадость сейчас с корнем не вырвать, всех удушит. Сталин верную политику ведет. Кто против Сталина — тот против революции».

Только сумасшедший осмелился бы возразить последнему утверждению Звягина, и Горшечников тоже горячо его поддерживал.

Однако по многим иным пунктам ему хотелось поспорить.

Он не знал точных цифр. А если бы они стали ему известны, он никогда в жизни не сообщил бы их Звягину, потому что тогда уж точно не мог бы рассчитывать на снисхождение скорого суда. Но можно вообразить, что каким-то чудом цифры оказались у него в руках, а вторым чудом (скажем, в результате временного умопомешательства) он решил поделиться ими с товарищем. Тогда бы Горшечников сказал примерно следующее.

«Вот послушай, Звягин. Весь тысяча девятьсот тридцать восьмой год людей хватали пачками. Сгинули два Маршала Советского Союза, два командарма первого ранга, единственный имевшийся флагман флота первого ранга, единственный армейский комиссар первого ранга, два последних командарма второго ранга производства тысяча девятьсот тридцать пятого года, и еще, и еще, еще — комкоры десятками, а комбриги и полковники — сотнями. Из более чем тысячи командно-начальствующего и высшего политсостава осталось меньше половины. Я не говорю о других офицерах, которых сгинуло тысяч тридцать... Как думаешь, могли все эти люди состоять в военно-фашистском заговоре? И если да, почему они, почувствовав первые дуновения смерти, не воспользовались своей военной властью для реализации этого заговора, почему не смели к чертовой матери сталинское руководство — против которого вроде бы и замышляли?»

К счастью для себя, он не знал точных цифр.

Он знал другое: благодаря непрерывной чистке вся армия находилась в беспрестанном карьерном движении. Занимавшие высокие посты подвергались аресту и пропадали навсегда. (Опасность подстерегала любого, даже кто занимал вовсе не высокий пост, однако пропажа такой мелочи проходила почти не замеченной.) На освободившиеся места перескакивали те, кто стоял ниже, а на их — кто еще ниже, и так до самого донышка, до командиров отделений, которыми подчас становились не вполне грамотные солдаты, искренне изумлявшиеся своему нежданному возвышению. Однако на этом не кончалось, дело шло новым кругом: арестовывали тех, кто пришел с низовки на высшие должности, на освободившиеся шестки перепрыгивали нижние, так ярус за ярусом — и вся машинка срабатывала заново, и еще раз, и еще, и еще, с каждым оборотом рокового механизма все выше поднимая тех, кто не имел ни образования, ни опыта войны. Далеко ходить не надо, он и сам до начала сумятицы дивизионом командовал, не велика птица (потому, кстати, и до Красной площади, чтобы на Тухачевского полюбоваться, ему было как до Луны). А к сорок первому допрыгался аж до начарта армии — есть разница?

«Разве все это не ослабляет армию? — спрашивал Горшечников, в пылу дружеского разговора махнув рукой на осторожность (этого вопроса уже хватило бы для ареста). — Не снижает боеспособность? На батальонах вчерашние отделенные — это в какие ворота?»

«Интересно ты вопросы ставишь! — горячился Звягин. — А что, по-твоему, делать? Если все они на другой стороне, если все они враги — как с ними? У нас неприкасаемых нет. Комбриг ты или даже маршал — все равно: если враг, разговор короткий. Да и вообще, есть ли армия у страны, если ею командуют заговорщики? Нет, брат, вот когда всех вычистим, тогда она и появится».

Однажды глубокой ночью затарабанили в дверь. Горшечников сел и стал надевать брюки, думая о вещах совершенно посторонних. За дверью обождали несколько секунд. Потом начали снова, с новым ожесточением. «Кто это, Витя?» — спросила Валя. «Спи, спи, — ответил Горшечников. — Это ошибка». Он чувствовал не страх, а злую досаду. Ведь знал, знал — не нужно говорить со Звягиным. Вот тебе и разговоры по душам! Договорился...

Прошагал ко входу, отпер. Когда дверь открылась, со двора потянуло дымом — была осень, жгли листья. «Макарьев Василий Степанович здесь проживает?» — спросил человек в фуражке с синей тульей. За его спиной на ступеньках крыльца переминались два солдата.

Горшечников долго вникал в смысл вопроса. То есть — не по его душу, что ли?

«Здесь, — с усилием сказал он, отступая в сторону. — По коридору направо».

Всю ночь у Макарьевых топали и гремели — шел обыск. Девочка поначалу плакала, потом мать ее как-то успокоила. Под утро инженера увезли. А уже к полудню заявился милицейский чин с ордером на освободившиеся комнаты. Он не хотел дожидаться, пока семья инженера соберет вещи, — шумел, тряс своими бумагами, кричал, что всё по закону, что сейчас он вызовет наряд и решит дело силой. И в конце концов Клавдия Васильевна (ей было лет тридцать, не больше, по отчеству величали потому что муж видный) ушла куда-то с двумя чемоданами, за один из которых держалась ее пятилетняя дочка. Горшечников знал, что инженер родом из Мурманска. А откуда была она сама и куда делась, осталось неизвестным.

Ну, допустим, с инженером понятно. На гражданке выявлялись ужасающие факты вредительства и шпионства, потому там и началось раньше, чем в армии. (И опять — что значит «началось»? — думал Горшечников, вспоминая жизнь. Оно, собственно, и не кончалось толком: как сорвало в семнадцатом, так и вертелось, а чуть утихнув, снова повалило валом.) В тридцать шестом громыхнул первый процесс. Видные партийно-государственные руководители единодушно признавались в сотрудничестве с западными разведками с целью убийства Сталина и других советских лидеров, роспуска СССР, восстановления капитализма, организация вредительства в разных отраслях экономики.

К армии еще только присматривались. Осторожничали, не знали, как взяться за дело. Это тебе не гражданские: вооруженные, по-уставному организованные люди. Плюс определенное двоевластие: как ни сильны военные комиссары, а все же и командир чего-то стоит — при случае может своих и «в ружье» поднять. Но когда появились жуткие признания генералов и маршалов, а справедливость приговора по делу о «военно-фашистском заговоре» была подтверждена расстрелом, дело и тут пошло быстрым ходом.

«Ничего, — говорил Звягин, задумчиво и строго глядя, как покачивается поплавок на едва заметном вечернем колыхании лоснящейся воды. — Ничего. Если палец загнил, что ты делать будешь? Надо решительно. И чем острей нож, тем лучше».

А потом однажды Звягин вернулся со службы хмурый, озабоченный. Негромко рассказал, в чем дело. В парткабинете висел плакат «Кадры решают все». Кто-то его проколол. «Проколол?» — недоуменно переспросил Горшечников. «Ну да, проколол, — досадливо подтвердил Звягин. — Может, случайно, не знаю. У Сталина вот тут царапина... на щеке под глазом. И где козырек фуражки... порвано немного. Угадал время, гад, когда дверь не заперта. А нарочно охранять — и мысли такой не было, сам посуди, что там украсть, чернильницу?» «Но глаза не выковыряны?» — уточнил Горшечников. «Скажешь тоже, — рассердился Звягин. — Я бы тогда комиссию созвал. А так — что... Начальника политотдела вызвал, чтобы тоже посмотрел. Что делать будем? Мнется. В общем, сказали политруку Васяткину, он снял и унес. И сжег... Ах, черт! — зло сказал Звягин. — Надо было все-таки комиссию. Обмишулился». «Ладно тебе, — урезонил Горшечников. — Глаза же не выковыряны». Звягин покивал и со вздохом загасил окурок. «Глаза-то глаза, — сказал он. — А если увидел кто, как жгли?» — «Ну не дурак же твой политрук, чтоб на виду». Звягин тягостно молчал, должно быть прикидывал: дурак или не дурак. Потом вздохнул: «Ладно, пошли. Поздно...»

Двумя днями позже, как гром с ясного неба, вышел приказ по армии. В преамбуле говорилось, что комбриг Звягин, начальник политотдела батальонный комиссар Федулов и политрук Васяткин допустили «политическую беспечность» в отношении «вылазки врага нашей партии и советской власти» и вместо острого реагирования поступили «по-кабинетному»: сняли плакат, надеясь остаться в стороне, и Васяткин сжег его, «затруднив тем самым работу следственных органов». Резолютивная часть настаивала на усилении бдительности и скорейшем разоблачении еще затаившихся кое-где врагов.

Через ночь Звягина взяли. Горшечников не мог отделаться от мысли, что теперь-то уж он точно погорел: на следствии Звягину говорить особенно не о чем, поэтому он наверняка расскажет о разговорах по душам. Прошел день, два... Жена Звягина забрала сына и уехала к матери в Тамбов. Скоро в их комнаты въехал начальник обкомовского гаража с семьей. Потом...

«Приговор привести в исполнение немедленно!» — докричал приказ начальник ГлавПУ РККА.

Горшечников поднял голову и стал смотреть на верхушки прощально вызолоченных деревьев.

4

Хорошо, что спешить он начал сразу: юля в толпе, захлестнувшей перрон, в числе первых добрался до здания вокзала, метнулся к расписанию пригородных и охнул — до Мясного Бора всего две, вторая вечером, а до первой осталось четыре минуты.

К счастью, успел: ворвался в вагон уже под шипение пневматических дверей, шлепнулся на деревянную лавку, отдыхиваясь.

Тут же вагон заскрипел и качнулся. Пополз перрон, потянулись пристанционные красного кирпича казематы-бункеры.

Несмотря на всю нескладицу, он испытывал умиротворение — должно быть, именно потому, что сегодня все так удачно сложилось. Страшно подумать, что было бы, упусти он эту электричку. Тащиться вечерней, на ночь глядя? — глупость. Возвращаться несолоно хлебавши? — еще глупее. А вышло замечательно: время раннее, колеса стучат по стыкам, очередная платформа подъезжает под окно, тормозит, останавливается... через минуту трогается дальше.

Закряхтев от удовольствия и не спуская глаз со всей той дорожной мелочи, что скользила за окном в свете заоблачного солнца, полез в портфель, достал бутерброд, откусил, стал бездумно жевать. Но все же кольнуло: сам вчера намазывал, накладывал, заворачивал в вощеную бумагу, представлял, как они будут делить эту трапезу.

Вот тебе и разделили...

Ненадолго задремав, вовремя очнулся — поезд останавливался у очередной платформы, и прямо перед глазами ползли буквы на поржавелом, с потеками, металле.

СПАССКАЯ ПОЛИСТЬ

Ну да. Здесь. Как там? — *Отвратил я взор мой от тысячи бедств, представившихся очам моим...*

Погода испортилась — по оконному стеклу ползли капли. Следующая его. Подхватив портфель, в тамбуре нахлобучил кепку, запахнул плащ.

Ступил на бетон. Оглянулся. Двери снова зашипели — теперь уж прощально.

Когда электричка отошла, открылась другая сторона пути.

Собственно, примерно то же самое: вторая половина деревни. Такие же домишки, тусклые пятаки луж. Кое-где на задах полиэтиленовые шатры теплиц. За всем этим, подступая к самому краю обжитого пространства, буро-зеленые лохмотья леса.

Он дошел до конца платформы и спустился по скользкой деревянной лестнице.

Площадь не площадь — так, пустырек с остаточными лоскутами разбитого асфальта. Полные водой колеи. На столбе жестянка автобусной остановки.

Дорожка вывела к улице между двумя рядами разномастных домишек Надо было спросить дорогу, но ломиться не хотелось. У пятого по счету дома ему повезло.

— Здравствуйте! — громко сказал Бронников. — Не скажете, Соколов Федор Константинович где проживает?

Женщина разогнулась, некоторое время смотрела на него, потом вытерла лоб тыльной стороной ладони и подошла к калитке. Оглядывая его с очевидным подозрением, она поправила платок на седой голове. Ярко-голубые глаза празднично сияли бы, наверное, на темном, будто насмоленном лице, не будь брови столь опасливо нахмурены.

— Ты Кузьминовых, что ли?

— Нет... Я, собственно, Соколова хочу увидеть, Федора Константиновича.

— Коменданта?

— А он комендант? — переспросил Бронников. Да, Криницын что-то такое говорил...

Она поджала губы и махнула рукой, закрывая тему: что толковать, коли не понимает.

— Сам-то откуда?

— Из Москвы...

— Ишь ты, — неодобрительно и с тайной усмешкой сказала она. — Из самой Москвы?

— Из самой, — примирительно ответил он. И пошутил: — Самее некуда.

Шутки не приняла, лицо не просветлело. Развязала платок, затянутый под горлом, снова накинула на голову и затянула.

— За линию иди. — Показала пальцем и пояснила, заподозрив, что Бронников и в линиях не рубит: — Перейдешь, левей держись. Дом приметный: две березы во дворе.

— Ага, спасибо.

— Не на чем...

Разговор вроде как кончился, но она почему-то не спускала с него взгляда. Бронников по-лошадиному переступил ногами.

— Черта ли он их не спилит? — спросила она, на этот раз, судя по всему, надеясь получить более или менее внятный ответ. — Зачем во дворе? В лесу полно, не перечтешь... Разве что повеситься, — заключила она и, еще раз безнадежно отмахнувшись, побрела к своим грядкам.

* * *

Федора Константиновича Бронников застал дома.

В берете — некогда, вероятно, густо-синем, а теперь выношенном и выгорелом до желтизны, в неопределимого цвета темном пиджачке поверх байковой рубашки с подштопанным воротником, в брезентовых рабочих штанах и давно сношенных башмаках без шнурков на босу ногу (вывернутые наружу языки торчали, как заячьи уши), он задумчиво стоял за верстаком перед разложенными на нем чурбачками и деревяшками. Что касается самого верстака, то он был приспособлен как раз между теми самыми березами, о которых отзывалась давешняя огородница.

Бронников подал голос. Федор Константинович поднес ладонь ко лбу, всматриваясь, потом поспешил навстречу, почему-то сразу заулыбавшись, — и вообще встретил так хлопотливо, будто давно ждал приезда и теперь не знал чем угодить.

— Маша! — кричал он, ведя смущенного гостя от калитки к крыльцу мимо раскрытых окон домика. По узкой дорожке приходилось идти гуськом, и Федор Константинович то и дело озабоченно озирался, будто хотел лишний раз убедиться, что визитер не сбежал. — Ты чайник-то поставила? Оладьи давай! Меду вытащи!..

Пока пили чай, все спрашивал о Криницыне, а Бронников и сказать-то ничего толком не мог. Он, правда, прочитав тетрадку Кременчуга, пару раз звонил, но трубку не брали. Более серьезных поисков не предпринял и теперь, сидя за покрытым клеенкой столом в горнице деревенского дома, чувствовал смущение: и тетрадку взял, и сюда притащился по криницынской наводке, а до него самого и дела нет; между тем кто его знает, может, уже и помер; стыдно.

— Ничего, поправится, — говорил Федор Константинович, приветливо посмеиваясь. — Годы его невеликие... Мы с ним друзья-то вот какие. Он у меня вот сколько раз — и сам-один, и с женой... и товарищей, бывало, привозил. Мы тут вот сколько исходили!

И очерчивал рукой широкие круги, чтобы показать, сколько именно они с Криницыным исходили.

Невзначай начал рассказывать о тутошних — делах? вещах? язык не поворачивался назвать это «достопримечательностями». Бронников уже развернул тетрадь, стал кое-что наспех записывать, горько сожалея, что не сообразил взять магнитофон. Судя по тому, как много он слышал, день обещал получиться длинным.

— Ладно, — спохватился вдруг Федор Константинович. — Хватит строчить, Гера! Дело к обеду, а мы всё в избе толчемся. Когда ж ты лес смотреть будешь? Закрывай свою канцелярию, потом напишешь, сейчас сапоги вынесу.

КРЕДИТОР

И точно: не прошло и минуты, как шумно обрушил перед ним высокие резиновые сапоги и бросил на стул поседелую плащ-палатку.

— Мундируйся!

* * *

Кто испытывал, знает: отчаяние имеет маятниковую, а то и волновую природу.

Человек то окончательно теряет надежду, то снова обретает ее. Обретя, не верит, что она, попусту поманив какой-нибудь ерундой, опять окажется фальшивкой.

Например, вспоминает, что с северной стороны мох на деревьях растет гуще. Или думает, что можно определить стороны света с помощью часовой стрелки, как-то там особенно направив ее на солнце.

Но черта ли ему в этом севере, установленном по равно кудрявому со всех сторон мху, коли он даже не знает, на север или юг ему нужно следовать? И беса ли в стрелке часов, если солнце глухо прячется за тусклой пеленой дождя?

Как случилось, что он потерялся, Бронников не мог взять в толк, а поскольку беспрестанно думал об этом, его охватывало детское состояние волшебной иллюзорности, в которой все возможно и все одинаково вероятно. Начинало казаться, что скоро его положение исправится: не то время пойдет вспять, не то пространство изменит свойства; так или иначе, но вот сейчас, сию минуту, стоит лишь миновать очередную бочажину и выбраться на сухое, он увидит за кустом Федора Константиновича, и тот со смехом спросит: «Вот ты даешь, Гера! Куда пропал? Веревку, что ли, проглотил?»

А потом снова обреченно понимал, что ничего похожего произойти не может.

С момента их нечаянной разлуки прошло уже несколько часов, а он все блукал по гиблой чащобе болотного

леса, где и тут, и там, и спереди, и сзади одинаково то-
пырились почернелые от сырости деревья — если не считать тех, что уже повалились в топь, многоруко раскинув
осклизлые сучья. Через эти приходилось перебираться
или обходить, то и дело вынужденно меняя направление.
В результате он, скорее всего, беспрестанно и бессмысленно кружил, а если все же хоть сколько-нибудь значимо
двигался, то наверняка забрел бог весть куда.

Томила жажда; теряя силы, хватал ртом капли дождя,
мечтая найти какой-нибудь пень с лужицей дождевой воды, но подходящих все не попадалось, а пить из болота
он пока еще себе не позволял.

Он устал уже к тому времени, когда Федор Константинович предложил сделать недолгий привал. «Конечно, —
сказал Бронников, тяжело дыша и вытирая мокрое лицо:
что взять с городского. — Я как раз хотел... Я отойду на
минуту, ладно?» — «Далеко не ходи, — предостерег Федор Константинович. — Тут потеряться — раз плюнуть».

Кивнув в ответ, он сделал несколько шагов — пять,
что ли, десять от силы, — выбрал местечко посуше,
кое-как угнездился, держа тяжелые полы сырой плащ-
палатки. Вязкое хлюпанье, сопровождавшее каждый шаг,
стихло, стало слышно, как дождь шепчет в листве. Тут
же докатилось дальнее погромыхивание. Он подумал, что,
должно быть, где-то в деревне пытаются завести трактор
или что-то в этом роде: вот непрогретый двигатель и по-
стреливает. Скоро движок окончательно заглох, снова ле-
петал дождь, а то еще негромко булькали капли, срываясь
с ветвей в лужицы болота.

Покряхтев, он поднялся, отступил в сторону, опустил
полы плащ-палатки, застегнул штаны и двинулся обратно,
приготовляя соответствующую улыбку: «А вот и я!»

Тогда-то оно и случилось: обманутый неразличимо-
стью окружающего, сделал несколько шагов, потом еще
и еще, уже рассеянно удивляясь, что вроде и отходил-то

совсем недалеко. Остановился, озираясь, и с облегчением понял, что на самом деле ему надо вон туда. Исправляя глупую ошибку, поспешно поменял направление, смело пошагал — а через несколько минут оказалось, что невпопад. Сообразил шумнуть — поздно: крик увязал в мокрой листве и болотном говоре дождя.

Он остался один.

Между тем снова прорезалось дальнее тарахтение неугомонного двигателя. Уже осознав катастрофу потерянности, Бронников поначалу шел именно на него, на этот крупитчатый звук, резонно полагая, что в глухом лесу трактору делать нечего. Однако и с этим загадочным трактором не все оказывалось в порядке: его треск то усиливался, то затихал, то совсем гас, а после мертвой паузы слышался снова, отчетливо и ясно рассыпая дробное постреливание, но доносился теперь бог весть откуда, подчас с противоположной стороны — то ли Бронников успел сбиться с курса, то ли уже другой движок?..

Дело шло к вечеру, а он, давно охрипнув от своих безнадежных ауканий, обреченно тащился по болоту.

Честно сказать, его беспокоило, что он может ненароком выйти как раз в те места, о которых утром успел рассказать Федор Константинович.

С одной стороны, туда ему и надо: если уж так, он должен увидеть своими глазами.

Но одно дело со старожилом, с «комендантом Долины», как, оказывается, его здесь звали, совсем другое — одному, да еще в такой растерянности.

А то, что он случайно именно туда мог забрести, не вызывало сомнений: ведь Федор Константинович, по его собственным словам, и сам впервые оказался там случайно.

В ту пору он был не Федор Константинович, а Федя. Или того проще — Федька.

Задолго до того, еще осенью сорок первого, когда батя уже ушел на фронт, а немец неудержимо рвался к Новгороду, их с братом и матерью эвакуировали в Кировскую область. Тогда они думали, это ненадолго — как все советские люди, верили, что немцев скоро вышибут, и, как говорится, даже не распаковывали чемоданов (именно что «говорится», какие в деревне чемоданы, все больше узлы). Мать перевели на другое производство, потом она с этим производством и вовсе уехала куда-то под Кизел, оставив на Федьку младшего брата. Да что — всем было тяжело.

Зимой сорок второго стали появляться сводки, касавшиеся Федькиных родных мест. Язык сообщений не позволял определенно понять, что там происходит. Однако названия деревень и поселков были хорошо знакомы. Совхоз «Красный ударник», станция Мясной Бор, деревня Мостки, Малое Замошье, Рогавка: Красная армия освобождала эти населенные пункты, бои шли в окрестностях родного города. И уже казалось, что они вот-вот смогут вернуться.

Однако уже в мае их как корова языком слизнула.

Федьке тогда исполнилось четырнадцать, он поступил в железнодорожное училище станции Котельнич. Учились урывками. Станция Котельнич не приспособлена к проходу тяжелых поездов, а эшелоны один за другим: зерно с Кубани, оборудование эвакуируемых заводов. Мальчишкам-железнодорожникам пришлось строить маневровый «треугольник». Туго приходилось, но они мирились с трудностями. Даже не задумывались над ними, знали: на фронте труднее.

В середине лета на странице «Красной звезды» Федька снова увидел знакомое название, и снова сердце замерло. Сообщение Советского Информбюро под заголовком «Еще одна фальшивка гитлеровского командования» опровергало заявление ставки Гитлера насчет того, что в районе станции Мясной Бор немецкими войсками окружены и уничтожены три советские армии — Пятьдесят вторая, Пятьдесят девятая и Вторая ударная. «Гитлеровские писаки приводят астрономическую цифру в 30 000 якобы захваченных пленных, а также о том, что число убитых превышает число пленных во много раз. Разумеется, эта очередная гитлеровская фальшивка не соответствует фактам»[1].

Когда пришла Победа, он не чаял найти ни отца, ни мать. Но им несказанно повезло: батя остался жив, закончил войну в Белоруссии, нашлась и мама. В начале сорок шестого года Федя с братом возвращались в Мясной Бор.

Разрушенный Клин, взорванные путепроводы, кое-как сколоченные, временные деревянные мосты, обломки моста через Волхов, стертая с лица земли станция Окуловка, руины Чудова. Из окна вагона видны горелые танки. Попутчик показал ему: «Видишь бугор? Ну где, где... уже проехали... Вон еще два — видишь? Это мертвые солдаты лежат».

И трудно, и страшно было тогда в Мясном Бору. Ни одной живой постройки — только землянки да на живую нитку заново сколоченные сарайчики. Они приходили к поездам, что шли на Бронницу или Чудово: подчас удавалось добыть старые газеты, а нет — так просто посмотреть на людей. Лето сорок шестого года выдалось жарким. Ветер с запада нес тяжелый сладкий запах разложения. Федька уже тогда знал, что места западнее Мясного Бора в войну назывались «Долиной смерти».

Как-то раз мать взяла его с собой за ягодой. Углубились в лес по лесовозной дороге. Ее к той поре частично разминировали, батальон молдаван вывозил лес. Скоро миновали передний край обороны. Около дороги стояли разбитые и сожженные танки — и немецкие, и наши. Пушки, останки горелых машин... всё изуродовано, исковеркано страшной силой взрывов и выстрелов... На

---

[1] Орфоэпика оригинала.

болоте он впервые увидел тех, кто погиб в сорок втором. Советских солдат немцы не хоронили. Болото само хоронило их — хоронило и охраняло: все они выглядели так, будто убиты совсем недавно.

Возле одного из них он заметил тощую лису: она что-то глодала. Подошел ближе. Недовольная лиса скрылась в подлеске. Старший лейтенант лежал навзничь. Гимнастерка выглядела целой: вот и петлицы с тремя «кубарями», вот стрелковый значок; из кармана торчал обушок карандаша. Когда коснулся кармана палочкой, нитки расползлись, и он увидел часы и какую-то черную пластмассовую трубочку. Взял, открутил крышку. В трубку-пенальчик вложена бумажка — заполненный бланк формы № 4. Он потом их навидался несчетно: год и место рождения, звание, фамилия, имя, отчество, группа крови.

Принес домой. Отец сказал: «Надо написать его родным».

В другой раз пошел один — и сбился с дороги. Наткнулся на блиндажи — должно быть, это были сооружения переднего края Второй ударной армии. Там оставались гранаты, патроны... Потом увидел самолет У-2. Аппарат выглядел так, будто хоть сейчас мог снова подняться в воздух. Рядом лежали останки двух пилотов. Документов не оказалось. Было видно, что это женщины. Должно быть, они погибли еще в воздухе, аэроплан планировал сам по себе, а потом мягко сел в траву и кусты. Кто-то вытащил летчиц из кабины: они лежали друг возле друга, запрокинув головы. Обмундирование осталось целым, кирзовые сапоги на вытянутых ногах.

Ошеломленный, оглянулся.

Он уже привык встречать в этом лесу мертвых — ведь куда ни пойди, непременно наткнешься на убитого.

Но тут их лежали сотни. Сотни и сотни. Тысячи.

Почти вплотную.

Ему стало жутко.

Недели две боялся и подумать, чтобы сунуться туда снова. Но все-таки пошел. И раз, и другой, и третий, а потом при любой возможности, когда выдавалось свободное время.

После затяжной осени, ближе к новому сорок седьмому году, выпал снег. Его холодное покрывало придало сущему отчетливость, одарило контрастом и мертвой черно-белой выразительностью. Снег спрятал лишние детали, выпятив главное.

Что же он увидел? Убитые, убитые, убитые. Нет счету. И танки, танки. Несметное число «тридцатьчетверок». Но и тяжелые КВ, и легкие Т-26. Большинство покалеченных, со свернутыми башнями, с кривыми пушками, упертыми в землю... с горелыми останками танкистов, пытавшихся выбраться наружу и повисших на люках. А кое-какие вроде целые — хоть сейчас заводи да езжай.

Долина смерти начиналась примерно в двух километрах от станции и уходила на двенадцать километров в глубину лесов и болот. Тут и там оставались дорожные настилы. Справа и слева от дороги валялась разбитая, сожженная техника: автомобили, пушки...

Пришла весна, снег стаял, лес ожил. Приятно ходить по весеннему лесу — да только если этот лес не в Долине смерти... Но Федька все углублялся в него. Недалеко от речки Полисти обнаружил полотно железной дороги. Когда Вторая ударная армии попала в окружение, эта узкоколейка, тянувшаяся в узкой горловине так и не захваченного немцами пространства, оставалась последней ниточкой, связывавшей ее с миром.

Все изрыто, изуродовано воронками. Тут и там громоздились разбитые платформы. Кое-где между шпалами — под самыми рельсами — лежали останки погибших. Он не мог понять, как они там оказались. Годы спустя рассказал очевидец: когда не хватало шпал, под рельсы подкладывали трупы — ведь они уже умерли, а дорога должна жить.

Кучи шинелей, ящики из-под продуктов. Он находил даже нераспечатанные коробки с папиросами — все они давно размокли, конечно.

И опять танки, опять несчетные «тридцатьчетверки». А вокруг — трупы. Он не встретил ни одного, кто бы погиб безоружным. Винтовки, карабины, изредка автоматы — все это оставалось при мертвых — когда в сжатых руках, когда лежало рядом...

Как-то раз он ехал поездом из Чудова. Рядом сидели двое: капитан-пехотинец и гражданский. Проводник объявил: следующая станция — Мясной Бор. «Мясной Бор? — удивился товарищ. — Что за странное название?» И капитан разъяснил: все очень просто, здесь в сорок втором году генерал Власов сдал немцам свою армию. Но хоть и подняли лапки кверху, а все равно без толку, трусость не пошла им в прок: немцы покрошили так много предателей, что местные стали называть место Мясным Бором.

Федор вмешался. Он бы хотел сказать больше. Хотел сказать, что никто здесь не сдавался, все погибали с оружием в руках! — он-то знает, он видел... Но буркнул только, что капитан ошибается — деревня и станция при ней именуются так издавна, и никакого отношения к войне это название не имеет. Думал, капитан оскорбится — молод еще старших учить! — но тот лишь недовольно хмыкнул и отвернулся к окну. А гражданский вздохнул, покачал головой и протянул неопределенно: «Да-а-а...»

«Долина смерти» стала его жизнью.

Он уже работал с отцом на железной дороге. Вокзал станции Мясной Бор был разрушен. Неподалеку от его горелых руин валялся разбитый паровоз, в полукилометре — второй. С них сняли кое-какие годные детали. Собрали бы один целый, да недоставало котла —

оба оказались развороченными. В конце концов добыли в Новгороде дырявый, утильный, невесть какого срока службы... Но когда заварили все дырки, машина пошла.

Все кругом приходилось восстанавливать, строить заново, почти все с бору по сосенке, из оставшихся целыми частей.

Душила нехватка инструмента — прежний разметало войной, новый еще не наделали; а своя мастерская в Новгороде чахлая, да и инструмент из нее выходил совсем не того класса, что заводской. И времени оставалось немного, но все же урывал, ходил в Долину.

И как-то раз он заметил торчавшую из земли возле узкоколейки железнодорожную лапу — приспособление для извлечения костылей из шпал.

Обрадовавшись нежданному подарку, потащил — но ее что-то держало. Принялся раскапывать — и вытащил связку из шести штук. А продолжив, обнаружил целый клад, несметное сокровище: полнейший набор железнодорожного инструмента — исключительно нового, и нужного, и редкого, и, главное, заводского. Добротный армейский инструмент, какого местные железнодорожники сроду не видели...

Теперь его посылали в «Долину смерти» вроде как в командировки. Другие боялись, а он ходил с охотой, всякий раз открывая что-нибудь новое. Однажды наткнулся на немецкое кладбище. Дело, конечно, не в могилах, аккуратные прямоугольники которых занимали половину луга, — могил он навидался. Но, должно быть, убитых хоронили саперы — может, целая часть, — и почему-то так торопились, что не увезли лопаты. Так они и лежали штабельком — отличные стальные лопаты, легкие и крепкие. Хватило на всю дистанцию: от Новгорода до станции Чудово, от Чудова до Батецка бригады орудовали ими.

А потом пришел ответ на письмо, что он отправил по адресу из первого медальона. Отозвалась мать того самого старшего лейтенанта, от мощей которого Федька отгонял лису. Оказалось, до войны тот учился в Ленинградской Академии художеств...

Потом он много, очень много повидал этих пластмассовых пенальчиков — медальонов. За годы, что они лежали в карманах истлевших гимнастерок, большая часть набирала воды, чернила расплывались, бумага раскисала. Но кое-какие оказались завинчены крепко — и они сохранили имена погибших.

Эти имена сделались его главной целью — стали судьбой, призванием и смыслом жизни.

* * *

Обессилев, Бронников сидел на бугорке, нахохлившись, накинув на голову волглый капюшон плащ-палатки. Папиросы кончались. Чиркнул спичкой прикурить — завоняла, пустила клуб синего дыма, но пламени не дала. Третья кое-как зажглась.

Курил, невидяще глядя перед собой. Трава, вода, лоснящиеся коряво-черные стволы деревьев. Птахи еще посвистывали в кронах, но скоро и они смолкли — дело шло к ночи.

Невзначай присмотрелся к соседней кочке. Ровная, круглая. Даже слишком круглая.

Ткнул палкой — кочка перевернулась. Это каска была, а не кочка.

— Вот же черт, — сказал Бронников.

Потянулся, взял в руки, смахнул листву и траву.

С одной стороны сталь поела ржавчина, превратив во что-то вроде крошившегося в пальцах бурого кружева. Другая оставалась крепкой.

Должно быть, с того боку, где поржавело, была дырка. Пуля?.. осколок?

Каски уже попадались. А часом раньше наткнулся на ровик. Не обратил бы внимания — бочажина и бочажина, ему бы и в голову не пришло, что это окоп. Хорошо не ступил — провалился бы по пояс. На ходу сунул палкой — и она неожиданно ушла вглубь. Еще потыкал. В конце концов выворотил длинную железку. Поставил торчком, пригляделся: изъеденный коррозией винтовочный ствол. И кусок приклада.

Пошарил вокруг — нашел обломки двух или трех черепов. И один почти целый...

Оказавшись в мешке окружения, лишенная боеприпасов, продуктов, пополнений, Вторая ударная отчаянно сражалась. И погибала. И погибла.

Почти вся. Федор Константинович говорил, что только нескольким сотням удалось в середине лета вырваться через затягивающуюся горловину ловушки.

А генерал оказался в плену. Осталось неясным, сдался он добровольно или был захвачен врасплох.

Могло быть и так и этак. Эта неясность не решала дела. На фоне дальнейших его поступков она переставала иметь какое-либо значение. Ну и в самом деле: по своей воле или силой — какая, в сущности, разница. Просто деталь, не меняющая сути событий.

Гораздо важнее, что потом генерал Власов пошел на сотрудничество с врагом.

Сотрудничество бывает разное. Один просто выкладывает планы своего командования, касающиеся скорого наступления. Другой сдает антифашистское подполье.

И то и другое отвратительно. Но генерал Власов сделал еще больше — он подал мысль образовать Русскую Освободительную Армию. Которую впоследствии, получив одобрение гитлеровцев, сам сформировал и возглавил. И эта армия — РОА — стала воевать против Советского Союза: за освобождение России под флагом борьбы с коммунизмом.

Он сделал неверный выбор: нельзя биться за благое дело, взяв в помощники дьявола...

Закряхтев, Бронников поднялся, постоял, растирая ноющую поясницу. Дождь утих, начинало смеркаться, тянуло холодом, знобило. Передернул плечами, побрел дальше, тыча перед собой палкой, нащупывая дорогу. Все равно то и дело проваливался: нога уходила в топь по щиколотку, и если под подошвой хрупала сгнившая ветка, он непременно опускал взгляд, чтобы посмотреть — не кость ли опять?

Шагал, шагал. Мало-помалу согрелся, даже жарко стало.

Тяжело дыша, он пытался вообразить прошлое, лоскутами трепавшееся перед глазами.

Власов был не единственным генералом, что перешел на сторону врага. Далеко не единственным. Но его имя написано в истории крупнее и отчетливее других — пусть не золотом по мрамору, а сажей и кровью по выкрошенному кирпичу.

Почему его так выделили? Может быть, столь настойчиво и раз за разом повторяя, что он предатель, хотели от чего-то отвлечь внимание? От того именно, что на его зов — зов предателя — сошлась целая армия русских людей?

Понятно, что они соглашались служить немцам не по доброй воле: делали этот выбор вынужденно, спасаясь от голодной смерти в концлагере...

Но разве немцы не попадали в советский плен? Еще как попадали. «Потеряла я колечко, а в колечке семь дивизий...» — известная когда-то карикатура Кукрыниксов: по-бабьи наряженный Гитлер, скорбящий об утрате окруженных под Сталинградом войск... И тоже гибли в лагерях.

Однако среди них не нашлось человека, который бросил бы такой клич — братья по оружию! не будем терять времени! соберемся в новую армию: воевать против своих.

Или, может быть, он просто не знает об этом?.. Нет, вряд ли: если б подобный факт когда-нибудь имел место, советским людям его непременно вдолбили бы в головы. Хотя бы только для того, чтобы уяснили: генералы-предатели не только у нас встречались, по все стороны фронта этого добра навалом...

Тогда, может быть, в самом русском характере, как ни горько это признавать, заложены неверность и двурушничество?

Так нет же: в годы Первой мировой в немецком плену тоже оказалось немало русских вояк, миллиона два с половиной. Но разве кому-нибудь из них могла прийти в голову мысль взять в руки оружие, чтобы воевать с Россией?

Господи, ради чего стали бы они с ней воевать? Сама мысль абсурдна!..

Если так, приходится признать: то, что Власову удалось собрать армию русских людей на стороне немцев, доказывает одно из двух: либо эти люди уже не были русскими, либо они уже не видели Родины в том, что стало называться Советской Россией.

А исторические оценки расставляет конец пьесы. Если твоя деятельность завершается разгромом, ты повешен во дворе Бутырской тюрьмы, тело сожжено в крематории НКВД, а пепел брошен в безымянный ров Донского монастыря, куда в годы советской власти десятилетиями ссыпали прах расстрелянных в Москве «врагов народа», то, разумеется, всякий признает, что ты — предатель.

А если ты победил и достиг своих целей, не имеет значения, сколько несчастий и горя принесли твои предательства интересов народа и Родины, — все равно твое набальзамированное тело будет лежать в Мавзолее, бесчисленными портретами украсят улицы, а гипсовые истуканы заполонят скверы и площади...

Он оглянулся.

От усталости и голода ныло все тело. Шел одиннадцатый час, розовое пятно зари еще красило облака, но уже наплывала жидким молоком короткая северная ночь. Под деревьями темнело.

Дальний треск давно стал привычен, а потому уже не привлекал внимания. Нарочно прислушался, поворачивая голову то в одну сторону, то в другую... Никакой не движок, конечно. Откуда движку взяться в болотной глухомани? А что же?

Больше всего это напоминало перестрелку... Ну да... похоже. С той стороны — как будто пулемет... оттуда — одиночные выстрелы винтовок... а дальний гул — должно быть, отголоски взрывов?

Потряс головой, отгоняя морок. Какие взрывы? Откуда пулемет? Ведь не сорок второй год! А эхо так долго не живет. Что за ерунда!..

Решил выбрать местечко посуше, чтобы устроиться на ночевку. Надо поискать валежника. Его знобило, лихорадило. Если не развести огня, не просушить одежду, к утру так скрутит, что ни петь, ни рисовать.

Но вместо того со вздохом сел в траву, привалившись спиной к стволу осины. Ноги ныли, гудели. Смежил веки. Сразу представилось, что в нескольких шагах от него справа... нет, слева... кривится мертвая береза. Сейчас он наломает с нее веток. Хоть и сырые — дождь целый день, — а все же годные, пойдут в дело. Только надо с умом. Сложит из палочек хрупкий шалашик над клоком травы. Чиркнет спичкой. Робкий огонек смело побежит, начнет пыхать, то отважно поедая стебельки, то вдруг совсем угасая. Каждый раз будет замирать сердце — неужели и впрямь погаснет?.. неужели конец?.. Но нет, нет — выжил, выбрался!.. Когда займутся мелкие, сами не толще спички, подложит потолще — примерно с карандаш... а уж когда и эти прихватит, можно не беспокоиться: такой жар плевком не погасишь, вон как трепещет и потрескивает!

Свесив голову и улыбаясь во сне, он, должно быть, забылся минут на десять.

Вдруг будто что-то толкнуло. Открыл глаза, сцепил пальцы в замок, потянулся.

И увидел отблеск на мокром и глянцевом стволе соседнего дерева.

Блик заката? Нет: пока он дремал, на западную часть небосклона, откуда прежде струились волокна тлеющей зари, снова наползли тяжелые облака, и все вокруг померкло.

Костер!

Облюбованный им бугор располагался по одну сторону низины, по другую — примерно такой же. И там мерцало пламя — ну да, в каких-то ста метрах отсюда.

Он вскочил, будто в жилы впрыснули живой воды, и размашисто пошел, все громче чавкая подошвами, по мере того как спускался к болотине, — а вот уже и шагая по ней, раз за разом с хлюпаньем выдирая то один, то другой сапог из густой травы.

5

Перед глазами застыло что-то слепящее.

Бронников снова зажмурился.

— Чо, обоссался, нет ли?

Она сунула под него руку.

— Чего? — дернулся он.

— Сухой, — удовлетворенно сказала санитарка, отворачиваясь.

Белый халат. На спине завязочки. Лица не видно. Светлая с мелким рисунком косынка, подвязанная сзади. Судя по голосу, немолодая.

Слепил свет из окна напротив кровати. За ним стояло что-то белесое, ватное.

Небо, что ли...

Заворочался, сел.

В палате было душно и вместе с тем холодно. Пахло потом, колбасой и куревом.

Покрутил головой. Лежал в трусах, оказывается. Еще пять кроватей. Три заняты. Но и две другие смяты и разобраны. Значит, не пустуют.

Закашлялся, забухал.

— Ты куда собрался? — сестра протянула градусник. — На-ка вот.

— Сейчас, — сказал Бронников, наклоняясь и шаря взглядом по облупившемуся щербатому полу возле кровати. — Надо мне.

— Ну иди, коли приспичило, — понятливо согласилась она.

Ботинок не нашел. Голова кружилась.

— А тапочки есть? — спросил он.

— Ишь ты, тапочки, — весело удивилась она. — Тутатко со своими.

Бронников испытал прилив острого отчаяния.

— Мои надень, — глухо сказал человек на соседней кровати. Он лежал, по самый подбородок накрытый одеялом, белое лицо повернуто к свету.

На смену отчаянию пришла волна щемящей благодарности — едва не всхлипнул. «Температура, что ли?» — вяло подумал он.

Вернувшись, сел на кровать и со второй попытки упрятал ртутный конец под мышку. Лег, накрылся одеялом. Закрыл глаза. Розовое пространство под веками плыло.

Кто и как вынимал термометр, не почувствовал.

Он снова был там, в болотном лесу.

* * *

Мерцающий свет костра выхватывал из темноты сидящих — то с одного края, то с другого... и сколько же?.. не вполне ясно — мерцание, дрожание.

Пять, шесть?.. не исключено, что даже восемь. А то и больше.

КРЕДИТОР

Так и не рассмотрел, а потом (то есть что значит «потом»? — тут же, как приблизился) этот неустановленный факт утратил всякое значение.

Кстати: почему-то забылось, как подошел. Ну да как? — наверняка так, как только и может кто-нибудь выйти из темного леса к чужому костру. Всегда это выглядит одинаково: заранее, издалека человек начинает если не говорить, то ухать, крякать, шумно переводить дух — вот, наконец-то выбрался! — хоть одна живая душа в этом гиблом лесу!.. С нарочитым шумом продирается сквозь кусты, приветливо и радостно бормочет, чтобы показать: он свой! он явился из тьмы вовсе не с враждебными, а, наоборот, с самыми добрыми намерениями.

В общем, толком не мог вспомнить, как именно это произошло — сопровождалось ли, например, возгласами удивления или чем-нибудь в этом роде. Размылось. Впрочем, кажется, просто подсел и стал тянуть руки к огню, чувствуя приятный щекочущий озноб — как в бане, когда от жара парилки кожа почему-то покрывается мурашками. Сырая плащ-палатка на груди и плечах тут же начала парить, и влажное тепло прибавило дрожи.

Осталось впечатление, что на него совсем не обратили внимания — будто не чужак выступил из темноты, от которого невесть чего ждать, а всего лишь шалый порыв ветра пошевелил листву. Попытался вступить в разговор: раз за разом находил повод, чтобы, сказав что-нибудь, вызвать хоть какой интерес. Та же история: не замечали.

Правда, у него было мало шансов завязать беседу, потому что, во-первых, голоса сидящих у костра звучали глухо, а вдобавок реверберировали, как будто наслаиваясь друг на друга, и он мало что разбирал. Во-вторых, они толковали о вещах, в которых он не понимал ни аза, — зачастую даже не мог уяснить толком, о чем именно идет речь.

Собственно, ему просто хотелось выразить благодарность. Что-нибудь в том духе, что, мол, как здорово, что он увидел костер; теперь-то вот хорошо, тепло, плащ-палатка почти высохла; а если бы их тут не оказалось — у-у-у, совсем бы к рассвету заколел. И несколько раз, улучив подходящий момент, он начинал речь — но, не выговорив и десятка слов, понимал, что им нет до него дела, а потому смущенно осекался.

При последней попытке, столь же неудачной, один из них (совсем мальчишка, не старше Лёши, наверное, только худой, истощенный), как будто все-таки что-то расслышав, стал недоуменно вглядываться в переливчатый сумрак, окружавший Бронникова, а потом толкнул товарища локтем здоровой руки (другая, замотанная какими-то грязными тряпками, на перевязи): «Слышь, смотри-ка! Чо там такое, а?» Второй поморгал, глядя то примерно на левое ухо Бронникова, то на его правое плечо, после чего отмахнулся: «Да ну тебя, Гвоздилин. Глаза протри. Или перекрестись, чтоб не казалось. Чо-чо... Кикимора болотная, вот чо». — «Ладно, кикимора... Туман, может», — неуверенно пробормотал Гвоздилин и снова принялся баюкать покалеченную руку.

Бронников оставил неуспешные попытки наладить контакт — ну не хотят и не хотят, спасибо не прогнали. Просто сидел, блаженно отогреваясь, рассматривал, переводя взгляд с одного на другого. Совершенно разные люди — разного возраста, внешности, характера, — и все же их роднила явная общность облика: все они выглядели до невероятия изможденными, оборванными, с лошадиными, выпяченными голодовкой скулами, с большими беспокойными глазами на костлявых лицах. Печать одного и того же положения — которое, несомненно, следовало признать несчастным и даже гибельным.

Он не знал, откуда бы такие люди могли здесь взяться, но почему-то и не задавался этим вопросом, а только внимал их невеселым голосам. Они говорили наперебой, толком не слушая друг друга; но подчас замолкали на несколько секунд, чтобы затем снова сорваться в хоровое бормотание. Время от времени кто-нибудь посмеивался — но тоже очень невесело, даже безжизненно, что лишь подчеркивало общую безрадостность происходящего. В целом все это было сравнимо разве что с негромким жужжанием сонма печальных насекомых.

Однако смысл произносимого каким-то образом все же проникал в его сознание. Постепенно ему стало представляться, будто он улавливает, о чем идет речь. Примерно как если бы ему показывали что-то вроде мутного диафильма: порождаемые неясной и сбивчивой речью этих изможденных людей, перед его глазами возникали и сменяли друг друга неясные картины — щелчок за щелчком, кадр за кадром.

Например, он видел все то же болото, поросшее корявым лесом, по какому шатался весь день. Но теперь на каждой хоть сколько-нибудь выступавшей над водой кочке лежал человек. Те, что еще были живы, собирали над собой и вокруг серые, зыбкие облака комара и гнуса. А которые уже умерли, привлекали другую живность: вокруг них зудели стаи мух, и самые удачливые охотницы находили место среди товарок, облепивших лица мертвецов. Между людьми на кочках бесцельно бродили еще сохранившие способность двигаться. Грязные, заросшие, опухшие, с голодным отчаянием в глазах, они смотрели вокруг в поисках выхода из западни — но не находили его.

Потом он видел насыпь узкоколейки. Разбитый паровоз лежал вверх пузом, многие платформы тоже отброшены в сторону. На кое-каких остававшихся на колесах лежали раненые. Судя по всему, и этим платформам стоять на колесах, и жить раненым оставалось недолго: убраться отсюда не было возможности, а здесь неминуемо предстояло погибнуть. То тут, то там взлетали деревья, вставали тошнотворно-черные фонтаны земли и дыма: беззвучные взрывы орудийных снарядов и тяжелых бомб с застящих небо и столь же беззвучно ревущих самолетов.

Рассудок сопротивлялся, пытаясь признать существование этих картинок невозможным и в силу этого прекратить рассмотрение; но их визуальная настоятельность оказывалась сильнее.

Они меняли одна другую, ужасая своей черно-белой объективностью. В какой-то момент Бронников похолодел: череда смазанных кадров в точности совпала с тем, что он пытался вообразить, когда добрался до той страницы в тетради Кременчуга, где это было описано. Честно говоря, прочитав эпизод, он не поверил рассказу о красноармейце Воскресенском. Более того, он даже оскорбился, ведь его читательское доверие было грубо обмануто: всё прежде прочитанное утвердило в мысли, что тетрадь исписана честным очевидцем, а последний фрагмент несомненно являлся откровенной выдумкой, чем-то таким, что никогда, ни при каких условиях не могло случиться в реальности.

Но сейчас он собственными глазами увидел происходившее и был вынужден смириться с правдой: заместитель начальника политотдела Клыков застал красноармейца Воскресенского в момент, когда тот вырезал из трупа убитого бойца кусок мяса. На вопрос Клыкова, зачем он это делает, Воскресенский ответил, что для питания. Клыков его задержал, однако не смог доставить в отдел: по дороге тот умер от истощения.

Он видел пространство замерзшего Волхова — и три километра ровного пойменного поля. Ветер поработал на славу — где первоклассно скользкий лед, где широкие наметы глубокого снега. Лица солдат, которым предстояло пройти ледяную равнину, чтобы на другой ее стороне штурмовать высокий берег, были и отрешенными, и собранными, и испуганными, и несчастными, и решительными. Попадались бодрые и даже веселые — отчетливо понимая, что их поведут на верную гибель, они все же находили утешение в мысли, что гибель редко бывает стопроцентной: каждый рассчитывал остаться в живых, оказаться в ничтожной доле, доказывающей не полное всесилие ненасытной великанши.

Кроме того, возможно, некоторые надеялись, что когда они приблизятся к щетине колючей проволоки, стволов орудий и пулеметов, у окопавшихся в траншеях кончатся боеприпасы. Такое и впрямь могло случиться — ведь кончились они на этой стороне, на стороне тех, кому предстояло наступление (кстати, именно по этой причине необходимая перед масштабным наступлением артподготовка оказалась всего лишь несколькими разрозненными выстрелами, не причинившими противнику заметного ущерба). Если это и впрямь произойдет, немецкие орудия, пулеметы и минометы замолкнут, а сами гитлеровцы в ужасе побегут, оставляя свои окопы и доты.

Но все же вероятность подобного исхода была мала. Скорее всего, немцам должно было хватить боеприпасов. Тогда первая волна разобьется о высокий берег, как разбивается и прекращает свое существование всякая волна. За ней придет вторая — и тоже исчезнет, оставив только клочья кровавой пены, потому что немецкие боеприпасы и теперь еще не кончатся. За второй третья, за третьей четвертая — но и на эти, и на следующие у держащих оборону хватит снарядов, патронов и мин.

Уничтожение каждой волны будет некоторое время представляться чем-то выдающимся, поскольку оно означает смерть многих людей, а сознание тех, кто еще жив и наблюдает за этим, приучено рассматривать преждевременную смерть даже одного человека в качестве события незаурядного, страшного в своей нелепости и необратимости.

Но когда она, эта предыдущая волна, разбросает последние брызги, на смену ей уже начнет набегать новая —

с тем едва слышным «а-а-а-а-а», в какое на просторах ледяных полей превращается бодрое воинское «Ура!» И тогда прежняя забудется, а вместо нее привлечет к себе внимание эта новая, набежавшая вдогонку, — чтобы тоже уничтожиться, кануть в сумрак забвения и уступить поле боя той, что уже спешит на смену.

Да, именно так все и будет.

Однако они все-таки пойдут через ледяную равнину.

Пойдут, потому что не смеют ослушаться приказа своих взводных и ротных командиров, которые, в свою очередь, не смеют ослушаться приказов комбатов и командующих полками. Комбаты же и командующие полками (многие из которых попали на свои посты в результате решительных кадровых перестановок в беспрестанной чистке рядов от вражеских элементов) не смеют ослушаться приказа комдивов, а уж те и подавно не осмелятся возразить командующему фронтом.

Но неужели командующий фронтом не понимает, что его войска не готовы к наступлению, и что если вводить их в бой с марша, они понесут чудовищные потери, и что нужно сделать оперативную паузу, чтобы подготовиться к грядущему подвигу?

Разумеется, командующий все это понимает так же отчетливо, как самый лядащий солдат последнего хозвзвода.

Но понимать — одно, а получить письмо — другое. Он держит его подрагивающими пальцами — письмо, написанное человеком, который единственный на свете способен наделить самые обыкновенные слова неслыханными прежде смыслами. И они, эти слова, пляшут и прыгают перед мучительно сощуренными глазами командующего:

Я бы хотел, чтобы предстоящее наступление не разменялось на мелкие стычки, а вылилось в единый мощный удар по врагу. Я не сомневаюсь, что Вы постараетесь превратить это наступление в единый и общий удар по врагу, опрокидывающий все расчеты немецких захватчиков. Жму руку и желаю вам успеха.

К тому времени, когда оно пришло, он уже продумал план операции. И окончательно уверился, что она будет успешной. Правда, ее подготовка потребует некоторого времени — той самой оперативной паузы, на срок которой войска должны перейти к обороне.

Но сейчас, кое-как собирая прыгающие перед глазами великие слова в великие предложения, он с отчетливым смятением осознавал: нет, оперативная пауза невозможна.

Более того, он понимал, что в сложившейся ситуации промедление подобно смерти. Не смерти тех десятков и сотен тысяч, что двинутся через ледяную равнину по его приказу, продиктованному волей великого человека, а той смерти, что гораздо важнее — его собственной, его частной, личной смерти.

Если бы еще он не знал, какова она! если бы не мог себе представить!..

Но ему уже доводилось смотреть в ее глаза. Поначалу они светились тупой непреклонностью. А потом каким-то чудом уступчиво сморгнули. Именно с тех пор по отношению к автору великого письма он испытывал не только страх, не только трепет и готовность исполнить любой приказ, но и слезливую благодарность.

С чего бы он мог такое забыть? — его личное приближение к смерти случилось совсем недавно и не успело покрыться даже самой тонкой пленкой забвения.

Через десять дней после начала войны, встреченной им в должности замнаркома обороны, его арестовали как руководителя «группы военных заговорщиков». Арестовали, разумеется, в числе других. Других после недолгого следствия расстреляли: и командующего авиацией — ведь это по его вине в армии так мало самолетов, а летчики подготовлены из рук вон плохо; и замнаркома вооружений — не хватает танков и автоматов; и еще, и еще тех, кто порадел, чтобы Красная армия несла жестокие потери.

А его освободили. (Он освободил!) И вернули на прежнюю высоту. (Он вернул!)

Теперь, когда письмо дрожало в руке, командующий был готов сделать все, лишь бы его автор вновь не заподозрил в нем измены или хотя бы мало-мальского непослушания.

Он еще не знал, что через много лет, когда война не только кончится победой, но и превратится в самое славное завоевание советского народа, он, маршал, встретится с новгородским краеведом, главным интересом жизни которого стала трагедия Мясного Бора. И в одном из отвилков их долгой беседы, касавшейся преимущественно первых месяцев войны, он, маршал, вспомнив о допросах в Лефортовской тюрьме, вдруг скажет этому простому, по-рабочему, если не по-деревенски одетому Федору Константиновичу: «Если бы вы знали, как меня били!..» — и уронит голову, и заплачет, и в нежданном, конвульсивном своем рыдании, в потоке невесть откуда взявшейся, морем нахлынувшей на сердце жалости к самому себе, едва не выговорит и другого, в чем уж совсем никогда не должен признаваться маршал, — что во время того дознания следователь, приводя подследственного в чувство, мочился ему на голову.

* * *

Сидевшие у костра негромко толковали, перебивая друг друга или ненадолго замолкая, и постепенно Бронников стал понимать смысл их слов — понимать окончательно, до самого донышка.

Напрасно он думал, что они его не замечают. Нет, они видели его, знали, что Бронников слушает.

А речи, что трудно, с заминками слетали с их закоснелых уст, были, оказывается, вовсе не досужей болтовней, какой коротают вязкое ночное время.

Нет, все это оказались слова бесконечной, неизбывной жалобы, слезные пени несчастья и обиды.

«Да уж не мертвы ли они все?» — оледенила его сумасшедшая мысль.

Ему почудилось, что сполохи пламени небольшого лесного костра выхватывают из тьмы не восемь, не десять человек, — нет, неизмеримо больше: десятки тысяч, миллионы!

Павшие при исполнении неразумных приказов, неразумность которых определялась неумением или страхом перед вышестоящим начальником, все они молча смотрели сюда, и в каждом взгляде он читал горькое сожаление, что не нашлось никого, кто позаботился бы о сохранении их жизней. Читалось и другое: если бы и хотел, все равно не смог бы позаботиться — ведь для этого ему пришлось бы думать, думать и думать, бессонно думать, неустанно размышлять, как спасти одного, и еще, и еще десять, и сто, и тысячу...

Но великий человек, писавший великим почерком великие слова своих великих куцых записок, запрещал думать. Возможно, он подозревал, что если разрешить подданным это простое, от века свойственное человеку занятие, то в конце концов кто-нибудь из них, думая, додумается и до того, что им, великим, движет не истинное величие, призванное вечным мерцанием остаться в веках, а всего лишь жажда власти, да еще, пожалуй, простая, обычная, столь же свойственная людям человеческая глупость.

Ну да, именно так: это было бы гораздо опаснее для него, чем напрасная гибель каких-нибудь там миллионов.

* * *

Он очнулся. Голова просветлела. Слабость. Должно быть, температура спала.

Андрей ВОЛОС

И вдруг услышал — в коридоре за неплотно прикрытой дверью:

— Бронников? В четвертой...

«Таня!» — догадался он.

Ну конечно же — Таня!.. А он-то ее обвинял... даже подозревал в чем-то! Сейчас он узнает, что случилось, почему не пришла к поезду... Как она его разыскала? Непонятно. Но ведь разыскала же! Значит, он ей дорог. Значит, все-таки любит. Как говорится, готова на край света...

Дверь открылась. Женщина стояла на пороге, оглядываясь.

Это была Кира.

Глава 2

Со стороны Бронников выглядел именно так, как должен выглядеть человек, находящийся в бессознательном состоянии: голова сплошь забинтована (из нескольких прорех торчат сивые патлы), глаза закрыты, бледен до синевы, у изголовья штатив капельницы с флаконом какого-то снадобья, — то есть, короче говоря, краше в гроб кладут.

Тем не менее его неустанно волокло по каким-то рваным, лоснящимся, перламутрово-пузырчатым, прихотливо друг в друга перетекающим и всегда неожиданным пространствам памяти и воображения — тащило, как тащит ветер листья и клочья газет по сухому асфальту. Перед мысленным взором (так принято говорить, хотя, боже мой, какие могут быть мысли, когда такое?) вставали картины, менявшие друг друга с той непреложностью случайного, в какой иные обнаруживают высшие проявления логики.

Поэтому не удивился, когда снова увидел клоунов.

В том, что он вспомнил их в первый раз — вспомнил, как эти самодельщики шутковали на Арбате, — не было ничего удивительного. Ну да, ведь и впрямь был такой день года четыре назад: февраль и ветер. Он шагал к Лизке, а по дороге попались штукари-коверные, тщетно силившиеся насмешить угрюмых прохожих. Взглянул и запомнил, на то и память, чтобы в ней что-нибудь откладывалось, а потом вспоминалось, хоть бы даже и не в самый подходящий момент.

Однако теперь, опять вернувшись к нему, они выступали фрагментом воспоминания о событиях совсем иных — и совсем не заурядных.

В отношении самих этих событий никаких сомнений не было: действительно, они имели место (только уже не четыре, а два с небольшим года назад) и в ту пору производили впечатление чрезвычайно значительных. Да, пожалуй, и на самом деле являлись таковыми.

Сомнение вызывали сами клоуны: разве и тогда они существовали в реальности?

Разумеется, сейчас, когда он лежал на каталке, их присутствие представлялось несомненным: если бы кто-нибудь нашел время присмотреться к пациенту, то обратил бы внимание, что глазные яблоки под его опущенными веками беспрестанно ерзают, — а это просто Бронников то и дело переводил взгляд с Бима на Бома и обратно.

Но присутствовали ли они в той яви, что сейчас возникла перед ним в роли воспоминания? То есть действительно ли они откалывали свои шуточки в ту дождливую ночь августа девяносто первого? Или наоборот: не только этих глумливых бездельников там не было, но даже и мысли ни у кого не возникало, что могут появиться, а ныне они предстали перед ним не в качестве воспоминания о действительном, а как плод его собственного болезненного вымысла?

Он не стал бы сейчас на чем-либо настаивать. Только одно определенно: дождь хлестал не переставая, над головой густилась темная муть разверзшихся хлябей, и верхние этажи Дома Советов терялись в ней, лишь кое-где слабо просвечивая нездорово желтыми огнями окон.

Внизу в ломких отражениях ночного света лоснились зонты: сливаясь воедино, их несметные стада выглядели пупырчатой шкурой какой-то слизистой твари.

Мелко содрогаясь под струями воды, податливая плоть бесформенного существа то в испуге замирала, то снова вяло пошевеливалась, тут и там горбатясь и собираясь складками.

В целом могло создаться впечатление, что этот слизняк, разлившийся черным холодцом и со всех сторон облепивший мраморно белеющую махину Дома Советов, пытается уползти от греха подальше — пока, как говорится, не перепало горячего.

Но нет, все оставалось по-прежнему: дождь не стихал, слизняк не полз, толпа не двигалась, а только что-то в ней гудело и позванивало — должно быть, какие-то туго натянутые струны.

Время от времени массу передергивали короткие судороги, будто от укола или удара током, а то еще пробегала волна импульсивного движения, сопровождавшая прохождение очередного верного известия: всякий слух — неизвестно где и кем рожденный, не имевший рациональных подтверждений, на трезвый взгляд несуразный, но в атмосфере нервного ожидания действовавший на мозг хуже алкоголя — встречали так, будто сама стремительность распространения этого вздора являлась доказательством его совершенной истинности.

Передаваясь из уста в уста, он вздымал в каждом из тех, кто его подхватывал, острый всплеск надежды или страха. Надежду не скрывали: радостный ропот, расширяясь будто круги на воде, трепетал, постепенно угасая, по всей поверхности желеистого слизняка между его разнесенными на километр краями. Если же речь шла, например, о том, что штурм начнется с минуты на минуту (отсюда не видно, но уже показались танки и есть сведения, что колонна спецназа на БТРах пойдет со стороны Пресни), столь же неминуемо возникал и страх. Но его старались прятать: мужчины хмуро переминались, бормоча ответные угрозы, а женщины глушили неприятное чувство громким смехом или взвизгами. Короче говоря, в последнем случае сколько-нибудь отчетливой волны не получалось, только еще одно конвульсивное содрогание — вроде того, как некоторые передергиваются, увидев чужую рвоту или ошметки разжульканной на шоссе собаки.

Что же касается коверных, то они приплясывали на одном из БТРов генерала Ворона. Бом стоял на крыше боевой машины, Бим чуть ниже, на приступке.

Однако — стоп. Еще одна неувязка: БТРы — и дождь?

БТРы и дождь не сопрягались. Потому что Ворон привел батальон ВДВ накануне, девятнадцатого, часа в три дня, когда никакого дождя еще не было. А уже утром двадцатого увел его — именно утром, а никакой не ночью, и в ту пору дождь тоже еще не начался. Дождь пошел позже, в сумерках — и когда он навалился, никаких БТРов возле Белого дома уже не оставалось.

То есть, исходя из того, что эти явления не совпадали во времени, стоять на крыше боевой машины клоуны могли бы прошлой ночью — но не под дождем. А стоять под дождем — в нынешней, но тогда не на БТРе.

Как же в реальности?

С реальностью всегда было плоховато. Еще когда Бронников два года назад на самом деле третьи сутки толокся в протестной обороне, уже в ту пору стало путаться, что и в какой последовательности происходило. Наверное, потому что происходило слишком много разного — события не ложились друг на друга, предполагая образовать аккуратную стопку, а валились ворохом, комкаясь и мешаясь. То и дело поступали новые известия, одно другого то успокоительней, то страшнее. Каждое из них вызывало столько переживаний, будто то, о чем идет речь, уже произошло в действительности. Беспорядочно слоясь друг на друга, чувства искажали время: казалось, не день или ночь, а целая эпоха прокатывалась, оставляя по себе усталость, опустошение и щетину на щеках. Он помнил, что, отвлекаясь от происходящего, уже тогда рассеянно мусолил писательскую мысль: всего два дня, а уже ничего толком не вспомнить, что же будет, если протянется десятилетие? Кто расскажет, что происходило на самом деле?

Ну и пожалуйста: хотя с той поры миновало всего два года, все успело окончательно перемешаться.

Так или иначе, вопреки логике и здравому смыслу, тяжелый ливень молотил и пузырился на лоснящейся броне, а клоуны махали зонтами — один красным, другой синим. На зонтах тоже пировала вода, и оба они выглядели черными.

Не страшась ливня, Бом смело вздымал свой зонт над крышей БТРа.

— Обращаюсь к гражданам России!!! — пронзительно кричал он глумливым издевательским голосом. — Граждане России, вы оглохли?! Это я вам говорю!

— Бом, да ты кто? — спрашивал Бим.

— Конь в пальто! — надрывался рыжий. — Не видишь, что ли? Президент ваш, вот кто!

То есть он президента, что ли, пытался передразнивать?

С одной стороны, разумеется, клоунам все равно, над чем подшучивать и глумиться, у них ничего святого, лишь бы темка погорячее, и основания есть: говорили, утром президент Ельцин и впрямь выступил с обращением к гражданам России, взобравшись, чтобы воззвать к толпе, натурально, не то на танк, не то на БТР.

С другой стороны, тогда президент взывал именно к тем, кто теперь, вняв его зову, глухой ночью стоял в черном ливне у стен Белого дома. Президент попросил у них помощи — и они сошлись, чтобы по мере сил пособить: не позволить повернуть течение времени. Первые указы самозванцев объявляли именно решительный поворот вспять: все под запрет — митинги, демонстрации, забастовки, деятельность политических партий, общественных организаций и массовых движений. Последний пункт, суливший жителям городов по пятнадцать соток земли для садово-огородных работ, звучал особенно издевательски: дадим конфету, если не будете баловаться.

Короче говоря, трудно даже помыслить, чтобы стотысячная толпа оскорбленных, согласившихся принести сюда свои жизни, стала покорно слушать ерничанье каких-то дурацких клоунов.

И тем не менее:

— Ха-ха-ха! — залился Бим. — Тоже мне президент! Остынь!

— Как же стынуть, если я отстранен от власти?! Законно избранный президент страны — и отстранен?! — Бом встал на цыпочки, вытянулся, нехорошо трепеща, и завопил во всю мочь, яростно махая зонтом: — Дудки! Какими бы причинами ни оправдывалось это отстранение, мы имеем дело с правым реакционным антиконституционным переворотом!

Бим залился.

— Ой, не смеши! У меня сейчас все пломбы вылетят!

— Какие, к черту, пломбы?! — полыхнул Бом. — При всех трудностях и тяжелых испытаниях, переживаемых народом, демократический процесс в стране приобретает все более глубокий размах, необратимый характер! Народы России становятся хозяевами своей судьбы, существенно ограничивают бесконтрольные права неконституционных органов, включая партийные! Что, разве не так?

Не обращая внимания на дождь, он схлопнул зонт, наклонился и стал воинственно тыкать им будто рапирой, норовя достать товарища. Обессиленный смехом Бим и ухом не повел: только измученно махал ладошкой, повторяя: «Ой, не могу! Ой, перестань!».

— Руководство России заняло решительную позицию по Союзному договору, стремясь к единству Советского Союза, единству России! — не унимался рыжий. — Такое развитие событий вызвало озлобление реакционных сил, толкнуло их на безответственные авантюристические попытки решения сложнейших политических и экономических проблем силовыми методами! Все это заставляет нас объявить незаконным пришедший к власти так называемый комитет! Призываем граждан России дать достойный ответ путчистам и вернуть страну к нормальному конституционному развитию! Требуем немедленного созыва Чрезвычайного Съезда народных депутатов СССР! Обращаемся к военнослужащим с призывом проявить высокую гражданственность и не принимать участия в реакционном перевороте!

— О-о-о-ой! — стонал Бим, заходясь трясучкой и обессиленно ложась на стальную тушу БТРа. — О-о-о-ой, не могу!

— Что?

— Ничего! Так они тебя и послушали!

— Кто?

— Да кто! Кто знаешь! Вот дадут раза, будешь знать!

— А это что?! — снова вскипел Бом, яростно стуча каблуком по броне. — Это хрен собачий?! Это генерал Ворон приехал нас защищать! Ворон — это не барышня кисейная! Он сам даст раза! Ему что дождь, что вёдро — по барабану! Ты понял, балбес?

Дождь и впрямь хлестал, заливая землю черными потоками, но все же врал коверный, врал как нанятый: с раннего утра здесь уже не было никакого генерала Ворона, и батальона его не было, и никто не собирался их защищать.

1. А вот и...

1

Телефон зазвонил, как всегда, не вовремя.

Впрочем, посмотрев в тот момент на Бронникова, всякий сделал бы вывод, что, напротив, минута оказалась самой подходящей: звонок не может оторвать его ни от каких важных занятий по той простой причине, что он ровно ничем не занят.

И впрямь: Герман Алексеевич безвольно сидел за столом на своем рабочем месте, то есть в той косой фанерной подлестничной выгородке, что отводилась лифтеру (а если говорить правильно — консьержу), перед полупустой чашкой чаю. При этом совершенно не осмысленно — именно как баран на новые ворота — смотрел в газету. То есть даже не скользил взглядом по строкам, читая, а просто глядел, тупо уставившись в одну точку, и можно было подумать, что его только что ошарашила некая мысль, заставившая оторваться от этой белиберды и полностью сосредоточиться на чем-то другом.

В сущности, так оно и было.

И смотрел-то он даже не в порядочную газету, а в какой-то куцый листок под названием то ли «Вестник демократии», то ли «Глас свободы». Из тех, что в последние год-два появлялись во множестве и пропадали через месяц-другой после возникновения: должно быть, прогорали, не в состоянии выдержать конкуренцию привычных изданий. (Правда, Мишка Блекотин утверждал, что, напротив, запускают их добрые люди в целях скорого обогащения, однако сам процесс обогащения описывал расплывчато — скорее всего, тоже не знал, как можно обогатиться на этих судорогах гласности.)

На смену им являлись новые, демонстрировавшие еще более высокий градус радикализма и бесстрашия — временами приближавшийся к отчаянности. Столь же недолговечные, они все-таки делали свое дело: на фоне их безрассудства такие солидняки, как «Московские новости» или «Огонек», выглядели вчерашним днем, чтобы удержаться на плаву, им поневоле приходилось тоже становиться все более дерзкими.

Каждое утро миллионы советских людей, жадно пачкая пальцы непросохшей типографской краской, узнавали о новых сокрытых жертвах, ужасах, преступлениях, ошибках и подлостях: обо всем, что вершилось коммунистами в рамках заведенной ими «административной системы» — за что они, по утверждению многих изданий, должны в скором времени понести суровое и беспощадное наказание.

Судя по всему, эти роковые предвестия не волновали официальную коммунистическую прессу. Она, как и прежде, выглядела застегнутой на все пуговицы. Не способная ни на чувство, ни на сопереживание (а в качестве доказательства того, что ничто человеческое ей не чуждо, публиковавшая карикатуры и юморески настолько дубовые, что могли вызвать улыбку только у кретина), она угрюмо настаивала на своем. Передовицы, зажигательность которых была сравнима разве что с пожарными рукавами, долдонили одно и то же: стране грозили куда более неисчислимые и страшные беды, чем те, что случились на самом деле, и миновали они ее исключительно благодаря партии — за счет ее всеохватной беззаветности, сплоченности, коллективного разума и вековечно-верного понимания курса.

Так или иначе, вся эта словесная свистопляска ощутимо меняла свойства времени. Еще совсем недавно оно представлялось чем-то вроде реки, которая хоть и трагично, но все же более или менее плавно уносит иллюзорное нечто в не терпящее иллюзий ничто. А теперь время рушилось, как при камнепаде, в котором каждая новая глыба оказывается тяжелее предыдущей.

Обнаружилось, что самые замыленные мифы коммунистической власти, на которые она прежде смело опиралась (взятие Зимнего, «Аврора», Чапаев, покорение целины, атомоход «Ленин» и даже космонавт Гагарин) можно выворотить наизнанку и сделать достойным осмеяния, не опасаясь, что тебе за это что-нибудь будет.

Каждый день приносил ошеломляющие открытия: о Сталине можно! (Впрочем, о Сталине стало можно с самого начала, это уже никого не удивляло.) Но вот новость: и о Мавзолее Ленина можно! А назавтра: и о самом Ленине, оказывается, тоже можно!..

Писательское сообщество разразилось памфлетами. Бронников подозревал, что часть их действительно создается людьми, наконец-то получившими возможность выплеснуть свою искреннюю досаду, горечь и злость. Но и кое-кто из неугомонных певцов прежних завоеваний тоже пустился во все тяжкие, демонстрируя скорее острую чуткость на продажность, чем бесстрашие.

И у тех, и у других смех получался куцый, горловой — ничего такого, что имело бы отношение к искусству, в скандальных скороспелках не обнаруживалось.

Зато много жизни вывалилось из-под спуда спецхранов. Журналы бросились разрабатывать недавнюю запрещенку, неуклонно отжимая право на все более запретное. Вот уже и Набокова — можно. Вот уже Булгакова — можно. Вот и Войновича стало можно: солдат Чонкин по праву занял свое место в легальной литературе. Даже Зиновьева — можно! А это что? Не может быть: «Архипелаг» пошел!..

Тиражи росли как на дрожжах: «Новый мир» тискал три миллиона экземпляров ежемесячно, «Знамя» — полтора. То же и с газетами. Раньше язвили: «"Правды" нет, "Россия" продана, остался "Труд" за две копейки». Ныне уже в семь утра, отстояв полночи в маятной зимней очереди, от киосков «Союзпечати» разбредались разочарованные неудачники, на долю которых не досталось ни крошки настоящей правды даже из тех титанических тиражей, что без устали лезли из ротационных машин.

Михалыч, сменщик-лифтер, прежде по утрам вечно совавший Бронникову главный партийный орган печати («На, Лексеич, почитай в дорожке: я уж проглядел, а так-то свеженькая», — у Бронникова сводило скулы, принимал только из вежливости — да и какая, к ляду, дорожка, если ему в соседний подъезд?), ныне встречал коллегу с красными от бессонницы глазами, по-орлиному зависнув над кипой пованивающей керосином бумаги. Бронникову казалось, он видит, как зримо корчатся Михалычевы мозги, раздираемые враждебностью к тому, что лишает смысла его честно прожитую жизнь, и страстным желанием понять, как она шла на самом деле.

Когда зазвонил телефон, Бронников только что дочитал глумливую статейку о происшествии, случившемся в небольшом подмосковном городе. У тамошнего Ленина отвалилась рука. Прежде вождь протягивал ее в направлении будущего, ныне же арматура проржавела, гипс потрескался — и длань отпала. В условиях тотального дефицита, охватившего страну, обзавестись новым истуканом или хотя бы починить старый не было возможности. Местные умники в лице секретаря райкома и председателя Горисполкома, с гневом отметя предложение местных перестройщиков оттащить реликвию на помойку, приняли единственно верное решение: наспех соорудили из бетонных плит что-то вроде Мавзолея и с почестями положили в него покалеченное изваяние.

Поэтому-то, осмысляя прочитанное, Бронников так тупо смотрел в расползающиеся перед глазами буквы: он был поглощен стихийным процессом всегда неожиданного, как болезнь, приступа творчества. Мелькали сполохи возможных построений, способных сделать из этой истории каркас романа. Или чего там — повести? Протягивались линии, возникали вопросы... Каков человек, удумавший этакое? Каковы его подчиненные? И что насчет жителей городка? — тут зашевелилась, притекая к постаменту, щедро оснащенная кумачовыми транспарантами толпа...

Он еще успел подумать, что даже если байка вся насквозь выдумана каким-нибудь журналюгой, это не делает ее хуже, предвосхитились иные соображения и идеи, наметились некие зыбкие пространства — коленчатые коридоры, уводящие сознание дальше, дальше!.. — как вдруг телефонный звонок, слишком громкий для утлого помещения лифтерской, вырвал его из такой живой, такой истинной реальности.

Бронников вздрогнул и чертыхнулся.

Первая мысль, что снова, небось, Крылатова из сорок второй все с тем же вопросом: «Ну почему же лифт опять так громыхает?! Это невыносимо, консьерж!..»

Обреченно вздохнув, снял трубку и сказал сдержанно:

— Алло. — Пауза в гулком электрическом пространстве.

Потом тишина сломалась:

— Гера?

Бронников окаменел. Этого не могло быть! Но прозвучало.

Прозвучало с давно забытой, но такой знакомой хрипотцой!

И в той единственной, всегда прежде безошибочно узнаваемой интонации, когда голос чуть поднимается на последней гласной:

— Гера?..

Если в вашу лифтерскую — ну или, скажем, дворницкую — когда-нибудь звонили с того света, вы поймете эти чувства. Если же нет — не тщитесь.

Время потеряло привычные свойства и потекло иначе.

Впрочем, может быть, оно тикало по-старому, просто скорость происходящего в сознании Бронникова увеличилась тысячекратно: поэтому все окружающее казалось застывшим, и только у него в голове, свернувшись огненным ворохом, бешено катились, обжигая мозги, десятки, если не сотни, разного рода обстоятельств.

Все, все успело провернуться в мозгу — и годы их скорбного ожидания, и Лизка, и этот ее новый Саша, и Сережка, зовущий чужого дядьку папой.

Затем окружающее рывком дернулось вперед, и тогда Бронников хрипло выговорил:

— Артем?..

2

При первой встрече Плетнев Бронникову резко не понравился: другого поля ягода... Но нельзя же было, например, заявить Лизке, чтобы она с этим Сашей к ним носу не совала — мол, мы его сразу раскусили и больше не хотим. Совершенная глупость. Лизка смертельно, на всю жизнь обидится — тогда не только этого ее Сашу, но и ни ее саму, ни Сережку они больше и впрямь не увидят. А ведь Лизку, уж не говоря о Сережке, Бронников любил, что же касается Анечки, то она и вовсе росла в поощряемом родителями убеждении, что у нее есть братец.

Тогда был день рождения Киры, что ли. Сережку голубки посадили между собой. Лизка ему то и дело: «Вот смотри, как папа делает... А ты у папы спроси... Помнишь, что папа сказал...» — и всякий раз мельком смотрела на этого Сашу, пронизывая его мгновенной молнией любви, а Саша этот сдержанно улыбался и говорил что-нибудь вроде: «Давай вот так, сынок...» или «Сынок, лучше подругому», — а Бронников, хоть виду не показывал, а все же изнывал: кололо его, даже возмущало, потому что при всяком этом лживом «папа» он вспоминал Артема.

Но делать нечего. Прилежно строил из себя радушного хозяина и, как это часто бывает, невольно увлекся. Уже к середине застолья новое устройство жизни стало казаться естественным, а призрак Артема, и сама его судьба, и даже происходящее ныне откровенное предательство его памяти, — все это слиняло, съехало на край сознания: реальность быстро нашла себе много разных оправданий и стала привычной, чтобы через день-другой сделаться обыденностью.

А Лизка — ну что Лизка... Прежде он ее, бывало, смутно подозревал, но не только явных доказательств, а даже и чего-нибудь такого, что могло бы сделать эти подозрения отчетливыми, не обнаруживалось. А теперь она открылась Кире сама, и тут же они с ней сделались несказанно близки. Вот женщины, а!.. Честно сказать, ему стало обидно, что Лизка пренебрегла возможностью поговорить с ним — как будто именно Кира столько делала для них с Сережкой, а не он. Надо сказать, с появлением этого Саши (долго еще про себя называл только так: «этот Саша») Лизка переменила к Бронникову отношение. Даже, казалось, избегает лишних встреч. «Ах Герочка, ах дорогой, ах спасибо тебе большущее, только меня сегодня дома не будет, и завтра не будет, и послезавтра, а потом я сама к вам заскочу». Вот так... что там про дороги в ад толкуют?..

А если заговаривала об этом своем Саше, в ней стремительно проступала тяжелая бабья красота, и глаза лучились, лукаво ускользая от прямого мужского взгляда: вроде как всегда теперь помнила, что она не сама по себе, не себе она принадлежит, а этому Саше.

Молодец, конечно, да только немного смешно, ведь когда-то он уже замечал подобное. Только звучало иначе: я не чья-нибудь, я — Артемова!

Как все похоже...

Обмолвливалась, что этот ее Саша бывший офицер, служил в Афганистане, много лет провел в командировке где-то на Севере, теперь вернулся. И вот такое ей теперь везение — все у них хорошо, она его любит, а уж как он к ней тянется — и не описать. (Последнего Бронников сам не слышал, только догадывался с рикошетных слов Киры: понятно, с ней Лизка откровенничала куда шире.)

«Не знаю, — хмурился Бронников. — Офицер, Афганистан, командировки... Вот и Артем — Афганистан. Чем он хуже?»

Кира вздыхала. «Опять ты за свое. Артема пять лет нету. Не день, не два, не месяц, не год — пять лет! И не будет. Ну что же ей, в конце-то концов, делать? Совсем порушить женскую свою судьбу? Ты вокруг посмотри — сколько разводов. И это с живыми разводятся, понимаешь?»

Бронников неопределенно качал головой.

«Природа берет свое», — вставлял Леша.

«Ты не молод еще о таких вещах судить?» — мирно спрашивал Бронников.

«Папа, я, между прочим, п... п... п!..»

Когда Леша запинался, у Бронникова пресекалось дыхание и он сам начинал чувствовать шаткую неуверенность в грядущем произнесении взрывных согласных.

«Понимаешь, что ли?» — пытался помочь он.

«Пап, ну вот зачем ты опять за свое! — лопался Алексей, пускаясь в обличительную тираду, вылетавшую из него без сучка-задоринки. — Не надо мне п... п... подсказывать, в конце-то концов! Я сам знаю, что хочу сказать!!»

«Ну и что ты хотел сказать?»

«П... п... половозрелый!» — заканчивал Леша.

Повисало молчание.

«Господи спаси!» — вздыхал Бронников.

«С вами не соскучишься, — смеялась Кира. — Между прочим, Саша работать устроился на какую-то такую службу...» Она крутила ладонью, ища слово. «Я знаю! — полыхал Леша. — Он замначальника службы охраны!» — «Какой еще охраны?» — ворчливо спрашивал Бронников. «Ну пап, он же военный! Умеет, наверное. Лизка сама точно не знает. Кооператоров охранять». — «От кого этих чертей охранять?» — брюзжал он.

Кооператоров тогда винили во всех несчастьях — недостатке продуктов, очередях, талонах, всей той нелепой чехарде, на какую рассыпалась советская жизнь, еще год назад пусть как всегда скудная, но стройная. «Господи, куда все делось-то», — горестно вздыхала представительница очереди за сливочным маслом, вившейся от крыльца магазина почти на квартал. «А то сами не знаете, — язвительно отвечала другая. — Кооператоры скупили!»

Или как-то раз Бронников зашел в «Детский мир» в надежде какими-нибудь правдами-неправдами добыть Анечке нового медведя, и обнаружил, что весь первый этаж превращен в автомобильную выставку.

Прежде подобные средства передвижения доводилось видеть только в западных фильмах. А тут в натуре — большие, лаковые, обтекаемые, скромно внушавшие мысль о своем неслыханном удобстве и надежности. Реальность происходящего подтверждали и ценники на капотах: куда уж реальней, если за ту или иную сумму можно стать обладателем одной из этих акул... Правда, числа астрономические, запредельные, более похожие на телефонные номера, и связать их с количеством рублей сознание решительно отказывалось. Тем не менее приходилось заключить, что если одни кооператоры *такое* продают — значит, другие *такое* покупают, а уж от этого оставалось рукой подать до мысли, что и продавцам, и покупателям *такого* и в самом деле требуется охрана...

«Ну, не знаю. Папулечка явился!.. — зло восхищался Бронников. — И как быстро сладилось!» — «Быстро, не быстро, а они уже полгода вместе... Чего ты хочешь-то, Гера! Лизка не школьница, ему под сорок. Взрослые люди. И не девятнадцатый век!»

«И разве Сережке лучше б... б... безотцовщиной?..» — урезонивал Леша.

Короче говоря, накануне того дня рождения Бронников все томил себя неприятными предчувствиями, с холодком воображал, как это будет, когда Лизка приведет этого своего Сашу, как ему себя вести, чтобы не предать прошлого. Когда же и на самом деле привела, он решительно — будто в холодную воду, будто этим простым движением прошибая какую-то фальшивую стену, — протянул руку, здороваясь. И ничего особенного не произошло. А потом — как все в жизни: трудно только первую зарубку сделать... а если первая есть, дальше дело идет само собой.

Взрослым людям (про себя Бронников любил уже обмолвиться в том духе, что ему-то, старику... — всякий раз чувствуя, как неподдельно горчит слово) тяжело сближаться, трудно находить положение, при котором хоть как-нибудь сошлись бы те запилы, что делает на душах жизнь. Может быть, так и остались бы лишь формально знакомы — ну и встречались бы пару раз в год при таких вот застольях, ничего особенного. Но однажды так получилось, что все вместе собрались за грибами. Бронников не любил этих коллективных вылазок, да ведь никуда не денешься. Всю неделю договаривались и предвкушали, а уже прямо утром все нарушилось и развалилось — у Киры ангина, Анечка без мамы не хочет, Сережка засопливился, Лизка при нем, Леша вдруг заявил, что его держат дела. (Кстати, Бронников тогда даже возмутился: какие у тебя могут быть дела? У тебя всех дел — со второго курса не вылететь! Так что мог бы и поехать с близкими! — ну и еще что-то в таком духе. Это уж потом выяснилось, что сын и впрямь завел себе дела вовсе нешуточные, будто специально отцу назло — кооператорские.)

Так или иначе, когда он в одиночестве явился к вокзальным часам, то встретил там только Плетнева — нахмуренного, собранного, с рюкзачком на одном плече, лямку которого он держал, будто автоматный ремень.

Так и поехали.

Десятичасовая оказалась почти пустой. Минут двадцать сидели молча. Бронникову поначалу было физически неуютно: ежился, моргал, сонливо смотрел на скользившие за окном заборы и стройки и в конце концов даже, кажется, вовсе задремал; встряхнувшись, крякнул, с содроганием зевнул, потер ладони, снова крякнул и сказал подходящие слова — должно быть, «Ну что?» или «Ну вот», или просто «Да...», столь же способное, несмотря на свою краткость, при необходимости вместить нужные смыслы. После чего снял с полки корзину (как обросший имуществом старосемейный, он ехал с корзиной), выставил на сиденье пакет с бутербродами, термос, принялся хозяйничать.

Что Плетнев немногословен, он знал — не любит парень болтать, предпочитает хмыкать. Ну и что тут скажешь, такой характер, наверное. Несколько раз, кстати, ему казалось, что Саша, приближаясь в разговоре к какой-то одному ему известной черте, нарочно осекается, чтобы не заступить ненароком. Размышлял подчас: то ли по старому принципу «молчи — за умного сойдешь». — но Плетнев и без того совсем не дурак (не оправдались его нервные ожидания, что придется иметь дело с каким-нибудь дуболомом). То ли иное, более изощренное воззрение: украл — молчи, нашел — молчи, потерял — молчи.

Когда перекусили, Бронников заметил, что много в жизни существует чистых, беспримесных радостей, не то граничащих со счастьем, не то даже являющихся одной из его разновидностей. К ним, несомненно, относится и возможность унять ранний голод, в электричках всегда особенно острый, куском хлеба с сыром. «Красота», — сказал он, закручивая термос. Он подсознательно предполагал, что его слова насчет беспримесных радостей могут вызвать в сознании Плетнева какие-нибудь яркие образы, следы собственных переживаний, в силу схождения нескольких случайностей навсегда запавших в память: половина коржика в школьном буфете или ломтик сала на горбушке, оказавшийся под рукой в подходящее время. Может быть, это наведет его на какой-нибудь рассказ?.. Но Плетнев только согласно угукнул.

Вышли на «46-м километре». Платформа стояла в чистом поле: по одну сторону темнел ельник, по другую приветливо желтели березы, тут и там перемежавшиеся защитной раскраской облетающих осин.

С ними высыпал и еще народец, побрел в разные стороны. «Вот обрати внимание, как идут, — толковал Бронников, между делом посматривая по обочинам: ведь бывает, в самом неподходящем месте вылезет такой красавец! — Может быть, мы, простые люди, не знаем, нам не говорят, не сообщают... мы на этом поле обсевки — не доказали преданности грибному делу всей своей жизнью... это что?.. вот же гадость!.. Да, а на самом деле, может быть, существует какой-нибудь такой тайный устав любителя-грибника. Нет, ну правда: вот смотри, смотри, как плетутся: прямо пошатываются. Разве по ним скажешь, что пять минут назад с электрички слезли? Нет, на таких посмотришь — у-у-у, наверняка за спиной километров двадцать всяких там опушек да осинников. А почему? — я же говорю, должно быть, есть устав, и этот устав строго-настрого запрещает настоящему грибнику хоть когда-нибудь выказывать хоть бы самую минимальную бодрость... Как думаешь?»

Плетнев одобрительно хмыкал.

Свернули на лесную тропу, перешли овраг, побрели по тихой опушке золотящегося леса. Бронников все тянул носом, шумно выдыхая: «Саша, воздух-то, воздух!.. Благодать, а?.. Сидишь так день-деньской... годами сидишь безвылазно, потом выберешься в кои-то веки — господи, хорошо-то как!..» Собственные причитания в конце концов навели его на недавнее воспоминание. «Человек сорок. С плакатами, с мегафоном. Теперь ведь каждый день что-нибудь такое...» — «Ну да, — кивнул Плетнев. — Сыроежки будем брать?» — «Ну их, от них толку... Человек пятьдесят». — Бронников осекся, как будто давая самому себе время осмыслить виденное, объяснить происходившее самому себе: он и впрямь снова и снова пытался привыкнуть к тому, что это стало возможно, и все никак не мог.

«То коммунисты с флагами, то демократы с транспарантами... или вот еще за альтернативную службу женщины... Ну, ты понимаешь. Тут, смотрю, вроде ближе к коммунистам: венок у них, а кто еще с венком к Лукичу? — Поймав недоуменный взгляд, пояснил: — Ну, к Ильичу, к Ленину. Ильич, Лукич — разница небольшая... Другие требуют, чтобы снести его по всей стране, как прежде Сталина, а тут вон чего: возложение. Тетка с матюгальником. Что орет — не разобрать: машины воют. Ладно, думаю, чума на оба ваши дома. Уже и внимания не обращаю. Тут они как раз и двинулись: двое впереди с венком, остальные следом. Смотрю — мать честная, венок-то из колючей проволоки!»

Взглянул в Сашино лицо. Бесстрастное, как и прежде. «Из колючки, — повторил он, приглашающе посмеиваясь. — Так и возложили. Милиционер неподалеку стоит — ноль внимания. Даже отвернулся. Наверное, это Демсоюз... знаете?»

Плетнев покачал головой: «Много всякого развелось...»

«Мне просто метафора понравилась, — пояснил Бронников. Плетнев едва заметно поднял брови, из чего Бронников заключил, что слово «метафора» ему, возможно, незнакомо. — Ну, намек, что ли.. образ. Венок из колючей проволоки — это метафора. Венок — но из колючей проволоки. Память — но о чем? Вопреки этой гробовой памяти, давно утратившей чувство, ставшей просто ритуалом — память о том, что еще по-настоящему живо!..»

«Это о чем?» — неожиданно спросил Плетнев, морща лоб.

«О чем? — в свою очередь не понял Бронников. Растерялся. — О чем память? Ну... о невинных. Что, мало невинных той колючкой наказано было?»

Плетнев хмыкнул.

«Невинных?» — переспросил он.

* * *

Тогда в его сознании и в самом деле мелькнул образ — из тех, что, вероятно, хотел бы понять Бронников.

Конец января. Белизна и лютый холод. Ранняя синяя ночь кое-как разбодяжена светом прожекторов. Ссутуленных морозом ведут из рабочей зоны в жилую. Снег оглушающе визжит под ботинками. Вдруг Клевцов: «Чуешь, Плетнев?!» Сам во что-то внюхивается, глаза светятся затаенным восторгом, как у сумасшедшего. «Что?» — «Весной пахнет!..»

Прост он был, Клевцов. Подчас именно той простотой, что хуже воровства. В прошлом ментовской капитан, сидел за двойное убийство: жены и падчерицы. К тому времени, когда встретились, уже лет пять отбухал.

Однажды мягко сказал: «Понимаешь, какая штука. Наказания без вины не бывает».

Они сидели за чаем, минута редкая, душевная, тянуло на откровенность, а Клевцов взял — и так все изгадил.

Плетнев чуть не психанул. Он и сам был уверен, что его наказание несправедливо. Примеривался бежать. Да и сбежал бы. Уж как бы тогда повернулось, кто знает...

Когда взял себя в руки, только посмеивался, грея ладони о кружку: «Вот ты даешь, Клевцов! Чудак ты человек!.. Как же не бывает наказания без вины? Скользкая философия. Под нее любого можно притянуть. Закрыли ни за что — и сиди не рыпайся, ведь наказания без вины не бывает. Так, что ли?».

Клевцов кивал. «Это верно, Плетнев, это верно... Конечно, конечно... Сразу не поймешь... Ты у любого здесь спроси, он так и скажет: ни за что попал, не виноват я. А только так не бывает, Плетнев, так не бывает..»

Время шло, зона томила, огни Тадж-Бека никогда не гасли в его мозгу. И в конце концов получилось, что он примерил эту клевцовскую пораженческую глупость к себе.

И тогда сошлось намертво: огни Тадж-Бека, зона, нелепая философия Клевцова.

Может, на каждый случай мудрость Клевцова не годилась. Но до всех на свете случаев и дела нет: у него самого случай был совершенно определенный, известный во всех деталях. Он примерял мысль Клевцова лично к себе. И по прошествии некоторого времени лично ему она оказалась впору. Как будто в конце концов раздалось что-то в душе — и она легла, заняв предназначенное ей место.

Отбыв свое, вышел спокойным. А ведь мог бы и дальше беситься: как же так, меня ни за что, жизнь насмарку! Спасибо простоте Клевцова, научил Клевцов...

А что касается колючей проволоки, то о ней он тоже думал. Верно говорят — зона всему научит, но с этим предметом ему особенно повезло, наставник нашелся каких поискать. Подполковник Маршавский прежде читал историю в Академии имени Калинина, а срок доматывал, понятное дело, ни за что. В молчанку играл тверже партизана: никто не любит о себе лишнее говорить, искренность Клевцова скорее исключение, чем правило, Плетнев и сам помалкивал. Но все же стороной узнал (может и вранье, народ на сказку горазд), что Маршавский вроде как сумел на своей тихой должности проворроваться, а уж что он из артиллерийской академии упер — неужели гаубицу? — ни слухи не поясняли, ни сам подполковник не раскрывал.

Так или иначе, Маршавский в часы досуга растолковывал прошлое — ну или, точнее, как он его понимал.

На сомнительные исторические темы и здесь, на зоне, поговорить толком было затруднительно: ушей вокруг хватало, и никому подобные разговоры не нравились. С администрацией понятно: администрация и должна на страже порядка стоять. А вот что чуть ли не большая часть, оказавшись за колючкой, почему-то непременно проникалась пламенной любовью к советской власти и была готова хоть словесно, хоть даже в честном бою отстаивать ее авторитет и честное имя, ему было диковато; остальные, впрочем, так же яро ненавидели.

Маршавский рассказывал, Плетнев слушал. Первое время ему приходилось давить в себе протест, скрывать презрение, которое он невольно начинал испытывать к этому говорливому человеку. Ведь родная страна его выкормила, выучила!.. достиг высот карьеры благодаря той самой власти, что ныне так бессовестно охаивает!.. хорошенькое дело, преподаватель военной академии — и такое!.. Смиряться ему удавалось только потому, что собственная судьба не нуждалась в напоминаниях, всегда стояла за спиной тяжелой тенью... А когда стала понятна логика прошлого (нет, неверное слово, не «понятна», понять ничего такого человек не может, он может только привыкнуть к новой, прежде не открывавшейся ему логике, понимание — это привыкание), когда все окончательно встало с ног на голову (по отношению к тому, что втолковывали прежде), он Маршавского зауважал. И задался вопросом: но почему они позволяли все это с собой делать? Ну да, женщины и дети — слабы и беспомощны, но куда смотрели мужчины?

«Что значит — позволяли?» — возмутился Маршавский. Рассказывал о восстаниях, о подпольных организациях... о множестве событий, подтверждавших, на его взгляд, что противились до последнего, на все были готовы ради свободы... Но Плетнев так и остался при своем убеждении: если разрешаешь такое с собой творить, сам виноват. Наказания без вины не бывает.

* * *

Понятно, что ни о чем подобном говорить с Герой не следовало. Слишком разные жизни они жили. Странно представить себя на месте Бронникова — этакий мыслитель-созерцатель, сидит целыми днями, что-то там из пальца по мере сил высасывает... но он понимал, что и Бронникову невозможно вообразить себя на месте человека, выученного добиваться своего любой ценой и не глядя ни на какие препятствия.

Короче говоря, благоразумно промолчал, не стал ни про Клевцова рассказывать, ни про эти свои не вполне определившиеся мысли насчет вины и ответственности каждого за то, что с ним происходит.

Но Бронников все же что-то учуял: по интонации, что ли, последнего слова, когда Плетнев безобидно этак переспросил: «Невинных?». Сумятица дальнейшего разговора изгладилась из памяти, явного повода ругаться не было, и все-таки, кажется, едва не разругались вдрызг, вдребезги — чуть ли не до того, чтобы возвращаться с чертовыми этими сыроежками разными электричками.

Господь уберег, съехало на нет; даже можно было бы сказать, что забылось, если бы Бронникова не тянуло возвращаться. К чему возвращаться — он и сам не знал, Плетнев не высказал ничего такого, что могло бы его возмутить. И все-таки возвращался, снова и снова проговаривая, снова и снова что-то ища в интонации прозвучавшего повтором «Невинных?» — пытаясь найти что-то такое, за что все-таки можно справедливо зацепиться — и тогда уж поссориться на самом деле, насмерть, до гробовой доски! Он перебирал возможности того, что пряталось за этим повтором, за этой странной интонацией... Перекладывал, рассматривал, искал — и поиски заводили в области, где громоздились неожиданные смыслы: тяжелые, как грозовые тучи, неподвластные человеческой воле, равнодушные к его куцей мурашиной судьбе. Им было все равно, они знать не хотели того, что копошилось далеко под ними: мелкое, частное, человеческое, личное. Им дела не было, корчится оно в огне или крючится от холода.

Понять их было нельзя, человеческое сознание не приспособлено ни к пониманию таких величин, ни даже к тому, чтобы к ним привыкнуть; но можно было поймать невнятный намек, услышать дальний отзвук громыхнувшей за тридевять земель истины, различить мелькнувшую в сгущающих сумерках тень истинной реальности — и задохнуться в мгновенном сердцебиении и похолодеть: вот же оно, вот! Тогда брезжили догадки, что они, эти смыслы — громоздкие, размашистые и безжалостные, — укладываются в простые, веками окатанные, математически точные формулы: наказания без вины не бывает, получаешь, что заслужил, сын за отца — ответчик, а народ... ну и так далее.

Ничего внятного на ум так и не пришло, но когда по какому-то незначительному случаю снова встретились, Бронников Саше даже обрадовался — черт его знает, внутренне сжился с ним, что ли, пока думал невесть о чем.

* * *

А буквально через неделю, самое большее через две, это и случилось.

Когда миновало первое ошеломление, пришло на ум, что Артем оказался в том самом всеми по-детски мечтаемом, но, судя по всему, недостижимом положении: чтобы сначала умереть, а по прошествии некоторого времени хоть одним глазком, хоть из-за занавески какой или в малую дырочку, изнывая от зависти и нежности, содрогаясь от запретной сладости происходящего, все-таки посмотреть: да как же они там теперь без меня живут?

И правда: с того света...

Но первое, что ударило, — Лизка! Как же теперь?

Держал трубку, говорил что-то — ну а что, собственно, он мог сказать, когда такое: естественно, охи, ахи какие-то дурацкие, совсем не мужские, срывающиеся сами собой, — а в голове стучало: Лизка! Лизка! Господи, ну как же теперь-то, а?!

Выяснилось, однако, что звонит из Ташкента, следовательно, хоть какое-то время было — пока еще доберется... Но совсем немного: прилетает послезавтра. «Э-э-э...» — начал одолеваемый немотой Бронников тяготу еще самому неведомой речи. Тут, к счастью, Артем обмолвился, что к родителям. «Почему к родителям?» — машинально-тупо переспросил он, параллельно соображая: вот и хорошо, пока хоть так, а там видно будет... А третьим или четвертым слоем: но все-таки как странно! — ведь жена, сын... почему же, правда, к родителям?.. «Да понимаешь, какая штука, — хмуро сказал Артем и оборвал: — Ладно, потом поговорим. Что мы по телефону. Скажи лучше... — голос влажно дрогнул. — Как Сережка там?» — «Нормально», — ответил Бронников, в воображении которого, будто джинновы дворцы, беспрестанно строились, рушились и снова громоздились в иных очертаниях дали совершенно невозможного, невероятного, и все же кое-как воображаемого будущего.

Хотел спросить: а ей-то не звонил? — к счастью, сдержался, сам понял: если спрашивает, значит, и впрямь не звонил.

«То есть что я говорю!.. хорошо! Все хорошо. Вырос...» — «Помнит обо мне?» — тихо спросил Артем. «Здоровый совсем стал парень! — весело скалясь в трубку, кричал Бронников. — Все отлично, не волнуйся! Послезавтра, четырнадцатого? Ты вот что, номер рейса-то какой? Номер рейса! Домодедово, наверное? Мы приедем!» — «Ладно, ладно, Гера, не надо. Сам доберусь... Я позвоню. Ты послезавтра работаешь или дома?» — «Послезавтра дома, — ответил Бронников. — Договорились».

Когда они встретились, оказалось, что дело худо: правая рука, в которой прежде Артем держал кисть, ныне кончалась культей на середине локтя; и это выглядело так катастрофично, что Бронников боялся даже мысленно поставить себя на его место.

Но в некоторых отношениях оно, это дело, оказалось еще хуже — и точно легло в русло залихватской поговорки насчет того, что не было бы счастья, да несчастье помогло.

Потому что Артем приехал не один.

Спутница его звалась Настей, была квалифицированной медсестрой, а дороги их пересеклись в Ташкентском госпитале, где Артем оказался после плена.

В свете нового обстоятельства многое менялось. И то, сколько лет его горестно оплакивали, числя не в живых, и то, что ему, вероятно, пришлось пережить (ведь не на пустом месте из того сильного парня, каким уходил в армию, он превратился в измотанного, худого человека средних лет, почти лысого, с впалыми щеками, большой недостачей зубов и глазами навыкате, в которых всегда, казалось, тлеет запальный огонек психического бешенства), и даже сама утрата руки, — все это отошло на второй план.

А на первый вылезло такое, что вроде бы вовсе не имело отношения к делу — ни к Афгану, ни к инвалидности, ни к гибельному перелому судьбы, — зато всем было по-житейски понятно: вот тебе и раз, изменил, привез бабу, законной-то теперь, значит, хоть в петлю, а он, бесстыжий, с новой забавляется. И сынка не пожалел.

Главным стали оскорбленные чувства Лизки — которая, если быть честным, и на самом деле ждала его почти все это время, только под самый конец съехала с веками освященной колеи, торившейся еще женами декабристов (а уж позволяла она себе что-то между делом или нет, об этом речи быть не может, никто свечку не держал).

Последнее же, самое корневое обстоятельство — что Настя ждала ребенка, — в свете изложенного и вовсе не лезло ни в какие ворота.

И когда Бронников излагал все это Юрцу (сам при этом нервно похохатывая, поскольку, несмотря на жизненную трагичность коллизии, не мог избавиться от ощущения, что пересказывает страницы какого-то отвратительного бабского романа), Юрец все хмурился и пыхтел, явно не разделяя бронниковского сарказма, но вдруг оживился и заблеял: «Ташкентский госпиталь, в палате полутьма... Сестричка спит, свернувшись на диване!..» — пояснив, что у них на зоне так один мужик напевал.

Через день Бронников приехал в Кузьминки, где в крошечной двухкомнатной квартире бытовали родители Артема; собственно, и сам он здесь жил, пока не съехал с Лизкой в бронниковскую комнату.

Он еще не знал, что к чему, по телефону Артем о Насте не обмолвился. Позвонил, дверь распахнулась. Артем отступил было, снова рывком шагнул вперед. Они обнялись — и Бронников перестал видеть, что там дальше в коридоре, за спиной Артема, потому что все плыло и лучилось в набежавших слезах. Но когда проморгался, отстранившись и махнув тыльной стороной ладони по зажмуренным, то разглядел какую-то молодую женщину лет, может, двадцати пяти. И подумал, что, должно быть, участковый врач пришел к Рихарду Васильевичу, такое вот никчемное совпадение, другого времени у нее не нашлось, а что без белого халата, так участковые теперь почти всегда так ходят.

За ней, теребя в руках кухонное полотенце, стояла, слабо улыбаясь, Лидия Викторовна, мама Артема.

КРЕДИТОР

И дребезжал невидимый еще, но, судя по стуку палки, готовившийся выглянуть из-за угла куцего коридора сам Рихард Васильевич, отец: «Это Гера? Гера пришел? Где он, поганец? — а вот и выглянул, и продолжил: — Как почему? Как почему поганец? Потому что забыл совсем! Ни Кирка, кошка драная, ни ты носу не кажете! Совесть есть? Спасибо, Артем вернулся — хоть по такому случаю свиделись!..»

Потом, как всегда, все сорвалось в суматоху, которая в здешней тесноте превосходила все мыслимые пределы, ибо суматоха обратно пропорциональна отведенной ей площади; метались, мешая друг другу, потому что беспрестанно приходилось что-то туда-сюда перекладывать, высвобождая сидячее место, пока наконец кое-как устроились за небольшим квадратным столом, втиснутым вместе со стульями в пространство, на котором разместиться вольготно смогла бы разве что кошка: сидеть приходилось упершись животом в столешницу и несколько двусмысленно переплетясь с кем-то ногами. Что же касается кошки, которая, как оказалось, тоже наличествует, то она с шипением сиганула с табуретки на шкаф, заставив Бронникова вздрогнуть, и стала рассматривать присутствующих, причем на презрительной морде было явственно написано «глаза б мои на вас не глядели».

Участковую тоже пригласили за стол, что оказалось довольно неожиданно... короче говоря, пока не сообразил, что к чему, почувствовав при этом, как жар неловкости кинулся в лицо, пару раз вляпался.

Артем бессвязного разговора не поддерживал. Когда собрался на лестницу курить, Бронников поспешил составить ему компанию, тем более что чай допили и вообще он уже засиделся.

Придерживая пачку калечной рукой, Артем левой достал сигарету. «Будешь?» — «Что ты! — скривился Бронников. — Третий месяц не курю. И тебе не советую.

Такая зараза!.. Бога благодарю, что отвязал наконец».
Пожав плечами, Артем щелкнул пластиковой зажигалкой.
Прикурил. «Я для себя так сформулировал, — шевеля
ноздрями, сказал Бронников, когда пошел дым. — Курить — почти так же приятно, как не курить. Понимаешь? — почти». Артем другой раз затянулся, начал
задумчиво выдыхать. «Ладно, — нервно сказал Бронников. — Дай одну, что ли... у тебя какие?» Закурил,
пыхнул раз, другой, потом отнес сигарету, глядя на нее в
необъяснимом для постороннего изумлении. Снова сунул
в рот и сказал: «Дрянь, конечно... Я «Беломор» курю.
То есть курил». Артем кивнул: «Я, если помнишь, тоже.
Да там «Беломором» не разживешься, пришлось вот...»

По делу перекинулись едва ли десятком слов. Оказалось, Лизкины обстоятельства Артему уже известны.
«Кира сказала?» Артем кивнул. «По телефону?» — совсем уж по-идиотски уточнил Бронников. «По телефону. — И, помолчав, сообщил: — Я ее не виню».—
«Ага, — сказал Бронников. — Понятно...»

Артем загасил окурок в жестянке на подоконнике, закурил вторую.

«Вот не знаю, что делать, когда газ кончится, — сказал он, крутя зажигалку в пальцах. — Спичками мне теперь неудобно. Спасибо Насте, у нее еще штук пять есть,
в Ташкенте всех обшмонала». Усмехнулся, качая головой
и как будто снова удивляясь, какая Настя оказалась боевая девка. «У меня тоже одна пустая валяется...» Артем
скривился: «Можешь выкинуть, их не заправляют. Пусть
только помнит, что Сережка мой сын, а не чей-то там».—
«Лизка?» — снова уточнил Бронников. Артем невесело
посмотрел на него. «Ну, я хочу сказать... если будешь с
ней говорить. Не знаю еще, как все это... но пусть помнит».— «Да она вроде помнит», — пожал Бронников
плечами. «Ну и все!» — с недобрым напором пробормотал Артем.

КРЕДИТОР

Бронников взял банку, загасил окурок. Медведь сидит на поляне, вдруг откуда ни возьмись наглый, взъерошенный, хулиганского вида воробей — шмяк на голову: Воробей нагло: «Чо?!» Медведь изумленно: «Да ничего...» — «Ну и все!!!»

К чему эта чушь вспомнилась? Совершенно другая ситуация. И вроде не медведь...

«Ближе к осени, значит», — сказал он, меняя тему.

То есть что значит — меняя? Такую черта с два переменишь.

«Ну да... Не знаю, как будет, — Артем хмыкнул. — Помнишь, баба Сима рассказывала, как они ввосьмером в десятиметровой комнате жили... Да ладно. Главное кроватку втиснуть, а там уж разберемся». — «Анечкину отдали. Хотел на всякий случай на балконе пристроить...» — «Ну и хорошо, кроватки не найдем, что ли. Кроватку... коляску... Что там еще, — Артем снова вынул из кармана пачку, но за сигаретой не полез, повертел и сунул обратно. — Это уж пускай Настюха занимается... Не знаешь, она на развод не подавала?» На этот раз Бронникову хватило здравого смысла обойтись без уточнений. «Не знаю», — соврал он. «Ладно... Как вы тут жили-то без меня?» — спросил Артем, и посмотрел, и Бронников на мгновение увидел в его глазах — глазах вышедшего из могилы — и любовь, и нежность к ним, оставшимся в живых, и тоску.

«Как жили? — растерянно повторил он. — Да разве в двух словах расскажешь?»

Но все же попытался — с пятого на десятое, через пень-колоду: Горбачев с Рейганом... Чернобыль... потом вот Сахаров из ссылки... помилование ста сорока политзаключенных... («И Юрца?» — заинтересованно спросил Артем... «Нет, Юрца не коснулось, — с сожалением ответил Бронников. — Юрец еще года полтора чалился».)

Он говорил, то мельча деталями, то возвращаясь, потому что пропустил что-то важное, то снова перескакивая на год-другой: и про Ельцина, и про Карабах и Баку, и про генерала Громова («Да видел я...» — скрипуче сказал Артем и махнул рукой), и про Первый съезд народных депутатов СССР («Что, всё показывали?» — спросил Артем. «Показывали, — кивнул Бронников. — Честно, две недели от телевизора не вставал»).

Махнул рукой: «Вот такие кругом дела... и не знаю, что у нас в конце концов будет».

Артем хмыкнул.

«А что хорошего может быть? Если и дальше так, хрен знает до чего дойдет. Я вон родителей слушаю — диву даюсь: бог ты мой, может, меня на Луну занесло? Телик включишь — мозги раком... До чего дошло: зарплату гвоздями выдают! И что человек с этими гвоздями делать должен? Жарить их или варить?» — «Это да, — сказал Бронников. — Кто что производит, тем и выдают. Один знакомый тарелками получает...» — «Тарелками! Вот уж радость. А класть на них что?.. Нет, Гера...»

Артем покачал головой, поджав губы и взглянув с тем выражением совершенной, неколебимой убежденности, какой место разве что в храме Божьем, а вовсе не в мирской, во всех своих отношениях сомнительной жизни.

«Нет, Гера, — повторил он, начав-таки возиться в попытках достать новую сигарету. — Так дело не пойдет. Ведь какая страна была, Гера, какая страна!.. Порядок нужен, порядок. Без порядка сейчас — никуда! — Прикурил и сказал таким тоном, будто продолжал развивать ту же самую мысль: — А Лизке при случае скажи. Пусть помнит... Что между нами — это дело личное. А сын есть сын. Понимаешь?»

«Как не понять... Только лучше ты ей сам скажи. А то, знаешь, вроде как в чужом пиру похмелье».

К метро шагал в неприятном состоянии растерянной взвинченности.

КРЕДИТОР

* * *

На другой день позвонила Лизка.

Вечером сообщил Кире: так и так, Лиза требует встречи. «Хочет с тебя стружку снять».— «С меня-то за что?» — «Здрасте, за что... За все хорошее. Ты ведь Артема любишь?» — «Ну допустим...» — «Ну вот, а она его теперь ненавидит, — вздохнула Кира. — И как, думаешь, должна отнестись к тебе?» — «Прямо уж ненавидит». — буркнул он. «Не знаю, прямо или криво, только сто лет он ей не нужен. И боится она его».— «Почему боится?» — спросил Бронников, хотя знал ответ. Но Кира тоже, вероятно, знала, что он знает, поэтому только усмехнулась и покачала головой.

Права, права Кирочка: ему теперь — только уворачивайся. Какая глупость! Ведь любит обоих — и Лизка ему дорога, и Артем... особенно теперь. И все равно: они враждуют, а тут все просто: если с самого начала занял позицию одной из сторон, то, возможно, в ходе конфликта сохранишь с ней добрые отношения, но другая, понятное дело, тебе этого никогда не простит.

А вот если вздумаешь поступать согласно здравому смыслу и собственным убеждениям, если попытаешься остаться объективным и будешь искренне говорить и там и тут только то, что думаешь, не пытаясь ни подлаживаться, ни заработать очки лестью или поддакиванием, — тогда для обоих сделаешься злейшим врагом.

Встретились у метро. Лизка, разумеется, минут на пятнадцать опоздала, однако в первую же секунду свидания посмотрела на часы и сухо сообщила, что у нее мало времени. «И что? — поинтересовался Бронников. — Это ты хотела встретиться, а не я». Она сморщилась с видом усталого благородства: ну вот, сразу мелкие счеты... а так хотелось увидеть хоть бы кроху великодушия. «Хорошо, хорошо... Ну?» — «В каком смысле?» — искренне не понял Бронников. «Что он собирается делать?» — «Я не знаю, что он собирается делать», — ровно сказал Бронников. «Ах, ты не знаешь?» — округлив свои зеленые, недобрые сейчас глаза, издевательски удивилась Лизка. «Не знаю», — так же ровно ответил Бронников. «Прямо-таки ни на вот такую чуточку не знаешь?!» — воскликнула она, весело посмеиваясь и даже поднося левую ладонь (в правой была сумка) к щеке жестом простодушного изумления. Бронников остановился. «Лизанька, — мягко сказал он. — Давай-ка с тобой решим, пока далеко от метро не ушли. Если ты со мной хочешь говорить по-старому... по-товарищески, как всегда прежде было... давай говорить. А если собираешься дурака валять и представляться фурией, то извини, я поеду, у меня нет времени на выкрутасы».

Лизка возмущенно, даже гневно на него воззрилась, сжимая кулаки и поднимая их к груди (поднималась и зажатая в правом сумка), и Бронников уже стал думать, в какую сторону упрыгивать, если эта явно взбесившаяся кошка на него, не приведи господи, кинется, как она вдруг всхлипнула, сморщилась и шагнула, припадая в рыдании, при этом ударив его сумкой сзади в лопатку.

«Ну, ну, — оторопело говорил он, похлопывая по спине и чувствуя ее содрогания. — Лиза, Лиза, перестань!» — «Герочка-а-а! — коряво, с подвыванием выговаривала она ему в ключицу сквозь всхлипы и шмыганья. — Герочка, родной, что мне теперь дела-а-ать!.. Мне его так жалко, так жалко!.. Просто сердце рвется!.. он же без руки вернуу-у-у-улся!.. А я такая сволочь!.. Что мне делать, Гер-а-а-а!.. Я без Саши уже не могу-у-у-у!..»

Прохожие уделяли им положенную долю внимания. Бронников даже услышал, как одна из двух семенящих к метро пигалиц вздохнула: «Залетела, бедняжка!».— «Ну а то ж... старичок-то еще коренастый», — ответила вторая, после чего они дружно прыснули и канули в подземелье.

Когда немного утихла, пошли по бульвару. Поначалу Лизка все что-то причитала, Бронников даже и не пытался разобрать — понятно было, что ничего содержательного не услышит. Окончательно успокоившись, горько сообщила, что все это ей, конечно, совсем некстати. Бронников вздохнул. «На развод я поздно подала... — с сожалением сказала она. — Затянулось... Там ведь как. Сначала умершим признать, потом ждать полгода... Эх, надо было раньше». Бронников недолго подумал. «И что бы тогда?» — «Ну что... развели бы нас, и все».— «Не знаю, — сказал он с сомнением. — Не очень складно получается. Признали умершим, на этом основании развели. Потом бац, а он не умерший. Тогда и развод не считается».— «Думаешь, не считается?» — «Не знаю... Да что тебе развод. В конце концов, просто бумажка».— «Не знаю! Я так боюсь, что он!.. так боюсь!..»

Лизка задохнулась от какого-то оставшегося Бронникову неясным ужаса (хотя, конечно же, все ему было ясно как божий день: боялась за себя, за новую семью и новое счастье, так тесно связанное с Сережей и Плетневым), — и вдруг ее снова понесло в яростную истерику: мерзавец, подонок, притащил себе подстилку медицинскую, клеенка липучая, тоже мне отец, гад какой, да к такому отцу она Сереженьку и на километр не подпустит! — и дальше, дальше.

Те три или четыре минуты, что она извергалась, Бронников меланхолично размышлял, что все-таки, что бы там кто ни говорил и каким бы флером ни завешивал реальные коллизии, а все-таки истина проста и однозначна: женщина рожает детей для себя, для себя лично, так было, так будет, и ничего ты тут не поделаешь, потому что движет ею не рассудок, не привычка, не воспитание и не чувство, о которых она при случае тоже не прочь поговорить, а веление природы, в сравнении с которым все вышеперечисленное — всего лишь пустые звуки, смысла в которых не больше, чем в коровьем мычании.

Вот и Лизка: ее Сережа, ее и ничей больше — не Артемов, не Сашин... ей до лампочки, кто случился его отцом: господи, ну какая разница, поделился трутень семенем, и хорошо, и любой бы рад — да еще с какой готовностью!.. И дурак Саша, если думает, что она ему, кроме себя, и сына вверила. Женишься на девушке — ты из нее сделаешь что хочешь, на женщине — она из тебя сделает что хочет, на женщине с ребенком — она тебя убьет! — откуда это?.. Слава богу, сам он уже прошел все эти выборы... «Ну да, ну да, вот именно: трутни!» — желчно подумал он. Просто трутни. Вот мы кто. Не в том смысле, что ленивые, а в том, что всего лишь носители спермы. Спасибо еще, после случки не едят для поддержки сил, как заведено у каких-то там паучих...

«Спасибо, Герочка, — сказала она на прощание. — Ты меня немного успокоил. — Посмотрела в сторону, кусая краешек губы, на лицо снова набежала тень, добавила горестно: — Ах, главное, чтобы Саша не узнал!» — и, словно в предчувствии несчастья, судорожно вздохнула, когда Бронников поцеловал ее в щеку.

Велико же было его изумление, когда буквально через два или три дня, увидевшись с Плетневым (и заранее приготовившись, в соответствии с восточной поговоркой, натянуть на лицо ослиную шкуру — то есть сделать его непроницаемым, как ватный тюфяк), он обнаружил, что Плетнев осведомлен о происходящем не хуже, чем он сам.

Правда, Плетнев на эту тему рассуждать не собирался, просто обмолвился, что в курсе — и пожал плечами: мол, что делать, пусть так, чего только не бывает, он за все на свете отвечать не собирается. Но все-таки что-то подсказывало, что и Плетнев не совсем спокоен. Да и понятно, разумный человек, легко способный осознать все сложности создавшегося положения. Пытаясь в те минуты поставить себя на его место, Бронников тоже почувствовал знобящий неуют.

КРЕДИТОР

Но подумал и о другом. Артем вернулся — а время уже зализало те пустоты жизни, что оставались, когда его выдернули. Так ветер (а пуще того — вода) зализывает неровность песка, если сделать вмятину: не успеешь оглянуться, а уже не найти того места — все ровно. Артем не погиб, он вернулся — но по всему выходит, что лучше бы ему пропасть: в этом случае он остался бы в памяти — и даже в Лизкиной памяти! — светлым, ясным отблеском чего-то такого хорошего, такого близкого, что если мельком задумаешься (пусть с годами все реже, ведь время лижет неустанно), защемит сердце сладким чувством невосполнимой утраты. А теперь?..

«Все-таки у него сын», — вздохнув, сказал Бронников.

* * *

Плетнев хмыкнул.

Так-то оно так... У Артема — сын.

Между прочим, у него самого тоже сын.

Когда впервые это понял, новость ошеломила. Сын. Его сын! Его собственный сын!

Главное, чему его учили, это преодолевать препятствия. Лепили с тем расчетом, чтобы он смог пройти «за» — пройти, какими бы ни были эти препятствия, пройти вопреки желанию и воле других. Из него делали что-то вроде пули. Пуле все равно, какие преграды на ее пути. Ткань? — прошьет ткань. Жесть? — да как ту же тряпку. Сталь? — пронзит. Кирпич? — вышибет здоровущий кусок, сделает что должна, только потом погибнет: для пули остановка — это и есть смерть.

Ради сына он смог бы все на свете разворотить, каким цементом, какой сталью ни загораживайся.

Но потом понял: нет ни брони, ни бетона, ни бойниц, ни брустверов. Только тонкие нити — нити жизни. Бесчисленные связи. Густое плетение, тесное, плотное... но все-таки такое нежное, что можно единым махом разорвать всю эту паутину. Вот только руку занести — и все в лохмотья.

Но он не заносил руку. Рука не поднималась. Время шло, он беспрестанно думал. Думал, думал, думал... Чувствовал, что Лизка боится его раздумий. Однажды рассказал ей — так и так, не знаю, что делать. Вроде как у меня сын. Но вроде как я... понятно, что я им там совсем не нужен. И ему самому, сыну то есть, не очень нужен... да и как я могу быть нужен, если он обо мне даже не знает? Ведь чтобы хотеть, нужно знать, верно? Вот человек хочет хлеба — ему известно, что такое хлеб, потому он его и хочет. А если бы не знал, если бы вовсе не представлял, что бывает на свете такая вещь — хлеб... Вот и он про меня не знает. А зато знает, что у него есть отец. Не я, совсем другой человек. И они с ним любят друг друга. Понимаешь?

Лизка морщила лоб, кусала губу, размышляя. В конце концов сказала, обнимая: «Бедный ты мой бедный!»

Вот это просто взбесило. Едва сдержался, чтобы не заорать: «Да что ж вы все меня жалеете?!» И больше разговоров на эту тему не заводил. Что попусту толковать? Если уверен — надо делать. А если не знаешь, что делать, нечего и языком молоть.

Лизка тем более помалкивала. Правда, подчас он ловил на себе ее задумчивый взгляд. Она помнила, она с опаской держала в уме это важное обстоятельство. Но он ловил и другие ее взгляды: она смотрела, как он возится с Сережкой, и в ее глазах светилось счастье, которое, может быть, искупало ее смутные опасения.

Да, с Сережей они успели настолько... сжиться, что ли?.. полюбить друг друга?.. что вообразить, будто что-нибудь может помешать их союзу, Плетнев не мог.

Он смотрел в его широко распахнутые, всегда будто чуть удивленные глаза — и терялся. Казалось странным, что между выражением этого всегда живого взгляда и самим Сережей не было даже малого зазора: радость или огорчение, восторг или обида — но и взгляд, и нежная гримаска лица говорили ровно о том, что чувствует и к чему стремится этот человек.

Может быть, это так удивляло его, потому что раньше он не имел дела с детьми — вот и не привык. А может быть, Сережка все-таки особенный.

С взрослым — другое, приходится делать кое-какую поправку: если тебе и не всегда врут, то уж точно, что всегда немного лукавят. Большей частью неосознанно — людям свойственно желание выглядеть чуть иначе, чем на самом деле. Кое-что они склонны скрывать, кое-что — нарочно выпячивать.

«Не забывайте! — говорил полковник Вульсон, читавший им курс «Основ житейской психологии». — Он расхаживал мимо доски от окна к двери и то воздевал указательный палец к потолку, то упирал его в первого попавшегося с таким искаженном гневом лицом, как будто именно этот несчастный самонадеянно пытался всех тут ввести в заблуждение. — Между вами и другим человеком непременно висит что-то вроде наведенной им дымовой завесы. То, что вы видите, — всего лишь иллюзия, нечто несущественное! Ваша задача — докопаться до истины. И решить задачу нужно мгновенно, в противном случае решение не стоит даже вчерашней телепрограммы!»

Ну да...

Вот, скажем, человек беззаботно смеется, хохочет, хлопает тебя по плечу, лучится дружелюбием, но как ни старается внушить, что именно его беззаботность и веселье — правда, а все же только простак не заметит, что в глубине зрачков живет настороженность, — и поди еще догадайся, к чему именно она относится... Или, наоборот, сводит брови, стучит кулаком по столу, громыхает что твой АГС, грозит разного рода карами вплоть до увольнения — в общем, сурово распекает; но стоит заглянуть в глаза, и становится ясно: он только делает вид, что сердится, больше шуму, чем дела, а в действительности понимает, что ты не мог поступить иначе.

По пальцам перечесть, когда и внешность, и гримаса, и, главное, взгляд отражали ровно то, что человек в ту секунду испытывал... Все это были тяжелые моменты. Он бы хотел забыть навсегда — какой смысл помнить, если все равно уже ничего нельзя исправить? Черта с два: время от времени всплывало.

Чаще других вспоминался взгляд полковника медицинской службы Кузнецова: когда тот, прошитый нелепой, не ему предназначенной автоматной очередью, валился на пол, срывая штору, за которой скрывался, — и по его изумленному взгляду было понятно, что в последнюю секунду он понял, кто именно отнял у него жизнь...

А вот Сережка всегда равен самому себе. Смеется — глаза лучатся. Хмурится — брови «домиком». А если растроганно кивает, в тысячу первый раз слушая про муху-цокотуху и спасшего ее комарика, влажные глаза наливаются глубиной, какой позавидует иная морская впадина...

Поначалу ему казалось, что его держит только Лизка. Но прошло немного времени — он и к Сережке прилепился.

Странно сейчас представить, что они с Лизой могли не встретиться...

Конечно — могли бы. Ведь чистой воды случай. Что-то вроде чуда. Примерно как стрелять с закрытыми глазами, не представляя, в какой стороне мишень, — и трижды попасть в «яблочко». Почему Лизка оказалась на той остановке именно в ту минуту? Почему два этих ферта стояли именно там и в то же время? Почему выбрали ее, а не кого другого, — разве мало видных шапок на головах московских красоток?.. Лизка потом все повторяла, смеясь, что ее шапка только смотрится дорого: издали глянешь — ого, рублей на семьдесят потянет, — а на самом деле у нее таких денег отродясь не было, своими руками красоту состочила. Верх матерчатый — но какой: черного серебристого бархата, еще бабушкин лоскут, понизу — опушка из такого же серебристого, жесткого, будто наструганного по червленому металлу каракуля, что хранился у мамы... В общем, никакие не семьдесят, а практически даром. «Маху дали жулики! — повторяла она. — Гере, Гере рассказать всю историю — он бы точно об этой шапке сочинил!»

Плетнев неопределенно хмыкнул, возвращаясь к словам Бронникова.

«Это да, Гера. У него сын. Тут не поспоришь».

Бронников покивал. Сидели на разломанной лавке в каком-то дворе.

Плетнев остро чувствовал, что Бронников готов занять сторону Артема.

Следует выбрать верную тактику. Не говорить ничего резкого.

«Знаешь, у меня ведь тоже сын», — вздохнул он.

«Тоже? — удивился Бронников. — Откуда?»

«Гера, откуда дети берутся?.. неважно. Факт, что есть. Ему сейчас девять. Нет, уже десять. Я его никогда не видел. Без меня вырос. И у него есть отец. Ну, то есть настоящий отец — это я, конечно... но что значит «настоящий», Гера?»

Бронников долго молчал.

«Да, — сказал он в конце концов. — Эх, молодость, молодость. Вечная история у вас с этими детьми, честное слово».

3

Вообще-то, когда началась эта чепуха с «Лебединым озером» и долетел клич сходиться к Белому дому на защиту демократии, Бронников первым делом хотел позвонить

Артему. Но, уже взявшись за телефон, живо вообразил, как тот, в короткое время, вопреки прошлому, заделавшийся упертым любителем порядка, приложит его мордой об стол: для начала поинтересуется, какая нелегкая несет туда самого Бронникова, а затем сухо разъяснит, что ни в чем подобном не видит необходимости, поскольку первые указы ГКЧП, из кого бы оно там ни состояло, бьют в самую точку.

Поколебавшись, набрал номер Саши. Плетнев кое о чем неспешно расспросил, потом обнадежил: сейчас не может, но к вечеру подтянется. «Как ты меня найдешь? Там небось народищу будет...» — «Найду», — ответил Плетнев. И точно — нашел. Ночь провел здесь, утром уехал на работу. В конце дня опять вернулся...

Бронникову казалось, что ночь прошла в нервозном ожидании чего-то последнего, чего-то такого, что должно подвести жирную черту под прошлым. И кто ее перейдет, кому повезет остаться в живых — тот окажется в будущем.

Знобкое ожидание оказалось напрасным: ничего не случилось, черту не подвели. К утру острота предчувствия истаяла, оставив по себе неприятное опустошение и зевоту. Кое-кто, угнездившись в недрах оборонительных завалов, подремывал, невзирая на сырость и возможность обрушения.

— Видишь, Гера, — сонно сказал Плетнев, потягиваясь. — Не так страшен черт...

Как будто назло его словам откуда-то со стороны Калининского донеслась сначала частая стрельба, а потом рев и рычание двигателей.

Плетнев задумчиво поднял брови.

«Началось!» — с содроганием подумал Бронников.

Скоро, впрочем, выяснилось, что гремят вовсе не танки при поддержке пехоты, а просто какие-то панки-неформалы-анархисты или кто они там есть, безумные пэтэушники, завели бульдозер, являвшийся составной частью одной из баррикад, и теперь с ревом и гарью улучшали саму баррикаду, заталкивая наверх бетонные плиты. Один, с красным ирокезом, сидел за рычагами, другой — с зеленым — деловито пятился перед ним, призывно помахивая и крича по сторонам: «Сторонись, мужики!.. сторонись от греха!..»

Собственно говоря, ничего удивительного в этом не было: народу собралось тьма — и очень разного. Присматриваясь и примечая то одну, то другую диковину, Бронников только диву давался.

Часов в девять утра началось что-то новое: батальон ВДВ, перешедший, по слухам, на сторону народа и проведший ночь у стен Белого дома наравне с другими его защитниками, ожил и зашевелился: машины начали заводиться и елозить, постепенно строясь в колонны и имея очевидное намерение сползти откуда явились — к набережной.

За ночь солдаты стали здесь своими в доску: кое с кем они крепко подружились, а иные и девушку нашли, вчерашнюю враждебность сменили самые теплые чувства, и толпа в охотку помогала проделывать проходы в баррикадах.

Когда батальон начал выдвижение, провожали приветственными воплями, в люки БМД, в открытые окна кабин летели конфеты, пряники, трешницы, десятки...

Плетнев, наблюдая новое явление человеческой стихии, на этот раз веселой и праздничной, недовольно буркнул, что сроду не видал сборища таких баранов.

— Что?! — изумился Бронников, услышав столь оскорбительное замечание в адрес защитников. — Почему — баранов?

— Ну а кого? Идут их якобы защищать — не пускают. Помнишь, что вчера было? Под машины ложились. Теперь бросают на произвол судьбы — они, наоборот, ликуют.

— Не пускали, потому что еще никто не знал, что они на нашу сторону переходят.

— Переходят! — фыркнул Плетнев. — Гера, ну честно слово, ты как маленький. Посмотрел бы я на того комбата, который посмеет куда-то там по своей воле перейти.

— А тогда зачем всю ночь нас охраняли?

— А с чего ты взял, что они *нас* охраняли? Может быть, *от нас* охраняли. Но даже если охраняли, то куда теперь собрались? Перешли — так и охраняли бы дальше.

Бронников хотел возразить, но вместо того поднес ладонь ко лбу и стал присматриваться к рокочущей возне; толстая грязно-зеленая змея первой колонны батальона уже сползала к набережной.

— Ладно тебе, — примирительно сказал он. — Люди собой готовы пожертвовать, а ты!..

Плетнев пожал плечами.

На его взгляд, толковать с Герой было бесполезно, потому что жизни Бронников не понимал, даром что писатель. А уж если касалось дел, решаемых силой (неважно, телесной или военной), то и вовсе выказывал младенческую наивность.

Он снова окинул взглядом все охватывающее здание пространство. Затопленное людской жижей, тут и там вздыбленное баррикадами (казалось, катастрофическое землетрясение неряшливо выворотило наизнанку корявые внутренности земли), оно и тут, и там, и всюду было тронуто неким зыбким маревом, легким трепетанием тревоги и страха: то сгущается, то бесследно рассеивается, когда бегут бодрые слухи и толпа отвлекается на что-то более живое, чем ожидание скорого штурма и предчувствие грозно надвигающейся смерти.

Было непонятно, в чем задержка. Время идет, а ничего не происходит. Почему? Странно... Ни дурацкие эти баррикады, ни само человеческое мясо не могло воспрепятствовать наведению порядка.

КРЕДИТОР

Все здание наверняка снизу доверху набито всякого рода мишурой — полированные панели, пластиковые потолки, паркет под ногами, ковры, мягкая мебель.

Поэтому первым делом с двух-трех сторон вогнать в здание пару десятков ПТУРов. Без особого ущерба для окружающей толпы, просто в окна: бац, бац! Первые же попадания приведут к тому, что внутренности займутся ярким пламенем. Повалит удушающий дым, поднимется смрад горящих лаков, красок, полиролей, синтетики.

Как только запахнет жареным, толпа разбежится. Тогда подтягивай пару взводов и жди, когда обитатели еще недавно совсем белого дома начнут выпрыгивать из окон. Кому повезет — сиганет со второго. Кому меньше — с четырнадцатого. Первых брать, вторых — собирать. Вещи очевидные...

Тогда чего ждут? Что за странная заминка? Говорят, наводнили всю Москву бронетехникой — зачем? Все происходит здесь, здесь бы и начинали...

А если не начинают, то кто кого боится и кто всем управляет? И какие задачи предполагает решить? Если бы задачей было подавление сопротивления, с ней бы справилась одна спецгруппа.

Размышления навели на мысль о ребятах. Как они там? Большаков, Аникин, Бежин, Первухин... Первухин за Тадж-Бек получил Героя. Теперь уже несколько лет командует подразделением.

Голубков говорит, не очень довольны. Все-таки они — группа антитеррора. А их кидают куда ни попадя. В основном на массовые беспорядки. Ереван, Баку, Вильнюс.

Он оглянулся. Кстати говоря, чем тут хуже Вильнюса? Сам не видел, но, судя по газетам, примерно то же самое. Только, пожалуй, народу больше.

Скорее всего, их и сюда бросят... даже наверняка.

Смешно было бы столкнуться при таких обстоятельствах. Так сказать, по разные стороны баррикад. Батюшки-светы, сколько лет, сколько зим!..

Сам он видел только Епишева. И то случайно встретил: шел со службы, вспомнил, что Лизка просила забежать в продуктовый, двинулся к Смоленке. Мельком обратил внимание на раскладной прилавок, сооруженный из лыжных палок и дверец от старого шкафа. На тряпице лежали рыболовные поплавки. В эту секунду хозяин повернулся. Левый глаз закрывала повязка. Поймав его взгляд, Епишев наморщился — должно быть, силился вспомнить, кому принадлежит знакомое лицо...

Обнялись, заговорили. Епишев обрадовался. И сам он обрадовался. Только почему-то опять и опять тянуло смотреть на черную повязку. Хотя он понимал — каждому свое. У Епишева — глаза нет. У него самого — девяти лет как не стало... тоже вроде как вышибли. Про себя он знает. А Епишеву за что?.. Да кто его знает, наказаний без вины не бывает.

Епишев сказал, что слышал что-то о каких-то его неприятностях. Плетнев усмехнулся: если слышал, так наверняка и в деталях знаешь. Епишев искренне замотал головой. Нет, краем уха. Как на пенсии оказался, никого из ребят не видит. Но он не в претензии. Что тут непонятного — служба. Уж кто-кто, а он службу знает... «Сам-то я, видишь, — сказал он, имея в виду свое увечье. — Из строя выпал. Дела инвалидские. С одним глазом много не наковыряешь. Сын помогает. Сын режет, я крашу». Возле них остановился прохожий. Епишев замолчал, радушно на него глядя. Приветливости в одном глазу хватило бы на оба. «Отец, слышишь, рубит», — ни с того ни с сего пробормотал Плетнев: всплыло что-то из школьной программы. Епишев не обратил внимания, он с улыбкой смотрел на клиента. Тот ткнул пальцем в какое-то изделие: «Почем?» — «Три рубля», — ласково сказал Епишев. «Три рубля?» — «Да разве много?» — «Немало...» — «А кило карася почем, знаешь?» — «Ну, ты скажешь: кило карася...» — «Мои в темноте видны. И всегда торчком, не ошибешься. Сами рыбку зовут».— «Ладно, пойду», — сказал Плетнев. «Давай, захаживай, — кивнул Епишев, чтобы тут же вернуться к делу. — Она как глянет — ого, епишевские, тут обману не будет. И сразу к наживке. Понимаешь?»

Больше не видел.

А с Голубковым встретились сразу, как приехал в Москву, суток не прошло, — и так, будто и не расставались, хотя Голубков дослужился до полковника, а Плетнев, несколько дней назад сменив лагерную робу на то, в чем когда-то взяли, остался в своей ношеной «песочке» без погон, из-под которой выглядывала застиранная байковая рубашка в красную клетку: в целом вид такой, словно только что вернулся из стройотряда. Поехали к нему. В метро Плетнев встал спиной к двери. «Здесь написано: не прислоняться, — озабоченно сказал Голубков и, протянув руку, наставительно поцокал ногтем по стеклу. Судя по всему, он остался прежним хитрованом: лукавая деревенщина, даром что в чинах. — А ты, бляха-муха, прислоняешься».

Вдруг вагон резко дернулся. Простонали напоследок колодки, шикнула пневматика.

Друг за другом начали вздыхать пассажиры.

Скоро в динамиках похрустело. «Просьба соблюдать спокойствие».

Голубков посмотрел на Плетнева со значением. Когда послышался нарастающий шум поезда, разъяснил: «Видишь, бляха-муха, встречный пропускали».

Снова хрустнуло: «Осторожно, поезд отправляется!»

«Вот и все, — сказал Голубков так успокоительно, будто все это время Плетнев бился в истерике. И озабоченно нахмурился: — Крепче держись. А то мало ли...»

Пива оказалось много, и тем вечером Голубков рассказал все — и про всех. Слушая, Плетнев смутно думал, что если бы не случилось вывиха судьбы и он провел прошедшие годы с ними, все было бы так же обыденно и дежурно: рассказ о жизни уложился бы в пару фраз... Его собственное время протекло в совсем иных обстоятельствах, и что? — да ничего, примерно то же самое: пары фраз хватает, чтобы рассказать.

Если же Голубков заговаривал о себе — делал это только после понуканий, — взгляд становился едва ли не тоскливым. «Да как... да ты же сам помнишь. А потом — ну что. Ну подштопали маленько, вернулся... еще года полтора с ребятами служил. Потом забрали в другое спецподразделение... Что еще? Ну да, Афган, бляха-муха... а куда без него? В общем, такая свистопляска была — ужас, разве все упомнишь... Теперь-то? — замялся. — Да как тебе сказать...» «В автобате при военкомате», — понимающе сказал Плетнев. «Примерно, — согласился Голубков. — К себе звать не буду, но что-нибудь приищем, бляха-муха, не горюй».

И точно: помог с документами, нашел работу. Теперь время от времени виделись...

Последним на набережную осторожно вырулил крытый «Урал» с прицепленной к нему полевой кухней КП-125. Из трубы вился аппетитный дымок.

— Вот так, Гера, — вздохнул Плетнев. — Даже кашу свою увозят. А ты говоришь.

2. Ворон

1

Армейский уаз пробрался к самой стоянке.

— Приехали, товарищ генерал-майор...

Ворон что-то буркнул, выбрался на волю, произведя кряканье рессор и колыхание всей машины. Распрямился.

КРЕДИТОР

Ему хватило одного взгляда. Похоже, трудились с самого утра. Конечно, это была судорожная деятельность возбужденных и взъерошенных людей. Но кое-какие ее результаты были несомненны.

— Наворотили, — огорченно заметил Карамышев.

Вероятно, строители не знали точно, откуда именно на них двинутся враждебные силы, поэтому городили на всех направлениях, используя самые разные материалы, в том числе легковые автомобили.

Сейчас человек сорок штатских с гиканьем пытались перевернуть троллейбус. Наблюдая за их плохо организованными потугами, Ворон подумал, что, если судить по внешности, народ подобрался все больше простой, хороший.

Однако он знал, насколько обманчиво бывает первое впечатление, а потому угрюмо присматривался, размышляя, как увязать то, что происходит возле здания, с приказом организовать охрану и оборону Верховного Совета РСФСР.

С одной стороны, исходя из того, что баррикады — сооружения оборонительные, следовало заключить, что обороняться ему предстояло плечом к плечу с теми, кто уже начал эту оборону и, в частности, переворачивал троллейбусы. С другой, исходя из общих представлений о порядке, предполагавшем, опять же в частности, что троллейбусы должны ездить, цепляясь рогами за провода, а не валяться вверх колесами, он не мог исключить и другого варианта — что от них самих придется оборонять. Этого бы, конечно, не хотелось... а там уж как сложится.

Приглядываясь к суетящимся вокруг, Ворон пытался оценить степень их остервенения. На что готовы?

Полгода назад его дивизия участвовала в миротворческой операции в Баку. Там он всякого навидался и многому научился. И теперь, присматриваясь к тому, что происходило вокруг здания Верховного Совета, он пытался понять, как будут развиваться события. На данный момент вся эта деятельность ничего хорошего не предвещала. Баррикад он навидался выше крыши. Сначала — разнородный хлам кучами. Потом бутылки с бензином. Чуть погодя — оружие. Всегда оно откуда-то берется, это чертово оружие... И что тогда делать?

Хотелось бы иметь ясность. Но ясности было на удивление мало.

Началось с того, что позавчера, когда поступил приказ привести дивизию в боевую готовность по «Южному варианту» — то есть в течение семи часов приготовиться к передислокации, — он задал вопрос: куда предстоит двинуться? Баку — так Баку, Тбилиси — годится и Тбилиси, к черту в зубы — тоже неплохо, — но все-таки интересно знать, далеко ли едем, и всегда прежде его законный интерес немедленно удовлетворяли.

В этот раз командующий ВДВ Грач (Ворон состоял его заместителем по боевой подготовке, схождение двух птиц на одной ветке вечно порождало в рядах добродушного генералитета вороха беззлобных шуток) в ответ только недовольно прокаркал: «Будет уточнено позже!»

Стал разбираться своими силами. Предварительно выяснилось, что где-то на границе Армении и Азербайджана более сорока солдат внутренних войск захвачены в заложники. Ага, вот оно что! вот куда!.. Номенклатуры карт предполагаемого района действия в дивизии не оказалось. Запросили штаб ВДВ — получили отказ.

Между тем время шло, но ни через отведенные нормативом семь часов, ни даже через двенадцать никаких уточнений не поступило.

Раздумывая и наводя кое-какие справки, Ворон пришел к самостоятельному выводу, что никакого «Южного варианта» не будет. Тогда зачем ему морочат голову?

Подозрения оправдались. Больше чем через сутки — в четыре часа девятнадцатого — его разбудили новым приказом: вылет отставить, а вместо того тремя полками — Костромским, Рязанским и Тульским с соответствующих направлений — совершить марш на Москву и к четырнадцати ноль-ноль сосредоточиться на аэродроме в Тушине.

Сказано — сделано.

К половине одиннадцатого утра вышли к столице. На кольцевой дороге стали попадаться танки — то группами по два-три, а то и одиночные. Куда следуют — неизвестно. По тому, насколько очумело выглядывали из люков танкисты, можно было предположить, что они и сами не знают.

Не успел оказаться на месте — новая песня: лично выдвинуться к Верховному Совету РСФСР, войти в контакт с начальником охраны, после чего силами 2-го батальона Рязанского полка организовать охрану и оборону здания.

В качестве водителя он взял полковника Карамышева. По дороге обогнали две колонны бронетехники — одну на Волоколамском шоссе, в относительном отдалении от жилмассива, где она не привлекала к себе особого внимания, другую на Ленинградском недалеко от Белорусского — тут на тротуарах теснился народ, встревоженно взиравший на рокочущие на холостом ходу танки. «Это что за петрушка, товарищ генерал? — осторожно поинтересовался Карамышев. — Война с китайцами?» Ворон не ответил, только нахмурился. За площадью попали в пробку, машины ползли еле-еле.

И вот он здесь — у подножия здания, горделиво вознесшего неисчислимые тонны своего рафинада над неряшливым мельтешением пополняющейся толпы.

* * *

Его раздумья вынужденно прекратились, когда пытавшиеся перевернуть троллейбус обратили на них внимание: на время бросили свою затею и сбежались, взяв в кольцо.

Человек в шляпе и перекошенных очках кричал, наскакивая: «Майор! Неужели вы в нас будете стрелять?» Другой подхватывал: «Вспомните, чему вы присягали!» Третий орал наобум: «Сволочи!..»

Сам Ворон молчал, неспешно поворачивая голову, казавшуюся маленькой по сравнению с толщиной шеи. Его массивная фигура (стоявший рядом рослый и плечистый Карамышев производил впечатление худощавого мальчика) и тяжелая, угловатая, в пунцовых воронках — следах юношеского фурункулеза, физиономия, украшенная вдобавок не то высокомерной, не то просто издевательской ухмылкой, благодаря которой ее хотелось назвать просто рожей, сами по себе производили эффект устрашения, который, как известно, часто является первой фазой успокоения. Не исключено, что народное возмущение скоро бы утихло, но тут кто-то, присмотревшись к тусклым звездам на полевых погонах, крикнул: «Да он же не майор! Он генерал-майор!» — что почему-то вызвало новую волну гневных угроз и ругани. «Пошли, — буркнул Ворон. — Нечего тут».

Минут сорок они толклись по этажам в тщетной надежде найти здесь того, кому имело бы смысл представиться: мол, так и так, заместитель командующего воздушно-десантными войсками генерал-майор Ворон, имею задачу силами парашютно-десантного батальона организовать охрану и оборону здания Верховного Совета и прибыл для организации взаимодействия, — а когда несолоно хлебавши вышли из здания, обнаружилось, что картина происходящего переменилась: откуда ни возьмись, появились краны, самосвалы с бетонными блоками и арматурой. Выросло и количество народу. Ворон хмуро присматривался, кое-что про себя прикидывая. Карамышев зло тыркал рычаг переключения передач, подкатывая то к одному, то к другому заграждению. В конце концов проехали газонами и, немножко попрыгав, съехали на набережную по парадной лестнице. «Хорошая все-таки машина», — заметил Карамышев.

Прежде ему не приходилось искать свои батальоны, и он полагал, что дело это простое. Все-таки батальон ВДВ — не иголка, не так просто его потерять: громада бронированных машин, грузовиков и более чем полтысячи личного состава. Однако связи не было, и они долго вслепую крутились переулками, то и дело натыкаясь на вырытые поперек дороги канавы и расчетливо брошенные бетонные блоки. На Калининском батальон тоже не обнаружился. Еще битый час выписывали круги по близлежащим улицам, пока наконец не нашли его на стройке метрах в трехстах восточнее Белого дома.

Как некогда казаки-запорожцы обставляли свой бивак повозками, так и батальон окружали развернутые в разные стороны БМД. За ними, внутри сравнительно небольшого круга, теснились построенные в линию ротных колонн люди и машины. Вокруг шумела толпа. «Сынки, ну как же вы против своих-то, господи!» — летел над собравшимися пронзительно причитающий женский голос. Его вперебой заглушали другие — увещевающие, стыдящие, грозно ревущие. «Да они же поленья! Прикажут, отца родного в асфальт закатают!» — «Ответите, за все ответите!» — «Кого защищать беретесь?» — «От кого защищать? От народа?!»

Ворон вылез из машины.

«Вот главный-то!..» — «Генерал, ты тут командуешь?» — «Уводи свои щенков нах!..» — «Нах нам тут на них смотреть!» — «Сынок! Ты ж вспомни, как сам-то маленьким был!..»

* * *

Последний вопль заставил его — ну, не то чтобы вздрогнуть, конечно, но память на мгновение всколыхнул. Он хорошо помнил, как был маленьким.

Андрей ВОЛОС

Ему едва исполнилось двенадцать, когда ясным, солнечным летним днем толпа сошлась на главной площади Новочеркасска, где в одном здании размещались горисполком и горком партии, в соседних — милиция, УКГБ и Госбанк. Вороны жили в двух шагах, на Свердлова. Накануне вечером мать дошила новые штаны, посулив спустить шкуру, если он и эти располосует. Поэтому он не полез на каштан, как все, а устроился на заборе, совершенно безопасном в рассуждении острых сучьев. Сначала дядька в пиджаке вышел на балкон горкома и стал гулко и грозно кричать в микрофон. Его сердитая речь оказалась недолгой, и когда в него полетели первые камни и бутылки, динамик исправно разнес яростное «Твою мать!..», которым она завершилась. Повалили вперед, кто-то уже ворвался внутрь, доносился грохот, звон бьющегося стекла — должно быть, крушили всё подряд. Появились солдаты, другой дядька — в форме — снова что-то командно выкрикивал, только не с балкона, а от дверей, а из толпы ему яростно отвечали. Потом небо с треском разорвалось. Скопище шатнулось, отхлынуло от пальнувшей в воздух шеренги. Но все вроде оказались живы, вдобавок кто-то закричал, что стреляют холостыми, толпа прихлынула обратно, и тогда все вокруг стало трещать и рваться по-настоящему. Люди побежали, кто-то падал и оставался лежать. Уже летя с забора на другую сторону, в палисадник, он видел, как с дерева мешком валился — цепляя сучья и безжизненно переворачиваясь — незнакомый мальчишка...

Все это было страшно, но страшно каким-то веселым, бесшабашным страхом, когда сердце, избежав опасности, колотится и ликует: проскочить переулком, сигануть еще через два забора, а на третьем все-таки порвать штаны, но даже не обратить внимания — до штанов ли, когда такое!.. А улепетнув за четыре улицы и оказавшись во дворе, схватить с-под навеса железную кружку и пить,

пить холодную воду, уже не вполне понимая: это на самом деле было или привиделось? И обнаружить располосованную штанину и сидеть, прикладывая лоскуты друг к другу в нелепой и горестной надежде, что они каким-то чудом срастутся... Вскинул голову на стук калитки, увидел бегущую к нему мать. Думал, уже сдирать шкуру, но не успел толком испугаться: схватила в охапку, стала тормошить и тискать, повторяя со слезами: «Господи, живой!..»

Совсем страшное началось к вечеру. Город накрыло черной тучей. Никто не знал, сколько погибло, сколько раненых, сколько изувечено в толпе. Говорили, трупы тайно вывозили в степь, зарывали в безымянных могилах. Весь следующий день шла зачистка: милиция и военные врывались в дома, арестовывали, увозили... На площади перед горкомом теснились грузовики с дымящимся асфальтом, тяжело ползали катки: клали новый, потому что прежний не удавалось отмыть. Родилась и легенда: что вроде бы одному «старлею» в тот день на площади кто-то крикнул: «Смотри, сука, где стоишь!». Посмотрел старлей — а стоит в луже крови, и тогда он вытащил пистолет и застрелился на глазах у своих солдат.

Впрочем, когда сам вырос, поступил в военное училище и стал офицером, байка о старлее перестала казаться ему правдивой и волнующей.

* * *

Карамышев продирался впереди, приговаривая: «Товарищи, позвольте!.. Позвольте, товарищи!.. Товарищ, посторонитесь!..»

Со стороны батальона тоже кричали: «Смотри-ка, Ворон!» — «Комдив приехал!» — «Сейчас расскажет!..»

Он увидел обрадованные лица офицеров и солдат, успев мельком подумать, что ему, к сожалению, сказать нечего: и сам ни черта не знает. Только слышал: ГКЧП. А что за ГКЧП, с чем его едят? И еще мелькнула мысль:

почему его используют вот так, втемную, заставляя исполнять приказы, смысла которых он не понимает?

Потом, пытаясь успокоить, обращался к толпе — для этого пришлось забраться на верхотуру бетонного блока, — ревел, заглушая своим рыком близкий рев проспекта, внушал собравшимся, что армия — плоть от плоти народа, а потому стрелять в народ не будет. С пушечным выстрелом каждого слова поворачивал голову, показывая то одной, то другой стороне горизонта свое грубо тесаное лицо. Голос его катился, будто колесо самосвала по сырому гравию: со скрежетом и треском.

«На данном этапе прошу успокоиться и не накалять обстановку! — завершил речь Ворон. Толпа одобрительно взревела. — Батальон будет заниматься проблемами собственного жизнеобеспечения!»

Личный состав, услышав знакомые команды и избавившись от непонятного, а потому мучительного ожидания, тоже взбодрился. Становище стало обретать положенный вид: тут построились палатки, там поднялся шатер столовой, у машин означилась деятельность механиков, в сторонке гордо возвысился сортир, полевая кухня варила кашу, парные часовые встали по периметру бивака.

То есть все более или менее устроилось. Но все же где-нибудь в чистом поле или, скажем, возле березовой рощи, на опушке которой мог без стеснения развернуться командный пункт, грозный парашютно-десантный батальон со всеми своими громоздкими бебехами гляделся бы весело и сильно.

Здесь же, где его неповоротливое бронированное тело, заведомо предназначенное для разрушения, а сейчас само изломанное в неловких попытках встроиться в нагромождения городского квартала, он казался вывернутым наизнанку и вызывал не боязливое уважение, а нахальную усмешку.

Даже связь не наладили: комроты доложил, что эфир сплошь забит городской дрянью. «Двушка есть?» — тяжело спросил Ворон. Взял Карамышева и пошел искать телефон-автомат. Грач оказался на месте. «Хорошо, Ворон, — сказал он, выслушав доклад. — Продолжай подготовку к ночлегу. Ну и это... действуй по обстановке, если что».— «Есть продолжать подготовку к ночлегу, — ответил Ворон. — Есть действовать по обстановке».

Когда вернулись, их ждала целая делегация. Оказалось, генерал-майора Ворона хочет видеть лично президент РСФСР Борис Николаевич Ельцин. И сожалеет насчет того, что они не увиделись раньше.

Все вместе двинулись к Белому дому.

2

Десять с лишним лет назад, когда Плетнев плечом к плечу с ним стоял под беззвездным небом Тадж-Бека, Первухин носил капитанские погоны.

Ныне он был, как Ворон, генерал-майором.

И тоже не мог избавиться от ощущения, что его превратили в марионетку: кто-то где-то что-то решал, а ему приходилось выполнять приказы, конечный смысл которых оставался неведом. Точнее даже не исполнять, а готовиться к исполнению: приказы поступали один за другим, не успевал он приступить к одному, как следовал новый, отменявший предыдущий, — и так раз за разом.

Началось с того, что семнадцатого августа начальник «семерки» генерал-лейтенант Занозин, в подчинении которого находилась группа «А», вызвал его, чтобы поинтересоваться количеством сотрудников и степенью их готовности. Первухину вопросы показались странными, поскольку никто не упразднял заведенного порядка, в соответствии с которым данные о личном составе каждое утро докладывались в главк дежурным. Что же касается степени готовности, то, пока не объявлялась «тревога» и не ставилась боевая задача, она оставалась постоянной.

«Ну хорошо, — сказал Занозин. — Тогда будьте на связи». Тоже интересно! — Первухин и без того всегда на связи, ибо как может не быть на связи командир элитного спецподразделения?.. Однако, руководствуясь субординацией, он недоумения не выказал, а только сказал «Есть!».

Все это в целом его, несмотря на недоумения, совершенно не насторожило. Имелась кое-какая сторонняя информация, что несколькими днями раньше в Закавказье произошел захват заложников. В этой связи и могла быть задействована группа. Непонятными оставались только причины промедления: если требуется их участие, то почему не вылететь сразу. Однако он понимал, что у начальства могут иметься соображения, которые оно не считает нужным доводить до подчиненных.

Затем генерал Занозин спросил, уверенно ли Первухин знает расположение зданий и помещений военного аэродрома «Чкаловский». Андрей Никитович ответил утвердительно, ибо по роду службы бывал там неоднократно и расположение всех служб аэродрома знал назубок. Удовлетворившись ответом, Занозин отправил командира группы «А» в Министерство обороны, где ему предстояло согласовать схему безопасности предполагаемой встречи президента России Ельцина с руководителями СССР. Именно так и сказал: «с руководителями СССР».

Первухин отбыл, в который раз не выказав недоумения, хотя снова ему кое-что осталось непонятно. С тех пор как Михаил Сергеевич занял свой высокий пост, в стране был один руководитель — президент Горбачев. Почему слово «руководитель» нужно употреблять во множественном числе, что еще за «руководители СССР»?

Морочить себе голову он не стал, а просто с военной твердостью решил, что, поскольку многие параметры предстоящей операции остаются, к сожалению, непроясненными, следует быть готовым ко всему на свете.

КРЕДИТОР

В таком настроении он приехал в военное ведомство, где перед ним поставили конкретную задачу: подготовить группу порядка тридцати человек и обеспечить охрану намеченного мероприятия.

Ему уже многократно приходилось решать подобные задачи, ничего нового не прозвучало. Однако здесь, вопреки словам генерала Занозина, упиравшего на «Чкаловский», почему-то допускалось, что переговоры могут пройти также в аэропорту «Внуково». Или в Архангельском, где президент РСФСР Б. Н. Ельцин проживает. Или даже еще где-нибудь.

Кроме того, когда он поинтересовался составом руководителей СССР, которые примут участие во встрече с президентом Ельциным, генералы переглянулись, а потом один из них так скривился и так помахал рукой, что Первухин сделал вывод: то ли эти имена ему знать пока не положено, то ли генералы и сами их не знают. Прежде такого тоже не бывало, ясности не добавило, но все-таки нельзя сказать, что поставило его в тупик — ведь он уже решил, что следует быть готовым ко всему на свете.

Восемнадцатое попадало на воскресенье. Прежде Первухин собирался поехать на дачу, но, словно что-то предчувствуя, изменил планы и даже, несмотря на недовольство жены, заночевал на базе. Предчувствие его не обмануло: в два часа ночи вызвал первый зампред КГБ Яблонько. Перед выездом к нему на Лубянку Первухин приказал поднимать личный состав по тревоге. Поэтому когда вернулся, все было готово, оставалось собрать штаб и раскрыть суть операции ограниченному числу лиц. Как он и подозревал, об охране встреч и мероприятий наверху уже никто и не заикнулся — намечалось совсем другое.

Часа через полтора выехали из ворот расположения, привычно выстроились колонной и направились в сторону Рублево-Успенского шоссе.

В середине ехали два автобуса «ПАЗ» с задернутыми на окнах занавесками.

Все в Москве знают, что этими транспортными средствами укомплектована ритуальная флотилия столицы: день-деньской они сновали туда-сюда, доставляя сначала покойника на кладбище, потом неутешную родню на поминки. Одинаково угловатые, одышливые, с единственной скрипучей дверью для входа-выхода пассажиров, они компенсировали свои многочисленные недостатки одним неоспоримым преимуществом — задней дверью, поднимавшейся кверху и позволявшей беспрепятственно осуществлять погрузку-выгрузку. Как правило, речь шла о гробах, однако наличие задней двери являлось большим подспорьем также и в отношении транспортировки пулеметов или другого габаритного вооружения.

В эту несуразную рань, которую только большой оптимист назвал бы утром, дорога была свободна, не требовалось даже попусту мелькать синими спецсигналами. Поэтому не исключено, что какой-нибудь гражданин, чуть свет вставший у окна, чтобы потянуться и глотнуть свежего воздуха, был введен в заблуждение и решил, что процессия движется именно что по скорбным делам. Отметив же, что ритуальных «пазиков» два (стало быть, и двинувшихся в последний путь тоже двое), он сделал неутешительный вывод, что косая машет без разбору и кладет уже прямо-таки пачками. А подумав о тщете сущего, побрел чистить зубы, суеверно гоня мрачные мысли на собственный счет.

И, конечно, он не мог вообразить, что скромные «пазики» везут вовсе не мертвых (которых и то — раз, два и обчелся), а шестьдесят человек живых: тренированных, вооруженных и готовых к решительным действиям.

Первухин ехал в головной «Волге», оборудованной спецсвязью. Как только выбрались из расположения, он поднял трубку и доложил: «Начали выдвижение».

КРЕДИТОР

За рулем сидел его заместитель. Начштаба сзади, и тоже молча.

Говорить им было не о чем. Даже если бы командир рапортовал просто старшему по должности, и то его доклад не мог бы стать темой самого куцего разговора. Рапортует и рапортует, нечего обсуждать, человек военный, ему приказали — он выполняет, и будет выполнять, и пусть черти выскочат из преисподней, пусть земля перевернется, солнце встанет на западе и люди поскачут на головах — а он выполнит! Выполнит, может быть, ценой собственной жизни, а если выживет, то опять-таки доложит — и получит благодарность от командования, а то и орден.

Поскольку же дело предстояло важности чрезвычайной, они могли предположить, что Первухин докладывает не просто начальнику, а тому, кто руководит всей секретной службой, всем Комитетом, всеми его тайными отвилками, закоулками, канальцами, аппендиксами и корешками, проросшими жизнь государства, жизнь страны и просто жизнь по всем направлениям.

Они знали, что человек, слушавший доклад Первухина, как к нему самому ни относись, управляет такой силой, в сравнении с которой все на свете выглядит несерьезным и слабым. Все ей подвластно, все — и даже президенты, чье повсеместное возникновение в последнее время можно объяснить только всеобщим бардаком и дурацким схождением нелепых случайностей, не являются здесь исключением. Конечно, для пользы дела, чтобы легковерные и неосведомленные уверились, будто эти президенты и на самом деле велики и значительны, можно позволить им надуваться сколько влезет — пусть хоть лопнут; ну а кто знает, тот знает, на него их надутость впечатления не производит, он видит их в истинном свете, понимает, что никакие они не властители, за плечами коих высятся тяжелые, грозные глыбы страны и народа, а всего лишь ставленники тайной могучей силы. Вольно расхаживая (а на самом деле хорошо зная, что будет, если посмеют переступить невидимую другим линию), эти первые лица с громовой надсадой выкрикивают всякие слова, кривляются и машут руками, будто указывая те или иные направления движения, даже снимают башмаки, чтобы в ярости стучать каблуками по высоким трибунам, бывало и такое, — но все это, в сущности, одна только видимость, не имеющая реального наполнения.

Так вот, поскольку они знали, кому именно докладывает Первухин, у них и мысли не было вякнуть: голос генерал-майора звучал в благоговейной тишине, какую услышишь разве что в церкви, нарушали ее только шипение шин да мягкое поскрипывание каких-то насолидоленных кишок в ходовой части черной «Волги».

* * *

Предрассветный перелесок был тих и влажен. Рассвет уже начинал разводить свою известку, и скоро все вокруг выступило из мглы и приосанилось.

Когда об истаявшей ночи напоминала только полоса тумана в низине, показались двое с корзинками — мужчина в плащ-палатке, женщина в платочке и ватнике, оба в сапогах.

На опушке пара разделилась. Мужчина пошел направо. Шаркая ногами, он неспешно двигался по краю леса, то заходя чуток в глубину, то возвращаясь к кустам.

Ничего путного ему не попадалось. Сыроежки он не брал и даже кривился, когда взгляд падал на очередную, горчушки тоже мало интересовали, валуи же, которых высыпало множество, деревня издревле считала погаными, и он их просто не замечал.

Конечно же, рассеянно думал он, за белыми-то лучше в сторону Маслова, да разве ее переупрямишь? Дура — она и есть дура. Тут-то белых не ищи... тут сыроежек вон сколько... прям до валуя сыроежек. И валуев полно... Вот если бы белые так поперли... а валуи — на валуя ему эти валуи?

За размышлениями не забывал присматриваться: взгляд перескакивал с березового листка, пытавшегося выдать себя за шляпку подосиновика, на очередную сыроежку... Протянул палку пошевелить траву — и что-то заставило его вскинуть взгляд.

Зрелище оказалось сильным. Он сказал «Э-э! Э-э!», попятился, запнулся о корень и шумно сел, растопырив руки. Корзина откатилась в сторону.

— Тихо, — прошептал боец группы антитеррора. — Не шуми.

Каска-«сфера» делала его похожим на космонавта, только во всем камуфляжном, однако автомат в руках недвусмысленно указывал, что к путешествиям в мировом пространстве он никакого отношения не имеет.

— Я это, — ошеломленно сказал грибник. — Ты того!..

По дуге, чтобы не приближаться к опасному незнакомцу, он полуприсядью досягнул корзины, схватил, сгоряча не заметив, что из нее вывалилось содержимое (красноголовики-то ладно, а вот обломок ножа с тряпичной ручкой долго еще вспоминал), и поспешил к опушке.

Боец проводил его озабоченным взглядом. Потом нажал кнопку переговорного устройства и негромко сказал: «Второй, я девятый. Тут вот какая петрушка...»

* * *

Еще по темноте успели проработать оба варианта проведения операции — и по даче, где находится объект, и если он начнет с нее выдвигаться. Оба несложные. Внешняя охрана дачи представлена тремя субъектами в штатском: вооружены автоматами, расхаживают по периметру, время от времени встречаясь и снова расходясь. Предполагаемый маршрут выдвижения группы захвата свободен.

Как только детали окончательно прояснились, Первухин доложил, что готов выполнить приказ. «Отлично, — ответили ему. — Ждите указаний».

Он положил трубку и недовольно фыркнул.

«Чего ждать-то?» — тоже недовольно спросил зам. «А ты вроде как не знаешь, чего мы всегда ждем», — напряженно-весело сказал Первухин. Зам вздохнул. По идее, ему следовало привычно для всех пошутить — мол, чего-чего, морковкина заговенья, чего ж еще, но не получилось. Тут и начштаба чем-то пошуршал на заднем сиденье — и тоже явно без удовольствия пошуршал. Потом сказал: «Скоро рассвет, Андрей Никитич...» — «А то я без тебя не знаю», — буркнул Первухин. Через минуту резко выдохнул сквозь сжатые зубы, как делают готовясь к чему-то неприятному, и снова потянулся к аппарату. Доложил насчет рассвета. Выслушал ответ. Расстроенно брякнул трубкой.

«У них светает не по астрономии, — проворчал зам. — У них свой петух за рассвет отвечает». «Ну да, — кивнул начштаба. — Обычно жареный». «Ладно, — сказал Первухин. — Не знаю, какой там у кого петух, а только ждать нам больше нечего. Потом скомандуют — а уже солнце со всех сторон. Передислоцируемся на исходную».

Но и через двадцать минут, когда группа выдвинулась на исходные позиции, и через полчаса, и через сорок пять минут ответ поступал один и тот же (правда, с каждым разом все более раздраженный): «Ждите!»

Скоро бойцы доложили о двух встречах с местными, в результате которых, судя по всему, у них, у местных, охоту к грибам отбило начисто. «В деревню пошли?» — уточнил Первухин. «Так точно, в деревню...» — «Стало быть, Верблюд уже в курсе», — заметил зам. «Скорее всего», — зло кивнул Первухин. Начальник штаба заерзал. «Никитич! — сказал он. — Звони опять! Чего ждать, если нас уже расшифровали! Пусть дают добро на захват!»

Первухин взялся за телефон. Когда, поговорив примерно с тем же результатом, каменно положил трубку, телефон затренькал сам. Первухин вопросительно-твердо посмотрел на зама. Тот пожал плечами и потянулся к аппарату. «Алло, — вкрадчиво и совершенно по-граждански сказал он в нарушение правил ведения телефонных переговоров. — Я слушаю».

«С Андреем Никитичем можно поговорить?» — вежливо осведомился позвонивший. «С каким еще Андреем Никитичем?! — грубо сказал зам. — Вы куда звоните? Вы кто такой?» «Я по поручению Василия Григорьевича Горохова», — уклончиво ответил абонент.

Зам закрыл мембрану ладонью и сказал: «Это от Верблюда». — «Откуда?» — изумился Первухин. «От Верблюда», — повторил зам, протягивая ему трубку.

«Слушаю», — сухо сказал Первухин. «Добрый день, — так же вежливо, как и прежде, вступил в разговор неизвестный. — Мы слышали, вы нас штурмовать собираетесь?»

В голове Первухина бешено вращались желтые шестеренки — если, конечно, можно так выразиться, говоря об усиленной мозговой деятельности. Через долю секунды он понял — ну да, это ребята из «девятки», из Девятого охранного управления. Люди Горохова, руководителя охраны президента. Или Верблюда, как его между собой прозвали за чрезмерно развитую, во всех отношениях выдающуюся челюсть. Перехватили переговоры, что ли? Ну да, перехватили переговоры... чего им стоит? Уж где-где, а у них там наверняка все наворочено по последнему слову техники. Вот бардак!..

«А с самим Василием Григорьевичем можно поговорить?» — спросил он. «Занят, — ответил «девяточник». — На переговоры я уполномочен. Собственно, у нас такое предложение. Мы из «девятки», вы «ашники». В сущности, одна команда. Свои люди. Не надо своих мочить. Если будет нужно, мы сами тут всех возьмем. Только свяжитесь заранее. Лады?»

Первухин положил трубку.

«Девятка?» — спросил начштаба.

Первухин удивленно оглянулся: «Какая девятка?» Начштаба хмыкнул. «Да это я так. В том смысле, что в самую девятку? Или в молоко?» Он тоже понимал, что разговора, который только состоялся, на самом деле ни в коем случае не могло быть, — а раз его не могло быть, то и нечего рассуждать обо всякого рода небывальщине.

Через полчаса указание от руководства поступило.

«Есть! — Первухин положил трубку и развел руками, одновременно возводя глаза в матерной, но беззвучной молитве. — Вариант номер два. Снимаем ребят, выдвигаемся».

Впрочем, это только сказать легко — «снимаем ребят». Если же учесть их количество и что каждый до зубов вооружен, а для полноты картины оснащен космонавтским шлемом, произвести «снятие» тайно, не привлекая внимания, не вызывая опаски и распространения идиотских слухов, оказалось бы непросто даже в темноте. Разве что совсем уж такая ночь, когда ни луны, ни звезд, ни спичек, и только ветер с треском ломает деревья.

Однако дело происходило при тихом свете мирного подмосковного утра, и потому деревня, увидев, что, оказывается, таилось в от века ей знакомых кустах и перелесках, то ли коллективно упала в обморок, то ли просто умерла от ужаса, — во всяком случае, долго еще после того, как ребята расселись в «пазики» и укатили за командирской «Волгой», коровы не смели мычать, а дым из труб шел исключительно по-солдатски — руки по швам и строго вертикально.

КРЕДИТОР

Наблюдая за всем этим бардаком, Первухин только молча скрипел зубами.

Выдвинувшись километра на два, принялись заново маскироваться.

Тикало начало седьмого. Солнце приветливо щурилось за стволами сосен, между делом заливая праздничным золотым светом как отряды маскирующихся, так и изумленно смотревших на них водителей и пассажиров проезжавших к Москве автомобилей.

«На позиции, — доложил Первухин в телефон. — Готовы».

«Ждите указаний».

Между тем и в обратку, от Москвы к дачам, в сторону Архангельского, тоже пролетали какие-то стремительные кортежи.

«Не нравится мне это все», — глядя вслед очередному, сказал Первухин.

Разведка доложила — так и есть, прибыли какие-то шишки. Чуть ли не министр печати и информации. И чуть ли не председатель Верховного совета. И еще кто-то, и еще — кто именно, установить не удалось, но и так понятно, что простые люди сюда не ездят...

«Ждите указаний!»

Скоро разведчики сообщили, что сформированная колонна — два бронированных «ЗИЛа», две «Волги» с охраной Ельцина, а также примкнувшие к ней машины прибывших ранее лиц — выдвигается на трассу.

Первухин в отчаянии позвонил снова.

«Ждите команды!»

«Чего ждать?! Через пять минут будут здесь!.. Дайте САМОГО! — заорал он. — Немедленно!»

«Минуту», — неожиданно согласно сказал человек из штаба.

И точно, не прошло и минуты, как САМ взял трубку и приказал Первухину то же самое: «Ждите команды».

Только еще добавил негромко и урезонивающе, будто капризному ребенку: «Ну что вы, в самом деле! Возьмите себя в руки».

Когда колонна, выехав из-за поворота, оказалась в пределах прямой видимости, Первухин воззвал к руководству в последний раз.

«Ждите!..»

Затем послышался низкий гул. Быстро приближаясь, настиг, и вот — со свистом, с шипением, всякий раз с мощным ударом воздушной волны, от которой стоявшая на обочине «Волга» качалась и скрипела, мимо нее на бешеной скорости, как снаряды, пролетели машины длинной колонны.

Гул стих вдали.

Через минуту Первухин, сидевший откинувшись и закрыв глаза, вздохнул, встряхнулся, молча потер лицо ладонями, а потом хмуро сказал:

— Ну все. Проспали.

В двенадцатом часу утра группа вернулась в расположение — и в то самое время, когда расстроенный, злой Первухин входил в подъезд, Борис Ельцин уже поднимался на танк, занявший позицию у парадной лестницы Верховного Совета.

* * *

Это был танк майора Ездакова — командира одной из рот Таманской дивизии.

Дивизию подняли ночью. По дороге на Москву майор приметил несколько аварий. Одна БМП лежала в кювете... через пару километров вторая, почему-то врезавшаяся в столб — да так и брошенная. Судя по всему, силы стягивались немалые. Задачу не ставили, ничего не объясняли, танкисты довольствовались блуждавшими по частям слухами: что-то насчет студенческих волнений.

КРЕДИТОР

Прогромыхав по Минскому шоссе, полки начали втягиваться в столицу, попутно беря под охрану наиболее важные объекты.

Ездаков получил приказ блокировать Калининский мост. Дивизия ушла, десять танков его роты остались.

К его удивлению, скоро выяснилось, что на мосту стоит и одиннадцатая единица техники: машина сопровождения, груженная батальонным боекомплектом. Вообще-то она должна была со всеми вместе проследовать дальше, но дурак-водитель не понял указаний. Разумеется, Ездаков на солдата наорал. Но чтобы исправить ситуацию, следовало послать солдата вдогон самостоятельно, то есть позволить грузовику со снарядами в одиночку мотаться по незнакомому городу. На это майор пойти не мог. С другой стороны, его почему-то грела мысль, что его танки, прежде способные только рычать, ездить и бессмысленно ворочать башнями, теперь могут по-настоящему вооружиться.

Тем ранним утром боевая техника в Москве была еще в диковинку, а потому рота Ездакова тут же привлекла внимание. Не прошло и получаса, как бронетехнику облепила толпа. Одни начали возводить баррикаду на пути ее возможного движения к Белому дому. Другие говорили с солдатами. Третьи суетились, вешая на пушку командирской машины большой российский флаг. Ездаков не снисходил до того, чтобы им препятствовать.

Когда самые горячие активисты, взобравшись на броню, начали уговаривать его перейти на сторону народа, он только хмыкал и посмеивался. «Комдив не позволяет», — с усмешкой отвечал Ездаков. «Что тебе комдив?! — напирал один настырный, оказавшийся тезкой Ездакова — тоже Николай Николаевич. — Ты нормальный мужик, Колян! Ты должен встать на защиту законного президента!» «Хорошо тебе болтать, тезка, — посмеивался майор. — Тебя потом просто ссаными тряпками отсюда погонят, а меня?» «А что тебя?» — не унимался тот. «А меня к стенке, — вздыхал Ездаков. — Не отходя от кассы. Так что уж лучше как комдив прикажет». «Президент выше твоего комдива! — рубил настырный. — Поворачивай пушки, давай демократию защищать! Или уже по парткому соскучился?»

Упоминание парткома майора почему-то рассердило.

«Хороший ты по виду парень, Коля, — холодно отмахнулся он. — Да как бы на самом деле не с Лубянки. А если так, то ты же меня потом и шлепнешь».

«Ну а если сам Ельцин прикажет, выполнишь?»

«Ну уж если сам Ельцин, — рассмеялся майор этому несерьезному вопросу. — Тогда деваться некуда».

Но зря, зря он смеялся, этот майор Ездаков.

Потому что настырный куда-то смылся, а через час появился снова, только теперь уже не один, а с депутатом Юшенковым, внешность которого майору была хорошо знакома по его телевизионным выступлениям. «Вас приглашает президент!» — сказал Юшенков, и Ездаков не смог отказаться от этого приглашения. Правда, Ельцина он так и не увидел: личный указ президента защищать Белый дом ему передал вице-президент Руцкой. И они, люди военные, тут же определились, где должны встать танки Ездакова.

А когда угрюмо ревущие железяки всласть поелозили, пробираясь мимо в ту пору чахлых еще баррикад (если бы пошли в лоб, то, пожалуй, и не заметили бы, как перевалили), и заняли новые позиции у стен и парадной лестницы, президент забрался на башню командирского танка, чтобы с нее обратиться к гражданам России:

— В ночь с восемнадцатого на девятнадцатое августа тысяча девятьсот девяносто первого года отстранен от власти законно избранный Президент страны! Какими бы причинами ни оправдывалось это отстранение, мы имеем дело с правым, реакционным, антиконституционным переворотом!..

КРЕДИТОР

Ветер трепал седые волосы, и весь он, казалось, был скручен в узел ярости. В эту надолго запомнившуюся минуту от него исходили, пульсируя, разливаясь по площади и вовлекая всех в свою несказанную мощь, магнетические порывы неких последних, окончательных решений.

* * *

Первухин не знал, что происходит на свете, — в частности, где находится ныне столь бездарно упущенный им Ельцин. Он был подавлен необъяснимой дичью, в которой его вынудили участвовать, и, погруженный в свои тяжелые мысли и не замечая встречных, отрешенно поднимался на второй этаж.

В холле работал телевизор. Первухин прошел бы мимо, поскольку ему никогда не нравился балет, но его остановила мысль, что, возможно, нелепые события этой ночи нашли отражение в каких-нибудь новостях.

Однако какой бы канал ни выбрал генерал-майор, никаких новостей, даже тех тревожных и мрачных, от которых в последнее время ломились экраны, он не находил: всюду вместо заявленных в сетке вещания программ транслировалось бессмертное «Лебединое озеро».

Музыка гениального композитора летела над Москвой. Перещелкав все каналы, он убедился, что ничего другого не предлагается. Тупо размышляя, с чего бы могла случиться этакая чертовщина (мысль насчет того, что она непосредственно связана с тем, в чем сам он участвовал ночью, не пришла ему в голову — он был боец, а не политик), Первухин несколько секунд смотрел, как тонкие ноги балерин выписывают классические крендели.

Волны торжественного звука разбились в мелкие радуги веселенького па-де-де, и ножки вовсе запрыгали и задергались будто голенастые лапки кузнечиков-кобылок.

Вероятно, эта дерготня должна была оставлять впечатление несказанной легкости, но у Первухина она сейчас вызвала незнакомое прежде чувство, какое сентиментальные люди испытывают при виде раненой птицы или поломанного деревца.

Через минуту он пробормотал: «Тяжелый хлеб... И горький».

После чего махнул рукой и продолжил путь к своему кабинету.

3

Готовившиеся к обороне времени зря не тратили. По сравнению с картиной семичасовой давности баррикад явно прибавилось: на подступах к зданию громоздились бетонные засеки, завалы щетинились арматурой, трубами, досками. Все это походило на груды бурелома, оставленные катастрофическим ураганом, случившимся у подножия рафинадной громады. Народу тоже стало больше — приглядываясь, Ворон оценил тысяч в семьдесят. А то и в девяносто.

Кроме того, были и танки — восемь. Еще два он, надо думать, с этого места не видел.

— Это чьи же?

— Да чьи ж еще? — переспросил кто-то из сопровождавших и так махнул рукой, будто речь шла о сущей безделице: — Наши.

Более или менее беспрепятственно подойдя к первым заграждениям, начали петлять и лавировать по узким проходам. Миновав препятствия, добрались до нужного подъезда. Охрана откозыряла, они вошли в здание и поднялись на пятый этаж.

— Присаживайтесь, — приветливо говорил, поднявшись из своего кресла и приглашающе помавая, государственный советник Прыгов. — Видите, что у нас тут...

И он так пожал плечами и сделал такую гримасу, словно ему совершенно непонятно, что и зачем происходит.

КРЕДИТОР

— Ну да, — сказал Ворон, сцепляя на лакированной поверхности стола ладони в замок. — Но все-таки — не посвятите ли кое в какие детали? Что такое ГКЧП? Я вторые сутки как с завязанными глазами.

Прыгов поджал губы, скорбно на него глядя.

— А вам не сообщили? Что ж... ГКЧП — Государственный комитет по чрезвычайному положению. Председательствует вице-президент СССР Янаев, возложивший на себя обязанности президента. В комитет входят следующие лица...

Он начал перечислять, и Ворон, слыша очередную фамилию, кивал, соотнося ее про себя с должностью упомянутого: премьер-министр, председатель КГБ, министр обороны, министр внутренних дел, зампредседателя Совета обороны при президенте СССР... Ничего себе! О каком захвате власти может идти речь? По идее, сами эти люди и есть воплощение власти.

Прыгов заметил тяжелое недоумение, проступившее в его лице.

— Удивляетесь? — мягко спросил он. — Вы человек военный... политикой, вероятно, не очень интересуетесь.

Ворон хмуро пожал плечами.

— Я напомню вкратце, если позволите. Как известно, в марте состоялся Всесоюзный референдум. За сохранение и обновление СССР проголосовало большинство граждан, исключая население Литвы, Эстонии, Латвии, Грузии, Молдавии и Армении, где высшие органы власти отказались проводить референдум, так как ранее объявили о своей независимости согласно результатам своих собственных, ранее прошедших в них референдумов... помните?

— Так точно, — сказал Ворон. — Да-да. Референдумы.

— Весной-летом был разработан проект по заключению нового союза — Союза Советских Суверенных Республик, мягкой, децентрализованной федерации. Проект Союзного

241

договора был дважды предварительно подписан. Последний раз — два месяца назад, семнадцатого июня. Пятнадцатого августа — то есть четыре дня назад — «Правда» опубликовала его окончательную редакцию. Тогда же Горбачёв сообщил, что, говоря его словами, Союзный договор открыт к подписанию с двадцатого августа...

— А девятнадцатого, значит, такая петрушка, — проворчал Ворон.

— Вот именно, девятнадцатого такая петрушка... — советник вздохнул и рассеянно посмотрел в окно. — Вообще-то я их понимаю. В том смысле, что понимаю мотивы их действий. После подписания Союзного договора всем им предстояло автоматически утратить свои посты и должности. Должна была возникнуть совершенно новая государственная структура, в которой им места, скорее всего, уже бы не нашлось.

— И они, стало быть... — недоуменно пробормотал Ворон.

Это был тот редкий случай, когда мысль не сразу укладывалась в его голове.

Прыгов кивнул. Ему не хотелось вдаваться в детали. Точными данными он не располагал, а делиться с военным человеком гражданскими мнениями представлялось делом бесполезным. Но сам он был уверен, что начатое путчистами дело не было толком подготовлено. Не нашлось времени, поздно спохватились. К тому же все они, будучи крупными, заметными шестернями государственной машины, были, вероятно, уверены (да он и сам был в этом почти на сто процентов уверен), что и готовить ничего не нужно: государственная машина — она и есть машина: стоит нажать кнопку, дернуть рычаг, толкнуть шатун — а уж дальше все пойдет само собой, не остановишь.

Он не знал, чем в итоге кончится дело. Только мелкий, но непрестанный и неприятный озноб (никак, впрочем, не проявлявшийся снаружи) подсказывал ему, что он страшится:

страшится дурного завершения и считает его очень и очень
вероятным. Но все же до конца он в своем страхе уверен не
был. Еще оставался шанс, что этот страх напрасен, излишен,
можно погнать его прочь, не обращать внимания. Пусть малый шанс, пусть ничтожный! — но был, был этот шанс...
Зато советник Прыгов был совершенно уверен в другом,
заранее знал это так же определенно, как если все уже случилось: как бы ни повернулось дело, чем бы оно ни кончилось, Договор о создании Союза суверенных государств
подписан уже не будет: увидев, куда повело страну, совсем
уже было приготовившиеся к объединению государства тут
же разбегутся в разные стороны, как испуганные зайцы...

— А Горбачев где? — хмуро спросил Ворон.

— Горбачев в Крыму, на отдыхе. На даче. Во всяком случае, находился. Теперь то ли болен, то ли аресто-
ван. Дачу в Форосе блокировал Севастопольский полк
войск КГБ. Вроде бы. Связаться пока не удается... Что
же касается ГКЧП, то его первое постановление вводит
в отдельных районах СССР чрезвычайное положение.
И предписывает прекращение гражданской активно-
сти. — Прыгов скривился, помолчал и сказал с тяжелым
вздохом, но бодро: — Президент Российской Федерации
Ельцин и Верховный Совет РСФСР приняли решение
оказать жесткое сопротивление захвату власти и антикон-
ституционному перевороту.

— Ясно, — пророкотал Ворон.

Хотя, конечно, опять все было очень неясно.

— Так что, пройдемте? — предложил Прыгов, кладя
ладони на стол характерным жестом собравшегося встать
человека. — Он ждет.

* * *

Президент был в поражавшей зрение белой рубашке:
только совсем бесчувственный человек мог бы не испытать
легкой зависти при мысли о том, насколько она свежая.

На спинке соседнего стула висел бронежилет — тоже белый, но он почему-то не производил столь праздничного впечатления.

Ельцин поднялся, сделал несколько шагов к дверям и протянул руку.

— Милости прошу. Присаживайтесь.

Кроме Прыгова, с ними вошли еще несколько приближенных. Расселись.

— С какой задачей прибыли? — спросил Ельцин, сверляще глядя в глаза.

— Силами парашютно-десантного батальона организовать охрану и оборону здания Верховного Совета, — доложил Ворон, не отводя взгляда.

— По чьему приказу? — поинтересовался президент.

— По приказу командующего ВДВ генерал-лейтенанта Грача.

— А от кого охранять и оборонять?

Поскольку этого он и сам не понимал, Ворон объяснил уклончиво, но твердо:

— От кого охраняет пост часовой? От любого лица или группы лиц, посягнувшего или посягнувших на целостность поста и личность часового!

Президент хмыкнул.

— Скажите, Иван Николаевич... давайте сядем... Скажите, как вооруженные силы в целом относятся к перевороту?

— Никак! — отрапортовал Ворон.

— То есть как это — никак? — озадаченно спросил президент.

— Вооруженные силы о перевороте ничего не знают.

— Вот тебе раз, — сказал Ельцин. Казалось, он неприятно изумлен. И даже покороблен этим заявлением. Он строго посмотрел на Прыгова, как будто ожидая, что тот развеет нелепое недоразумение. Однако Прыгов молчал, а лицо у него сделалось такое, будто ему часа три неизвестно даже, на каком он свете, а не то что уж...

— Ну хорошо, — неожиданно мирно сказал президент. — Я вам верю. И Грачу верю. У меня нет оснований не верить. И я не вижу оснований препятствовать выполнению вашего приказа. Василий Григорьевич! Распорядитесь, чтобы пропустили, пусть размещаются у самого здания.

— Есть, — сухо сказал начальник службы безопасности Горохов, невысокий, коренастый человек с припухшим лицом и приметной, по-верблюжьи выдающейся челюстью.

— Теоретически это правильно, а практически неосуществимо, — сказал Ворон.

Ему хотелось, чтобы все услышали его с первого раза, и, возможно, он немного перебрал: Прыгов побледнел, а начальник охраны пригнулся, словно за хриплым ревом десантного генерала должна последовать пальба. Что касается президента, то он даже не изменился в лице, только немного отшатнулся.

— Почему? Танки Таманской дивизии спокойно прошли...

— Простите, — как мог тихо сказал Ворон и легонько прокашлялся. — Мне уже представлялась возможность общаться с собравшимися. Удовольствие сомнительное: толпа возбуждена и настроена на самопожертвование. Чтобы я смог провести батальон, президенту следует собрать руководителей, представить меня и определить маршрут следования, поставив задачу на проделывание проходов в баррикадах.

— Вы тут не очень-то президенту указывайте! — резко сказал начальник службы безопасности, подаваясь вперед и сверля Ворона злобным взглядом.

Ворон рассеянно на него посмотрел.

— А это уж как вы из своей будки пролаете, — пророкотал он с кривой усмешкой.

Горохов икнул, вытаращился и начал набирать в грудь воздух.

— Василий Григорьевич, здесь все свои, — брюзгливо одернул его Ельцин. — Не мешайте работать!

* * *

Короткую речь перед собравшимся на инструктаж командирами баррикад президент начал с того, что решительно и безапелляционно заявил о переходе батальона ВДВ на сторону восставших.

Заявление было для Ворона неожиданным, однако ему не пришлось прилагать усилий, чтобы остаться невозмутимым: любой комментарий был бы сейчас неуместен.

Бросив на него короткий взгляд, чтобы убедиться в этой невозмутимости, Борис Николаевич продолжил...

Весть мгновенно облетела пространства площадей. Энтузиазм народа вышел из берегов: приветственные вопли, отчаянное гиканье, радостный мат, летевший к небу над плещущими тут и там флагами, — все это взрывалось то тут, то там, раскатываясь с таким гулом и таким напором какофонической музыки, что огромные стаи напуганных голубей в ужасе взмывали и метались вокруг здания, рассчитывая, вероятно, найти укрытие где-нибудь в районе верхних его этажей. Но и там происходило нечто похожее — из окон торчали плещущие флаги и летели радостные выкрики. Тогда встревоженные птицы делали круг и уносились куда-то в сторону Баррикадной — все больше мельчая и превращаясь во что-то вроде бурой ряби, бегущей по дымной плоти густеющих облаков.

Ворон сложил в уме простой, как две копейки, замысел. Более или менее прямоугольное здание имеет четыре стороны. А в батальоне четыре роты. То есть как раз по одной на каждую.

Нужно было всего лишь подняться с набережной, пересечь Калининский, оставив справа здание бывшего СЭВа, по широкой дуге пройти к правому дальнему углу Верховного Совета и подняться на эстакаду, чтобы в дальнейшем, последним шагом решения задачи, рассредоточиться вокруг.

Выступали поротно. Ворон шел впереди головной машины. Вокруг буйствовала толпа. Воодушевление радовало и вселяло уверенность в том, что все будет хорошо. С другой стороны, именно душевный подъем приводил к тому, что колонна продвигалась со скоростью не более метра в минуту. Ликуя, защитники то никак не могли разобраться с двенадцатиметровыми стальными прутьями, то, выхватив из-под основания какие-то никчемные доски, обрушивали все сооружение, то бездумно и наспех с двух сторон кидались катить гигантскую стальную трубу, но лишь проворачивали ее на месте, как пропеллер, а единственным результатом их дружных усилий были отчаянные вопли нескольких придавленных.

Тем не менее направляющая рота сомкнула дугу: поднялась на эстакаду, проследовав вдоль фасада здания к дальней его стороне, и приступила к организации обороны.

Ворон занялся второй ротой, когда случилось непредвиденное. Это было так неожиданно, что, услышав чей-то срывающийся голос — «Провокация! Провокация!!!», — он поначалу даже не обратил на него внимания.

Однако новое, непонятно откуда взявшееся веяние, зримо трепеща и расходясь быстрыми кругами, полетело с той же немыслимой скоростью, как и все прежние, и через минуту настроение толпы в который уже раз радикально переменилось.

Если только что общим желанием было, чтобы батальон исполнил намеченное как можно скорее, и лишь неконтролируемая радость мешала теснящимся по-настоящему расступиться, чтобы дать ему дорогу, то теперь целью стало прямо противоположное: не пустить ни за какие коврижки!..

Уже смеркалось, когда движение окончательно застопорилось.

Защитники — обоих полов и числом не менее двухсот, — облепив кругом, лежали на первой машине, примерно как погожим летним днем ложатся люди, раскинув руки, на копны свежего сена.

Из люка стоящей на всех тормозах БМД выглядывала испуганная физиономия механика-водителя.

Когда Ворон с глухим рыканьем — «Извините! Простите! Пардон!» — пробился к носовой части БМД, на лице механика испуг сменился выражением паники.

— Глуши! — приказал Ворон.

Сердито рубанул воздух кулаком, повернулся и пошел к зданию.

* * *

Время шло к двенадцати ночи, когда наконец разрешились все недоразумения. Хоть и рывками, хоть и судорожно, но батальон выполнил поставленную задачу и разместился у здания. Ворон организовал боевое дежурство и убыл в Тушино.

Нельзя сказать, что он сделал это с легким сердцем. Переговорив с командирами других частей, он узнал, что у них происходит примерно то же самое: общей задачи никто не ставит, ни в одном из полков за все время не показался ни хоть какой представитель Министерства обороны, ни кто-нибудь из депутатского корпуса... В начале шестого утра добрался наконец до постели и провалился.

Однако без десяти шесть его разбудил звонок Грача. «Ты что натворил? Куда завел батальон?!» Встряхнувшись со сна, Ворон ответил, что завел туда, куда было самим Грачом приказано — к зданию Верховного Совета РСФСР. «Ты меня неправильно понял!» Ворон осатанел. «Товарищ командующий, — рявкнул он. — У меня все ходы записаны! Все распоряжения, указания, приказы фиксируются тремя операторами в журнале учета боевых действий!» «Ты не ори, — буркнул Грач. — Записано у него... Все равно глупость. Шеф недоволен».— «Какой шеф?» — «Не знаешь, какой? Министр, — и еще раз повторил: — Запомни: ты виноват! Давай назад! Как завел, так и выводи!..»

Ворон положил трубку. Минуту сидел на кровати, растирая ладонями лицо. Потом крикнул: «Карамышев! Ты там не заспался?»

Еще через полтора часа, прибыв на место и запустив неспешный механизм обратного хода, он снова вошел в кабинет Прыгова.

В большие окна било утреннее солнце.

Теперь, после того как ему все-таки удалось загнать батальон сюда, предстояло доложить, что он получил новый приказ, диаметрально противоположный первому, в соответствии с которым и должен этот батальон вывести.

Сам он уже пережил нелепицу происходящего, но от тех, кому эту нелепицу еще только предстояло освоить, мог ждать чего угодно — крика, ругани, истерики, распоряжения арестовать его или, чего доброго, расстрелять на месте.

К его очередному удивлению, государственный советник, доброжелательно покивав, ответил, что хоть новый поворот и огорчителен для защитников Белого дома, он не станет препятствовать его исполнению, однако Ворону придется доложить президенту. Ворон не возражал. Через десять минут они вошли. Ворон доложил. Ельцин поднялся из-за стола и, обойдя его, встал перед генералом. «Я — президент Российской Федерации, — проскрипел он, сверля генерала сощуренными глазами. — И я приказываю вам оставаться на месте вместе с вашим батальоном! Подпишу личный указ, как этому майору, как его...» — «Майору Ездакову, Борис Николаевич», — подсказал Прыгов. «Как майору Ездакову», — повторил Ельцин. Ворону сравнение не польстило. Одно дело майор, другое — генерал-майор. «Товарищ президент, — глухо ответил он. — Я подчинюсь, если вы примете на себя обязанности Верховного главнокомандующего». Ельцин отступил на полшага и посмотрел на Прыгова. «То есть, — сказал Прыгов, снимая очки и относя в сторону, чтобы тут же снова надеть и уставиться на Ворона круглыми за стеклами глазами. — В связи с отсутствием Горбачева?.. Борис Николаевич, это было бы...» Ельцин опустил голову и с полминуты молчал, о чем-то сосредоточенно раздумывая. «Тогда выполняйте свое!» — раздраженно бросил он, поворачиваясь к столу...

Каменными шагами спускаясь вниз по лестнице, Ворон чувствовал смутное недовольство. Но приказ есть приказ, и он даже не пытался разобраться толком, чем это очередное недовольство вызвано. Он думал о предстоящем деле. Он понимал, что если такого труда стоило завести батальон, то вывести его обратно окажется задачей просто невыполнимой: как только защитники поймут, что армия собирается их покинуть, гневливая толпа ляжет под гусеницы и колеса.

И ему останется либо идти прямо по ним, либо отрапортовать Грачу, что он не в состоянии его идиотский приказ выполнить; поскольку же последнего он позволить себе не мог ни в коем случае — не такой он был человек, — в ближайшем будущем брезжили события очень неприятные.

Но он ошибся в своих реалистичных, казалось бы, прогнозах.

Прослышав об уходе батальона, защитники, радостно крича и размахивая флагами, с жаром бросились разбирать баррикады. Солдаты вели себя соответственно: высовываясь из люков и кабин, они тоже что-то с восторгом выкрикивали. И только если невзначай встречали закаменелый от ярости взгляд генерал-майора Ворона (провожая свои машины, он стоял у прорехи, наскоро проделанной защитниками в последней баррикаде), улыбки сползали с их лиц, и они в ужасе скрывались под защиту брони.

Ну да, у него редко когда случалось столь угрюмое, совершенно медвежье выражение лица: батальон спокойно уходил, толпа ликовала, солдаты смеялись, в окна летели конфеты и деньги, а он чувствовал себя совершенным дураком и не понимал, чего на самом деле хотят все эти люди.

Еще часа через полтора президент решился подписать указ, о котором говорил Ворон.

Но к тому времени батальона уже не было.

* * *

За длинным столом сидело человек двадцать пять. Ворон увидел генерала армии Печерникова, взъерошенного Грача, за ним генерал-майора Первухина. Еще люди в форме и штатском. Хозяин, генерал-полковник Борисов, задумчиво расхаживал по кабинету. Повернулся на стук двери.

— Заходите!

Тут же вскочил Грач и объявил, показывая пальцем:

— Вот Ворон! Он был у здания Верховного Совета! Пусть доложит!

Борисов кивнул. Ворон принялся докладывать.

Он сообщил, что у здания Верховного Совета или, как его еще называют, Белого дома, находится, по минимальной оценке, до ста тысяч человек, поэтому...

— Белого дома! — гневно перебил его Печерников. — Вот названьице прилепили, прости господи! Дурацкое обезьянничанье, больше ничего. Ну что за люди! Ничего родного!

— Разрешите продолжать? — глухо спросил Ворон через секунду.

Печерников, вероятно, не услышал.

— Продолжайте, — кивнул Борисов.

Подступы к зданию укреплены многочисленными баррикадами. Построены с помощью тяжелой техники, а потому представляют собой определенное препятствие. Хорошо вооруженная охрана способна оказать серьезное сопротивление.

— Поэтому силовые действия приведут к грандиозному кровопролитию, — сказал он, хорошо понимая, о чем может идти речь.

— Генерал! — снова полыхнул Печерников, презрительно блеснув на него очками. — Что вы говорите?! Вы обязаны быть оптимистом! А привносите пессимизм и неуверенность!

Ворон удивился. Он всегда относился к генералу Печерникову с заведомым уважением. Да и как иначе? — дошел до Берлина, девять боевых орденов, участник Парада Победы... Герой Афганской войны!

Но, с другой стороны, его самого учили неглупые люди. И одной из тех самоочевидных истин, на которых они настаивали, была и такая: какой бы тяжкой ни выглядела обстановка, докладывать как есть, не приукрашивая, потому что только при этом условии может быть принято правильное решение.

И сейчас, покоробленный воинственно-презрительным блеском очков, он недоуменно умолк, подумав: «Да уж не дурак ли ты?..»

— Вам нужно думать о решении поставленных задач, а не о якобы возможном кровопролитии, — брезгливо добавил Печерников, так при этом махнув ладонью, словно навсегда вычеркивал Ворона из списка тех храбрецов, с которыми лично он согласен иметь дело.

Все молчали.

Задумчиво пройдясь по кабинету, Борисов остановился и сказал:

— Всем все ясно?.. Свободны. Ворон и Первухин, задержитесь.

КРЕДИТОР

Всю дорогу Первухин бурчал, плевался и ругал все на свете и всеми словами, что только наворачивались на язык. Выходило, что, во-первых, он уже который день ничего не понимает, а потому то и дело вляпывается в ту или иную дрянь. Во-вторых, кто-нибудь постоянно путает ему карты и мешает работать. В-третьих...

Ворон не слушал. Первухин говорил ровно то же самое, что он мог бы сказать сам, но переливать из пустого в порожнее не считал для себя возможным. Ну да, ну да... Заместитель министра обороны Борисов тоже вел себя странно... странная нерешительность... странные вопросы... он знал его совсем другим.

Что с ним случилось?

Может быть, Борисов, как сам Ворон (и, как теперь оказалось, командир группы антитеррора Первухин), тоже ни черта не понимает и чувствует себя куклой?

Но если даже Борисов — кукла, кто же тогда кукловод? И зачем этот кукловод так перепутал все веревочки, что на сцене происходит не отлаженное, годами репетировавшееся действо, в котором каждый знает место и готов исполнить свою роль, а только и исключительно позорная бестолковщина, в которой не остается места ни одному разумному поступку?

Первухин продолжал ворчать и прерывался только для того, чтобы в очередной раз дернуть водителя: «Витюша, ну куда ты прешь? Глаза разуй, не видишь — яма!».

Ничего нового у здания Верховного Совета Ворон не увидел. Переехали на другой берег Москвы-реки, вышли из машины. Первухин закурил. «Вот, полюбуйся, — с не совсем понятным Ворону выражением сказал Первухин: будто только что увидел, и зрелище его остро огорчило. — Наворотили, а!»

Здание Верховного Совета окружали неряшливые груды обломков — невольно представлялось, что о его подножье вдребезги расшиблась целая флотилия кораблей. Первухин спросил: «Иван Николаевич, тебе что-нибудь ясно?» Ворон пожал плечами. С одной стороны, ему все было ясно, поскольку с военной точки зрения взять это здание труда не представляло. С другой — ничего ясно не было. «Одного не понимаю, — сказал он. — С кем воевать? За кого? И зачем?» Первухин отмахнулся. «Про это даже не спрашивай. Мы люди военные. Сказано, сделано, доложено».

Первухин прав, конечно. Но все-таки Ворон околачивался здесь уже больше суток, насмотрелся. Видел тех, кто стоял под стенами Верховного Совета. Говорил с ними. Даже ругался. Ругань — это дело житейское, главное другое — это были нормальные люди, люди как люди, ничего вражеского Ворон в них не заметил.

«В общем, я так считаю, — сказал Первухин, прицельно щурясь на Белый дом. — Для начала пару десятков ПТУРов засадить. В окна, с разных направлений. Как думаешь?» «Пожалуй», — кивнул Ворон. «Там ведь наверняка все снизу доверху мебелью набито, — пояснил Первухин. — И синтетикой». Ворон кивнул. «Верно предполагаешь, — сказал он. — Я бывал. Именно так. Пластиковые панели на стенах». «Как задымит, мало не покажется, — сказал Первухин. — Хуже иприта».

Потом они сели в машину и уехали.

* * *

— Ты где пропадаешь! — закричал Грач, когда Ворон открыл дверь кабинета. — Докладывай!

Ворон помолчал, собираясь с мыслями, и стал докладывать.

В выражениях он не стеснялся, однако не было в русском языке таких выражений, что позволили бы ему выразить обуревавшие его чувства. Поэтому он смог изложить только самую общую канву событий.

Он рассказал и то, как они провели рекогносцировку, и как доложили Борисову о результатах, после чего он спросил, не может ли Ворон набросать план блокирования. И как Ворон задал встречный вопрос — какими силами? — а Борисов вместо ответа подпер голову руками и задумался, словно прежде этот вопрос не приходил ему в голову, а потом неуверенно предположил, что следует, вероятно, рассчитывать на дивизию имени Дзержинского, Тульскую ВДВ, бригаду «Теплый стан» и группу антитеррора. И как тогда Ворон, сказав «Есть!», взяв тупой карандаш (зачиненного в кабинете замминистра почему-то не нашлось), за три минуты набросал на листе крупномасштабной карты примерный план блокирования: фасад и правую сторону здания отвел дзержинцам, за ними поставил группу антитеррора, левую тыльную сторону отдал тулякам, а бригаду спецназа «Теплый стан» и часть сил Тульской вывел в резерв.

И как Алексей Ярославович, прежде любивший тщательность более всего в жизни (почему Ворон и предполагал, что его нынешние каракули вызовут гнев), вместо того оживился и заявил: «Отлично! Я сейчас позвоню Раскатову! Поезжай, согласуй!».

И точно — тут же позвонил. И как Ворон уже через несколько минут вошел в кабинет Раскатова с картой в кармане. Служба их не сводила, но Ворон слышал, что Раскатов — грамотный и скрупулезный человек. Однако тот, потратив на рассмотрение наброска не более минуты, решительно признал план нормальным, после чего отдал заместителю распоряжение согласовать действия, а заместитель — начальник штаба внутренних войск генерал-лейтенант Березняк, — глянув совсем уж мельком, бодро сказал: «Все ясно! К установленному времени будем на месте».

И как Ворон покивал в ответ и даже улыбнулся, подумав, что, похоже, уже утратил способность чему-нибудь удивляться. Так принюхиваешься к запаху краски: войдешь — воняет, а пять минут прошло — и уже как будто так и надо.

Он докладывал все это Грачу, и получалось, что во всем, чего он только ни касался за прошедшие двое суток, творится что-то противоестественное, прежде просто невообразимое. Однако, говорил он, у него нет сомнений, что вся эта несуразица, почему-то одобряемая самыми высокими военачальниками, только *должна* произвести впечатление хаотического схождения случайных факторов, а на самом деле *является* блестяще организованным процессом, ширмой, под прикрытием которой некие силы, желавшие, по всей видимости, сохранить инкогнито, готовят нечто совсем иное — но что именно, он не в состоянии же предположить.

«Ладно тебе — силы! — буркнул Грач. — Не на-
стики. Нормальная организационная неразбериха».

лищ командующий, — глухо сказал Ворон. — Так
аче, силовые действия на подступах к зданию Вер-
о Совета приведут к массовому кровопролитию.
в выполнить любой приказ. Но мне нужно пони-
мысл этого приказа, а иначе увольте: в марионетки
усь. Можете доложить по команде».

ило ли удивляться и тому, что вместо ожидаемого
негодования и ярости командующий просиял:
т! Не зря я тебе всегда верил! И замечательно,
ошибся! — поднялся, подошел к окну, повер-
— Сделаем так: ты сам! лично! сейчас! снова
ь к зданию Верховного Совета! И найдешь воз-
сть довести до сведения защитников, что блоки-
е... — Грач сощурился, о чем-то размышляя. —
можно, и штурм... начнется в три часа ночи.
? Исполняй!».

он сказал «Есть!», без стука закрыл за собой дверь
та и ровным шагом вышел на улицу.

КРЕДИТОР

— Раздевайтесь, товарищ полковник, — приказал он, подойдя к уазику.

— Не понял, товарищ генерал, — настороженно ответил Карамышев.

— Нечего тут понимать. Тельняшку снимайте, а то из-под кителя видно. Погоны отстегивайте. Нарукавные знаки спарывайте. Номера свинтить на всякий случай. Будем в Летучего голландца играть. Высшая степень конспирации. Чтобы ни у кого догадки не возникло, кто такие. Ясно?

— Теперь ясно, — ответил Карамышев и полез за ключами...

На все ушло часа полтора. Подъехали к Белому дому (сколько уж раз Ворон возле него, будь он неладен, оказывался). Присмотревшись к череде озабоченно снующих, выдергивал кого-нибудь поосанистей (Грач велел одного, он для надежности поймал троих) и, для начала устрашив угрюмым ревом, сообщал секретные данные, которые кровь из носу нужно передать госсоветнику Прыгову...

Все эти полтора часа его томило смутное сомнение, никогда прежде не посещавшее генерала Ворона.

И дело было не в том, что он, автор плана предстоящего блокирования, так или иначе согласованного аж с двумя заместителями министров, ныне сдает этот план противнику, то есть совершает нечто такое, что никак не может уложиться в понятие воинского долга или офицерской чести.

Тревожило другое: верно ли он поступил с самого начала?.. Собственная фраза снова и снова прокатывалась в мозгу: «Я подчинюсь, если вы примете на себя обязанности Верховного главнокомандующего!».

Он был прав, разумеется, но теперь испытывал такое чувство, будто разгрыз пустой орех. Ну или шагнул мимо ступеньки.

* * *

Когда он вошел, порученец осторожно прикрыл за его спиной дверь.

«Разрешите доложить, генерал-майор Ворон по вашему приказанию прибыл!»

Сидевший за столом поднял голову от бумаг и откинулся в кресле. «Ты чего так орешь? — удивленно спросил он. — Заболел?» — «Никак нет, товарищ Верховный главнокомандующий! С детства голос такой!» — «Ах, вот что! Голос у тебя...»

Неспешно поднялся, сделал несколько шагов, подойдя к окну, повел плечами — должно быть, засиделся, хотелось размяться. «Знаешь, зачем вызвал?» — «Не могу знать, товарищ Верховный главнокомандующий!» — «Хочу спросить, — сказал тот, поворачиваясь. — Как ты, Ворон, долг понимаешь?» Ворон невольно выпятил челюсть. «Отвечай! Что такое долг?»

Бывало, жизнь ставила перед ним и куда более каверзные вопросы. Утаив насмешливую гримасу — мол, нашел что спросить! — Ворон начал раскрывать рот, чтобы отбарабанить фразу, что уже сложилась в мозгу и теперь неудержимо наворачивалась на язык: долг есть поддержание системы отношений, при которой один подчиняется другому и должен выполнять его указания.

Но тот, будто заранее зная, что именно Ворон хочет доложить, мягко перебил: «Ты не спеши. Ты подумай прежде. — И повторил раздельно, по слогам: — По-ду-май!».

Ворон нахмурился.

Как он понимает долг?.. А как он может понимать долг? Как военный человек должен понимать долг? Ясное дело: без приказа пар из миски не идет, муха не летает... и так далее... исполняй приказы — вот тебе и весь долг.

«Подойди-ка, — сказал тем временем тот, решив, вероятно, что без подсказки генерал не сможет найти верного ответа. — Сюда посмотри».

Ворон щедро рубанул четыре строевых (заметив боковым зрением, что ждавший ответа опять повел плечами — на этот раз вроде как недовольно, будто ему почему-то не нравилась Воронова шагистика) и встал у подоконника.

«Смотри внимательно! Ну-ка!»

Ворон не успел. С той самой минуты, как оказался в кабинете, ему почему-то все не удавалось заглянуть в лицо тому, кто его встретил, и сейчас он улучил миг и вскинул взгляд, чтобы схватить хотя бы абрис.

Но лица не увидел.

Во всяком случае, то грозное серо-синее сгущение, в котором беззвучно, а потому ужасно и гибельно просверкивали молнии, никак нельзя было назвать лицом.

Его мгновенно залило черным, неисчерпаемым ужасом. Он с последней ясностью осознал вдруг, что всю свою жизнь неверно понимал, что такое долг, а сегодня, когда появился наконец шанс доказать и самому себе, и тем, кто станет потом оценивать его действия и поступки, что долг — это не поддержание армейского порядка, не исполнение приказа, каким бы этот приказ ни был, а что-то совсем, совсем другое! — он, Ворон, шанс упустил и теперь до скончания века ни сам себе не сможет простить, ни другие ему этого не простят.

— Виноват? — хрипло сказал он, испытав то сжатие всех внутренностей, что всегда сопутствует началу падения в бездонную яму.

Раскрыл глаза, с мучительным изумлением вглядываясь в тяжелые желваки грозового неба.

Господи!..

Но уже повел шеей, приходя в себя... встряхнулся.

Задремал, должно быть...

Забитое в обе стороны Щелковское тащилось с черепашьей скоростью. Впереди над эстакадой густились сизые тучи, справа еще дышало светом, сквозила голубизна.

— Пробка-то какая, — сказал Карамышев. — И куда их нелегкая несет?

— Вы, товарищ полковник, как та старушка, — проворчал Ворон. — Лучше скажите мне, что такое долг?

— Долг? — удивился Карамышев. — Ну как... В мирное время, товарищ генерал, это необходимость соблюдать иерархическую систему подчиненности.

— То есть, грубо говоря, та же субординация...

— Грубо говоря — да, — согласился полковник.

Ворон хмуро кивнул.

— Следовательно, вы говорите о военном долге... и о военном порядке. Я же имею в виду долг вообще.

Карамышев подумал.

— На мой взгляд, «вообще долга» не бывает.

Минут пять ехали молча.

— По-твоему, люди только военный порядок понимают, — задумчиво сказал Ворон.

Карамышев вздохнул и пожал плечами.

— Если военного порядка нет, люди, они... они ведь такие...

— Какие?

— Да какие... Разрешите показать? Просто чтобы лишних слов не тратить... Можно на пять минут съехать с трассы?

— Давай, давно в цирке не был...

Свернули направо.

Подъехав к первой же автобусной остановке, Карамышев остановил машину, приоткрыл дверцу, спустив ногу на асфальт, высунулся и закричал, взволнованно махая в том направлении, в каком, собственно, и двигался:

— Товарищи! Скажите, я правильно еду?

Почти сразу полковнику ответили ободряющие голоса:

— Правильно!.. Конечно!.. Правильно!.. Туда, туда!..

Некоторые тоже махали, подтверждая верность выбранного направления.

Когда уазик двинулся дальше, они сочувственно смотрели вслед.

КРЕДИТОР

* * *

Он сидел на командном пункте бригады связи в Оленьих Горах, почти уже отстраненно понимая свое бессилие. Что в Чкаловске, что в Кубинке царил уже ставший привычным хаос. Сто шестая дивизия, три года промотавшаяся по «горячим точкам», даже при самом идиотском подходе к делу могла бы высадиться где угодно. Но ее видавшие виды самолеты почему-то сбивались с графика и шли вразнобой, возникая из ниоткуда и садясь на аэродромы, где их не ждали — чтобы на тех, где ждали, разочарованные встречающие оставались в уже привычном изумлении. Подразделения смешались, управление нарушилось. Даже комдива, летевшего в Кубинку, приземлили в Чкаловске...

В начале первого ночи его вызвал Грач. Ворон вернулся в Москву. Командующий метался по кабинету. Оказывается, звонил Первухин: группа антитеррора не будет принимать участия — ни в блокировании, ни в штурме. С дзержинцами неизвестно. Ворон сам набрал номер дивизии. Сонный сержант на КПП переспросил: «Машины? Какие машины? У нас все на месте».

Бригада «Теплый стан» и вовсе легла на дно: связаться с ней не удавалось ни по одному каналу связи.

Грач возбужденно горланил и хотел командовать, но в глубине зрачков читался ужас.

Сам он тоже не знал, что делать. На него навалилась усталость.

«Разрешите удалиться, — глухо сказал он. — Позвольте отдохнуть».

Примерно в четыре двадцать его подняли. Ворон выслушал.

— Трое?

— Так точно, товарищ генерал-майор, трое.

— При каких обстоятельствах?

Выслушав, положил трубку и впервые за все это время выругался.

Глава 3

Ему казалось, что он понял жизнь: каким-то чудом удалось вырваться из ее вечной неразберихи, подняться, увидеть всю и наконец-то разобраться.

Как если бы долго пробирался по высокой траве — всюду выше колена, а где и по пояс: жесткая, неприветливая, осенняя, запутанная летними ураганами в неряшливые космы, пожелтелая, сухая. Она все цеплялась и заплетала ступни, и хватала, и пыталась не пустить, а когда он все же вырывался, мстительно колола злыми остяками и будыльями; всякий шаг давался с таким усилием, будто кто-то вис на ногах. И все это долго, так долго — с самого рождения, что уже не оставалось сил пробираться дальше...

И вдруг раз! — и все-таки вырвался, все-таки вышел на открытое пространство, на широкую пустую дорогу — а тут уж пошагал, вольно размахивая руками и беззаботно посвистывая, без сожаления оглядываясь и понимая: кончилась эта чертова чересполосица, все, хватит, теперь другое дело — легко и свободно!..

Ну да, точно, наконец-то он уяснил! Раньше не мог постичь, а все только мучился — в чем же смысл? В чем смысл всей этой неохватной, неперечислимой чехарды — на кой ляд она вся? Зачем свет, к чему тьма? Для чего он видит землю, дорогу, небо? Зачем звезды над головой, зачем сама вселенная, манящая своими черными, насмешливо подмигивающими бесконечностями? Ради чего он явился и почему должен исчезнуть?

Сейчас перед глазами мелькали, меняя друг друга, неопровержимые доказательства того, что он наконец добрался до сути и на самом деле все окончательно понял. Каждое из них открывало целые толщи знания, каждое было чем-то вроде скважины, добравшейся до скрытых прежде глубин, или мощного окуляра, выхватившего из тьмы беспредельности то, что раньше казалось таинственным, загадочным, а теперь стало простым и ясным, как дважды два.

Одно из этих доказательств явилось так ярко и красочно, что он на мгновение зажмурился. Ах!.. Нет, тут не поспоришь!..

Большой неровный двор лежал чуть наискось, да и весь тот утлый городишко громоздился на холмах, а потому все кругом кривилось и надламывалось.

С одной стороны двора стояло небольшое двухэтажное, что ли, зданьице — беленое, облупленное, покосившееся, выглядевшее уютно, с распахнутыми настежь окнами. К нему примыкала заросшая вьюнами ограда, в ограде — расхлебяненные железные ворота, за воротами выезд — должно быть, к дороге; и все в зелени, крупитчато золотящейся острыми вспышками солнца.

Другая сторона двора клонилась в овраг не то, может, к ручью, ограды не было, двор обрывался сам собой — начиналась трава, кустарник, а дальше взгляд так же падал в густую зелень и золотые всплески солнца.

В середине мокрый асфальт сиял и лучился, и то же солнце играло на нем, блескуче и весело участвуя в цветастом действе: невнятные покрикивания, плеск, шлепки и хлюпанье сочащихся красками пасм, разноцветные потоки на асфальте, ступенчатые хлопки сверкающей воды, чьи серебряные веера летели из гулких цинковых ведер.

Бадьи сияли и слепили цветом — одна синяя, но не просто синяя, а гораздо синее даже самого ясного, напоенного светом неба, другая кроваво-красная, оставлявшая в глазах тревожную вспышку, третья изумрудная, вся будто истекающая зеленым соком, четвертая черная, торжественно-лаковая.

Девять стариков расхаживали между ними: одеты небрежно, по-рабочему, все как один в коротких, до середины голени штанах, пошитых бог весть из чего — на одном спереди матрасной расцветки, сзади в цветочек, на другом тут холщовые, там в клетку; в расстегнутых цветастых рубахах — у тех схвачены узлом на худых пупках, а у этих просто треплются; брызги краски всюду хорошо видны, а особо на белых бородах — у того позеленела, у этого будто окровавлена.

Пасмы хлопчатобумажных шнуров грудой лежали у ворот. Ухватив охапку из двух или трех, нужно было донести, кинуть в бадью и некоторое время топить, взяв для того специальную палку, до поры до времени прислоненную возле, — все с гиканьем, с бессмысленными покриками, призванными, похоже, только отметить свое собственное существование и убедиться в существовании других. Когда пасмы намокали и пропитывались, той же палкой подцепить и поднять, давая стечь (часто они срывались, плюхаясь обратно с яркими брызгами — это они пятнали одежду и бороды), а потом уже с новыми бодрыми воплями волоком тащить отяжелевшие туда, где два таких же седых крикуна в лоскутных штанах принимались поливать их из ведер свежей водой, рушившейся из высокого лебедя-крана. Когда по косогору радужными потоками стекало должное количество разноцветной воды, старики волокли их дальше: там развязывали, высвобождали, с тяжелым чавканьем кое-как растрепывали, вытягивали во всю длину рядом с другими зелено-красно-сине-черными змеями — на просушку.

КРЕДИТОР

Все это яркое, лучащееся пировало цветами и радостным сверканием и казалось равно поделенным между всеми, — но нет, нет: старики, устраивавшие этот щедрый пир и сами разноцветные, были отделены, они пребывали в другой, в соседней вселенной — в той, где не могло быть ни цвета, ни света, а только звуки и тьма: все они были слепы — именно потому, шагая с еще сухими охапками к бадьям, так смешно задирали головы, будто надеясь в конце концов что-нибудь увидеть. Этот двор и этот дом — это был интернат для слепых, тут они работали как могли — вот, например, красили сырье, из которого зрячие должны были потом соткать цветастые паласы...

Разве не убедительное свидетельство?

И еще, и еще, и еще!..

Он бы даже был не прочь на некоторое время приостановить мельтешение, ведь и так все уже было доказано и не требовало новых улик. Теперь ему хотелось — да, именно сейчас, когда мысли обрели неслыханную ясность, и всякий предмет, выхваченный ими из тьмы, виден в мельчайших деталях — спокойно поразмышлять.

Формируясь в утробе матери, человеческий организм заново проходит все стадии эволюции человека как вида: сначала он всего лишь слияние двух клеток, которое и организмом-то назвать язык не поворачивается, чуть позже — что-то вроде простейшего, по прошествии нового времени — рыбешка. Еще месяц спустя он мог бы неуклюже выбраться на берег праокеана (правда, еще видны жабры, реликт предыдущей стадии), а вот уже стал голой зверушкой наподобие щеночка... Это условное повторение видовой эволюции завершается рождением.

С момента его появления на свет начинается иное восхождение: явившись из бездн времени, личность поднимается по ступеням духовной эволюции человечества.

Поначалу ребенок только кричит и плачет; прошло время, и он лепечет что-то осмысленное, пусть пока одна лишь мать может понять смысл этих звуков; еще несколько месяцев — сказал первые слова, внятные всем. Дальше, дальше... больше слов, больше мыслей... вслед за богатством словаря открывается письменность.

Но если в утробе зародыш биологически обречен дойти до конца своего развития (если, разумеется, не случится ничего катастрофического) и стать детенышем человека, то на пути духовной эволюции он может остановиться, прекратить ее в любой момент и на любой ступени: навсегда остаться червем или мальком, или земноводным, или уродливым древним млекопитающим.

А если все же что-то толкает его, если он хочет дойти до конца и на самом деле сделаться человеком, ему однажды придется задаться теми самыми простыми и безответными вопросами, что не давали покоя брадатым мудрецам античности.

И лишь когда они иссушат его, отняв последние иллюзии, он — утратив все и обретя все — по праву может сесть в бочку на площади и сказать царю, чтобы тот не загораживал солнце, — ибо он стал человеком, а с этой наградой не могут сравниться царские милости.

Вот о чем!.. вот о чем он хотел бы подумать!.. — но картины мелькали одна за другой и гаснущее сознание тащило его все дальше и дальше во тьму.

1. Перемены...

1

— Герман Алексеевич? Простите великодушно, что беспокою. Мне ваш номер дал Михаил Блекотин...

Услышав первые слова, едва не перебил гневным восклицанием — после всего, что наворотил этот сукин сын, Бронников и слышать о нем не мог.

КРЕДИТОР

Однако сдержался: по интонациям мягкого женского голоса сразу почувствовал: что-то важное. При этом машинально отметил, что по серьезным делам его почему-то всегда ловят именно здесь, под лестницей. Должно быть, чтобы не забывал, кто он на самом деле, не заносился...

— Да, да, слушаю...

— Он говорит, у вас есть новый роман... Герман Алексеевич, сможете к нам подъехать?

Договорились на среду.

Два дня предвкушал. Ничего себе — сами позвонили!..

Дела с ними, с издательствами и издателями, он прежде имел не много. Если совсем точно, то всего раз — когда Криницын готовил к печати так и не дождавшийся своего часа роман «Хлеб и сталь» (а теперь, кажется, и вовсе канувший в Лету — во всяком случае, стал попутно вспоминать, куда бы мог запротырить, полез рыться в пыльных пачках на антресоли, не нашел — и с легким сердцем плюнул: век бы его не видать).

Но все же от прежнего осталось впечатление мрачноватой солидности — дубовые двери такого калибра, что едва утянешь (еще задавался в ту пору вопросом, как справляются с ними престарелые советские классики), степенная гардеробщица с печатью литературной приобщенности на старчески румяном личике, лифт, застланный ковровой дорожкой коридор... потом, правда, бац: в кабинете, вопреки всей чинности заведения, сильно хваченный редактор Криницын...

Однако издательство «БТУ» (по дороге все прикидывал, из чего могла бы складываться аббревиатура, однако комбинации подбирались совершенно нелепые, не могущие иметь отношения к книгоизданию, кроме разве что «Библиотеки томов ученых» — но и это глупость, конечно) занимало на первый взгляд совершенно неподходящее для подобной деятельности место — стеклянно-железную выгородку, присобаченную к первому этажу семиэтажного жилого дома на углу Садового и Каретного. Как смутно ему помнилось, прежде здесь размещалась пельменная: пару раз заглядывали с Юрцом, только закусывать приходилось черствыми бутербродами, поскольку именно пельменей почему-то не оказывалось.

Теперь еще на подходе сквозь кое-где заиндевелые, а по низу заснеженные стены-окна разглядел пестрядь плакатов и книжных полок. У входа к тротуару приткнулись три-четыре лаковые акулы-иномарки.

Внутри и впрямь все оказалось несколько иначе, чем когда он знакомился с помещением с посетительской стороны прилавка. Самого прилавка не осталось и в помине, тут и там стеллажики с книжками — что-то вроде выставки продукции. Бронников успел только мазнуть по корешкам взглядом, как говорливая и размашистая Варвара Михайловна увлекла его мимо столов, за которыми сидели над стопами бумаги разновозрастные женщины (должно быть, редакторы, не то корректоры). Двинулись в самые недра — туда, где прежде, надо полагать, варились те самые пельмени; ныне пельменями и не пахло, зато слышался галдеж и тянуло куревом.

Варвара Михайловна задержалась у дальней двери, приглашающе раскрыла. Бронников вошел. «Ага, — сказал, поднимая голову, сидевший за обширным и почти пустым столом небольшой круглолицый человек. Наиболее примечательной деталью его в целом заурядного облика были синие сатиновые нарукавники, которые, впрочем, он тут же принялся стаскивать, явно досадуя, что цепляются. «Герман Алексеевич? Очень рад, очень! Проходите, проходите! — и, ступив ближе, протянул руку, улыбаясь: — Будем знакомы! Бердман... можно просто Аркадием». «Очень приятно, — сказал Бронников, пожимая его маленькую, но цепкую ладонь. — Мне тоже... искренне...»

КРЕДИТОР

Для начала заговорили обо всякой всячине, что в ту пору не сходила с уст, — и разумеется, о бесславно провалившемся ГКЧП, и о распаде Союза, и о независимости, и о том, что теперь все пойдет семимильными шагами; вот и закон о средствах массовой информации принимается, кругом послабления, и торговля — ах уж эта торговля!.. цены-то, цены!.. инфляция какая, господи: получил копейку, пулей в магазин, не то к вечеру все втрое дороже. Бронников и кивал, и сам высказывался, и так радостно и свободно распалился, что стал совершенно по-свойски и категорически возражать против крайнего оптимизма Бердмана и Варвары Михайловны, разъясняя, что это открывать дверцы тяжело и трудно, а в случае чего захлопнуть — так никто и глазом не успеет моргнуть. В общем, был с головой захвачен этим шумным и приятным разговором, по первым аккордам узнав в собеседниках друзей и единомышленников.

Болтали, пока на столе не зазвонил телефон, Бердман схватил трубку и принялся оглушительно орать. Речь шла о каком-то производстве, что ли... о промышленности — вагоны, отгрузка, поставки... тонны, кубометры — и все в каких-то гомерических количествах: четыреста тонн, девятьсот кубометров... Потом прозвучало еще хлеще: четырнадцать вагонов. «Ну и что?! — громыхал Бердман. — Да хоть целый эшелон! Хоть два! У нас что, и железная дорога уже не работает?! Пусть отгружают, все заряжено!.. А это ты мне факсом, факсом пошли!..»

Бронников озирался, Варвара Михайловна успокоительно делала ему глаза — ничего страшного, видите как, у руководства дела. Бросив трубку, Бердман поймал его взгляд. «Простите, простите! Отвлекают от важных дел... Чейза издаем, — пояснил он. — Почти полное собрание. Тираж полтора миллиона».— «Так это вы его — эшелонами?» — изумился Бронников. «Ну да, — кивнул Бердман. — А чем еще, если девять типографий шуршат? Метут британца как горячие пирожки. Все сорок томов...» «Все сто томов...» — с усмешкой сказал Бронников. «Что? Нет, не сто, сорок... И все равно: открылись наконец шлюзы». «Это вы имеете в виду... э-э-э?» — сказал Бронников. Бердман неопределенно помахал. «Ну, как бы точнее... Шлюзы духовности, что ли. Раньше-то нельзя было. А теперь вон как. Пошло-поехало. Чейз, Рекс Стаут. «Камасутра» — и та на втором месте. А Хайям — на третьем».— «Вот как, — протянул Бронников, подбирая слова. — То есть не Белинского и Гоголя?» «В смысле?» — не понял Бердман. «В смысле — с базара», — улыбнулся Бронников. «Ну что вы, — начал широко улыбаться Бердман. — Ну какой базар. Обижаете. Развиваем культурную книготорговлю...»

Он бросил взгляд на Варвару Михайловну, и она тут же закричала: «Господи, ну как же я рада с такими людьми!.. с такими писателями!.. в такое время!.. Вот мы тут уже и договорчик!.. У вас паспорт с собой?»

И, невесть откуда выхватив, положила перед ним с обеих сторон крупно испечатанный лист. С самого верха он первым же взглядом схватил крупное: «Издательский договор».

Сердце зашлось.

Казалось, совсем неважно, что именно в этом договоре написано, но все же взгляд метался сверху донизу и обратно, выхватывая то *«Издательство имеет право»*, то *«Автор обязан»*, то *«Издательство обязуется выплатить»* (далее от руки синим шариком фигурировала вписанная в пробельное пространство сумма в рублях — прямо сказать, совсем незначительная сумма, сравнимая с его месячной зарплатой — полторы, что ли, тогдашних, две), то *«обязуется в этом случае заплатить Издательству штраф в сумме»* — а тут уж никаких пробелов, все заранее жирно впечатано черным по белому: «двадцать тысяч долларов США (USD)» — что несколько задержало его внимание, поскольку было непонятно, откуда даже в самом прискорбном «этом случае» они могли бы у него взяться.

«Подписываем? — доброжелательно похохатывала Варвара Михайловна. — Что тянуть? Ведь у вас, Герман Алексеевич, новый роман! Ведь чудо-то какое — целый роман! Помните, вы о нем еще по радио говорили? Мы как услышали, прямо все задрожали!.. Подписываем?..» — «Ну а что ж... разумеется, — оторопело кивал он. Для порядка перевернул лист, но с той стороны и вовсе уж ничего не уловил, да и не очень старался. — Конечно, конечно! — но тут как на грех навернулось словцо, запавшее еще с криницынских времен: он хорошо помнил, что тогда, подмахнув бумаги, тут же устремился в кассу. — То есть... э-э-э... аванс?»

Варвара Михайловна с энтузиазмом закивала, однако уже не смеясь, полные губы сложились куриной гузкой, и она ответила прохладно и с таким видом, будто он ляпнул что-то оскорбительное или, как минимум, неуместное: «Аванс-то? Обижаете, Герман Алексеевич, как же без аванса! Разумеется, аванс... Только потом».— «Потом? Когда — потом?» — не имея в виду ничего обидного, снова спросил Бронников. «Потом, — уже несколько раздраженно повторила Варвара Михайловна. — Позже. По выходу книги». Она посмотрела на Бердмана, пожав плечами, словно извиняясь за нежданную заминку. «Разве бывает такое, чтобы аванс — потом? Аванс он потому и аванс, так сказать, что...» — уже подозревая, что глупо и непростительно упрямится, сказал Бронников.

«Видите ли, — озабоченно вступил Бердман. — Я вас понимаю, Герман Алексеевич. Но и вы нас поймите. Фактически мы работаем в ущерб себе. Страна, можно сказать, на последнем издыхании. Людям не до литературы.

А мы все-таки сеем это самое... высокое, разумное... ну, вы понимаете. И потом — ведь такая инфляция!»

Бронников немо кивал, ругая себя и клянясь больше не перечить. Что за глупость? — такое предлагают, а он кочевряжится. А ну как сорвется дело? Сорвется, не приведи господи, в какой-нибудь дурацкий скандал — и единым махом рухнут столь лучезарно открывшиеся перспективы. Нет, нет, нет!.. Какая к дьяволу разница? Что он цепляется к ерунде? Какая глупость! Господи, да хоть бы совсем не было никакого аванса, что ему этот аванс! Хоть бы и самого гонорара не было — он ведь уже прочел, что там вписано: сущие копейки, ну и бог с ними, — ему не деньги, ему книжку надо, книжку: взять в руки ее, настоящую, теплую, его живую книжку, — баюкать, нежить, лелеять, в тысячный раз раскрывать как в первый и опять удивляться — неужели на самом деле? Снова и снова не верить: господи, да как же удалось?..

«Хорошо, хорошо, — сказал он. — Это я, собственно, к слову. Давайте, разумеется, что тянуть... снявши голову... где подписывать?» «Да конечно же, — снова заворковала Варвара Михайловна, теперь уже совсем бессвязно. — Вот видите! Я же говорю — вы и по радио, и всё, и новый роман! Мы тут сидим себе, а как услышали — господи, новый роман у автора, а мы тут сидим... «Набег», кажется?»

«Ну да, — польщенно кивнул Бронников, крутя в пальцах самописку и нацеливаясь.— «Набег». Двадцать шесть листов...» — «Ах, двадцать шесть! Восхитительно!» — «Очень, очень хорошо! — поддержал ее Бердман — и с таким удовлетворенным видом, будто только что перевернул последнюю страницу последнего из этих листов. — Так интересно! Я прямо от корки до корки... то есть, хочу сказать, с таким вниманием слушал, как вы рассказывали. И я, и Варвара Михайловна, и сотрудники...

КРЕДИТОР

все мы с большой радостью... гм. И, разумеется, хочется продолжения. Томов бы этак пятнадцать-двадцать...»

«Пятнадцать?» — машинально повторил Бронников, водя черным жалом над бумагой. Он бы пропустил мимо ушей, поскольку последнее вовсе не могло иметь к нему отношения — какие пятнадцать томов? Он с одним романом возится полжизни... а уж пятнадцать! Но захотелось отозваться на прозвучавшую мельком похвалу — ему и такая дорога. Вот ведь живой человек говорит, что ему интересно!.. а, собственно, не ради ли этого он и пишет? Если хоть кому-то интересно — это же просто счастье!

«Спасибо, спасибо», — сказал Бронников.

Он все помавал ручкой, не решаясь кольнуть бумагу. Параллельно вскинул взгляд на Бердмана и благодарно подумал, что не такой уж и дурак этот Бердман, не нужно думать о людях хуже, чем они есть на самом деле; ну не помнит Бердман про Белинского и Гоголя... ну и что, бывает; зато вот ему интересно!

«Разумеется! — решил он одобрить проявленную Бердманом заинтересованность. — А знаете, как мне самому было интересно? В Афганистане тогда сложилась любопытная обстановка, сейчас расскажу... Где? Здесь?» — и снова наклонился над листом, выискивая, куда лепить подпись.

«Подождите, Герман Алексеевич!— воскликнула вдруг Варвара Михайловна, ловко, прямо из-под пальцев выхватывая договор и полной рукой относя лист несколько в сторону, будто опасаясь, что его нечаянно замарают. — Секундочку. При чем тут Афганистан? Разве это не о татарах?»

«О каких татарах? — тупо переспросил он: а по тому, как гулко ухнуло в груди, уже отчетливо понял: конец. — О каких еще татарах? Там нет никаких татар». «Разве не о?.. — удивленно протянул приставший Аркадий Бердман и сел на прежнее место. — Но тогда...» «Как же! — взволнованно воскликнула Варвара Михайловна. — А Козельск? Разве у вас не про оборону Козельска?.. Но Блекотин сказал!.. Что же он тогда? Набег, говорит, деревянный город, говорит, татары, пожар. Сказал, у вас большие замыслы, серию романов хотите... нам ведь серия нужна!» «Дурак ваш Блекотин, — скрежетнул Бронников. — Не знаю, что он сказал. Что он может говорить, если рукописи и в глаза не видел? Я писал о том, как в двадцать девятом году советские войска вторгались в Афганистан. При чем тут, черт возьми, Козельск? Какая серия?»

«Вот как, — произнес Бердман, после чего энергично хлопнул ладонями по столу. — Варя, звони Тиргартену! И Усыгину. Пусть сами ищут... Нет, про Афганистан нам не надо. До свидания. Извините».

Бронников хотел что-нибудь сказать — даже, может, и сказал, но в памяти не отпечаталось, повернулся как на смотру, нахлобучил шапку, бешено вывалился из пельменной на улицу.

«Бердман! — повторял он про себя, слепо шагая к Маяковской сквозь сумятицу нежданно поднявшейся метели. — Тиргартен! Усыгин!..»

Еще раз, и еще, клокоча от злости, с ненавистью повторил фамилии и вдруг понял: вот тебе и «БТУ»: Бердман, Тиргартен, Усыгин.

Ну да... О татарах!.. Они думали — о татарах!.. Сукин сын!.. От корки он до корки!.. А врать-то нехорошо!.. Бердман, Тиргартен, Усыгин!.. Сукины дети!.. Дети капитана Гранта!.. У них, видите ли, инфляция. А у него самого, значит, не инфляция!..

Чейза они эшелонами! В ущерб себе...

«А Блекотин?!» — пришла ему новая мысль. Бронников от ярости запнулся на мгновение, и оказалось, что очень кстати: эта секундная задержка позволила избежать столкновения с каким-то «жигулем», метнувшимся с Садового в Воротниковский.

КРЕДИТОР

Ох, Блекотин! Ох уж этот Блекотин!.. Что бы ни сделал, все какая-нибудь дрянь!.. Нарочно он, что ли? Умышленно? Вот козел! Говорящая фамилия — бле-е-е! бле-е-е!.. Как дать по рогам!.. Просили его с этими сукиными детьми — с Бердманом, Тиргартеном, Усыгиным — разговоры разговаривать?!

Распаленно ловил ртом снежинки, мало-помалу успокаивался.

С другой стороны, конечно... что ж... В конце концов, Миша хотел как лучше... Спасибо надо сказать: помнит, что есть на свете такой Бронников, что лежит у него в столе злосчастный роман.

А что отношения расстроились... Эх, Миша, Миша!..

* * *

Ладно бы просто закрутил роман с веселой семинаристкой Юлей — закрутил и закрутил, само по себе дело десятое. В конце концов, насколько Бронников был в курсе, он и прежде себе не отказывал, а жена его Марина (ее Бронников знал еще прежде Миши — у него на глазах познакомились), будучи женщиной духовно продвинутой, к похождениям благоверного относилась вполне наплевательски. Да и сама, кажется... того.

И все бы это было хорошо, то есть, по крайней мере, укладывалось бы в любимое речение насчет того, что всяк по-своему с ума сходит, если бы не повлекло за собой некоторые последствия — на Мишин взгляд, неожиданные.

Собственно, кто сомневался, что повлечет? Человек, маршал своей судьбы, стоит на холме, придирчиво рассматривая разлившиеся до горизонта войска. Он готов к сражению, он победит!.. Но даже если он на самом деле умен и предусмотрителен и все им рассчитано с необыкновенной точностью: время — до минуты, расстояния — до шага, — все равно случаются треклятые превратности: ломается оглобля... лошадь запинается... веревка рвется...

ружье дает осечку. Наползает мгла, дозор сбивается с дороги, маршал Груши опаздывает к Ватерлоо.

То есть когда речь идет об отдельной победе в отдельной битве — и то все всегда кувырком. А если — о жизни? А если — о счастье?..

Юля забеременела. (Миша напирал именно на случайность указанного обстоятельства, Бронникову не хотелось его расстраивать, а то бы он, конечно, высказался насчет того, насколько эта случайность закономерна.) Известие о постигшей их радости Блекотин сообщил хоть и с несколько перекошенной физиономией, но все же торжественно, пафосно, с употреблением архаичной лексики: мол, так и так, старик, жизнь продолжается, нам, дескать, тлеть, а им цвести, и где, короче говоря, смерть, жало твое. Однако пафоса хватило ненадолго; было видно, что к решительному повороту событий он не готов. Стоило Бронникову без задней мысли задать какой-то невинный вопрос, как Мишин тон радикально переменился. Выяснилось, что их, нежных голубков, будущее он видел довольно лучезарным; то же, что начало разворачиваться, представляется ему вовсе не в радужных тонах. Он не против детей, более того — он детей любит, еще кому другому по этой части сто очков вперед даст, у той же Марины можно спросить; но вообще-то они договаривались на первых порах себя не обременять, даром что детородного возраста у нее впереди — ого-го, двадцать три недавно исполнилось. («Погоди, — перебил Бронников, — Ты же когда еще говорил, что двадцать три!» — «Что-то она тогда напутала», — ответил Блекотин.) В общем, спешки нет, год-другой могла бы подождать; и доучиться не помешает: ушла в академический, пора восстанавливаться, а какое, к черту, восстановление, если беспрестанно блюет. И потом: сам понимаешь, живем в съемной квартире, все забито хозяйскими вещами, там и вдвоем-то не повернуться; обещали скоро вывезти, ни черта не вывозят, а когда он психанул, эта идиотка тоже психанула — в том смысле, что она ни на чем не настаивает и если охота, так пусть съезжает; он бы и съехал, дня бы лишнего там не провел, да не больно получается: тут он платит столько-то, а в любом другом месте спросят столько-то, ведь цены на месте не стоят, приходится заключить, что костлявая рука голода тянется к самому горлу, в общем, зоечка ты моя, ничего хорошего.

Семинар к тому времени сошел на нет: давно уж платили через пень-колоду (о заказах, о колбасе и лечо, как предмете гастрономического вожделения отдельных руководителей, и вовсе разговора не стало), а вскоре после путча комсомол совсем развалился. Бронников помнил, как тогда Миша нарочно позвонил, чтобы мрачно зачитать из газеты, что какой-то там чрезвычайный съезд объявил историческую роль ВЛКСМ исчерпанной и распустил организацию. «Исчерпана историческая роль? — задумчиво задался вопросом Бронников. — Это в каком же смысле? Исполнили предначертанное?» «Не знаю, — буркнул Блекотин. — Исполнили или не исполнили, а дело швах, больше ни копейки не получим».

Семинаристы не вполне смирились с распадом, человек пять продолжали собираться. Его тоже не забывали, позванивали — то просто так, перекинуться словцом, то с просьбой прочесть опус и найти время потолковать, то позвать на очередное заседание — по теплому времени в парке на скамье, в ненастье у кого-нибудь дома.

Так или иначе, формального повода видеться не стало, а неформальные не подворачивались, да Мише, судя по всему, было и не до того по причине увлеченности новой семьей. Но однажды все же позвонил, уже по телефону извергнув целую Ниагару жалоб: двуличная обманщица и все такое. «Изменила?» — спросил Бронников, вспоминая круглое личико вечно сияющей Юли. «Если бы! —

полыхнул Миша. — За счастье бы почел!.. Ладно, при встрече расскажу».

Дело оказалось простое: оказывается, когда Юля открылась Мише, что понесла, то это был не медицинский факт, а только женская уловка. Блекотин смирился с тем, что уже якобы произошло по неосторожности, махнул на все рукой, и тогда случилось уже закономерно.

Понятно, что, изливая душу и рассказывая о несчастьях, Блекотин, как всегда это бывает, долдонил одно и то же. К счастью, обладая несомненным литературным даром (редко проявлявшимся на бумаге, но совершенно очевидным в устной форме), он красиво вдавался в разного рода подробности, ненароком превращая свои жалобы в череду занимательных новелл. Рефреном звучало горестное: «Ловят нас, мужиков! Ой, Гера, ловят!..» Правда настигла его случайно: подслушал телефонный разговор молодой жены с *твоей* — под *твоей* он подразумевал Таню Крапивину, явно вкладывая при этом какой-то неодобрительный смысл; Бронников поначалу возразил, потом решил не обращать внимания.

«Юлька думала, я курить пошел... курить она мне запретила... правильно, конечно, — что же курить в доме, если на седьмом месяце... Сама, правда, покуривает... раньше воротило ее, теперь ничего, терпит. А я не вышел, только ботинки на лестницу выставил, чтобы ваксой не воняли, вот дверь и хлопнула. Сижу на кухне, задумался... мне теперь, знаешь, есть о чем подумать... Главным образом о деньгах, конечно, вечно их, проклятых, не хватает... Вот и тогда тоже — сижу, размышляю, почему никогда нет этих чертовых денег... думаю, нужно как-нибудь собраться, сесть по-настоящему, как следует подумать и решить наконец эту проблему!.. А она в комнате щебечет. То о тряпках каких-то, то диеты разные... сам знаешь: о грибах и пряниках. Потом насчет колясок стали рассуждать... Ты не в курсе, наверное, а самая хорошая коляска, это если немецкая и вельветом обита, а там хоть бы даже без колес, колеса деталь второстепенная, главное чтоб вельвет... кстати, у вас не сохранилась?» — «Бог с тобой, Анечке скоро в школу», — сказал Бронников. «Время как летит, — вздохнул Блекотин. — Ну вот, потом, слышу, тишина, только ага да ага: должно быть *твоя* что-то принялась рассказывать... тоже небось такое же увлекательное. А потом Юлька и говорит: глупая, говорит, это же очень легко!.. Да еще с таким, знаешь, чарующим бабьим хохотком. Это, говорит, проще пареной репы. Просто как нечего делать. Очень, говорит, элементарно! То есть, ты представляешь, — опытом делится! Этакая престарелая опытная учит молодую!.. Бальзак! Да что там — Мопассан!.. Гера, зоечка ты моя, я только теперь понял, как они к нам относятся!..» «Ну-ну, — с ласковой умудренностью в голосе сказал Бронников: эх ты, несмышленыш. — Понял он... Надо было до седых волос дожить...»

Блекотин посмотрел печально.

«Ты прав, ты прав... Но все-таки обидно. Ты решил с ней жизнь поделить! Не деньги, не квартиру даже — жизнь, Гера!.. А она!.. Вот с чего, оказывается, все между вами начинается. Со лжи, Гера, со лжи! И ведь не горюет, не жалеет, не раскаивается, как ей совести хватило такое наворотить. Что ты: теперь она вдобавок *твою* неопытную наставляет. Подучивает. Так, мол, и так: сначала говоришь ему, что залетела, и тут самое сложное, чтобы смирился, а то, чего доброго, на аборт пошлет». «Господи, страсти-то какие!.. — с сердцем сказал Бронников. — Ты посылал?» «Ни черта я никого не посылал, — горько сказал Миша. — А теперь вот думаю: ну и дурак! Все благородство это наше, великодушие! Добрые намерения! Добрыми намерениями сам знаешь куда дорога выстлана... Эх, Гера, ловят нашего брата, ловят как карася!.. А актриса, актриса какая! — таких поискать, МХАТ бы обзавидовался. Вся в трепете, в волнении — а из-под волнения радость сквозит — а и из-под радости еще и страх проглядывает: тоска-печаль ее охватывает, как подумает, что отнимут у нее эту радость!.. Ах, Мишенька, я должна тебе сказать!.. Ах, Мишенька, любимый мой, ты у нас главный: если ты против, я что-нибудь придумаю!.. Ничего, Мишенька, я сильная, я смогу, только бы тебе хорошо!.. А потом бац! — и ты слышишь, как она учит кого-то своим премудростям... курс молодого бойца. Вот и живи с такой. Просто свинство, Гера, просто свинство. Как так можно!.. Ведь договаривались подождать, пока жизнь хоть немного наладится! Ведь обещала!..»

Блекотин в расстройстве замолк и взглянул на часы.

«Ух ты, зоечка ты моя, десятый час, — сказал он. — Ладно, Гера, доливай уже, что тянуть. Поеду, а то волноваться будет...» «То есть ты ее не бросаешь?» — с облегчением уточнил Бронников. «Да как ее бросишь, дуру такую», — махнул рукой Миша. «Вот это я понимаю, — вздохнул Бронников. — Скала ты, Миша. Кремень».

Что касается того, что коварная Юля вела разговоры именно с *его*, по выражению Блекотина, Таней, он особого внимания не обратил. Ну да: говорила с Таней. В этой фразе главное слово «говорила», а «Таня» — второстепенное, на его месте любое могло бы стоять. Как будто люди долго ищут, с кем бы словечком перемолвиться. Если пришла охота языком почесать, совершенно все равно, которая подружка подвернулась.

Это после его поездки между ними все испортилось. Собирались вместе — а она не пришла. Он валялся в Гатчинской больничке с воспалением легких, с температурой, в полубреду все мечтал, как распахнется дверь и Таня вбежит, взволнованная и радостная — нашла наконец! — а приехала Кира... Потом еще две недели лежал дома — и опять не прорезалась... могла бы позвонить в лифтерскую, как делала раньше: сменщики всегда исправно передавали. Сам попросил Юрца позвонить ее бабушке, спросить, все ли с Таней в порядке. «Все в порядке, — удивленно ответила бабушка. — А кто звонит?»

В общем, можно сказать, он уже и думать о ней забыл. Ну или почти забыл. Дотаивали в душе расплывчатые шлейфы любви, похожие на следы, что остаются за лодкой или самолетом. Время от времени, правда, еще случалось, что какое-нибудь простое, привычное действие или совершенно незначительное событие — сложил лист бумаги, взял со стола спичечный коробок или просто мельком увидел чью-то спину, пропавшую за углом дома, — оказывалось чем-то вроде волшебного ключа, провернувшегося в таком же волшебном замке: дверь распахивалась в прошлое, опаляя жаром, заливая все существо мгновенной горечью, заставляя сердце сжаться судорогой сладкого сожаления. Но проходила секунда, и все вставало на место: дверцы крепко заперты, а ключи брошены за борт — и даже мысли не оставалось, что они где-то там еще ржавеют.

2

Надеялся, что позвонит хотя бы после событий — должна же она была хоть немного за него волноваться? Разумеется, он не оповещал, что собирается на защиту Белого дома, но разве и без того, если на секунду задуматься, не стало бы ясно, что он туда отправится?

Но, может быть, ей просто не пришла в голову мысль, что там может быть опасно?

Скорее всего, так и есть... Ведь чтобы подумать о подобном, нужно примерить опасность на себя — а она совсем не по этой части. Маленькая, слабая, нежная девушка, ее мир — не площади, не толпы, не решимость... А если и решимость, то совсем другая — не выходящая за рамки собственной, личной жизни. Ну да, она просто не подумала... А если предположить, что они бы тогда еще оставались вместе, и она собралась составить ему компанию, он бы ее отговорил, конечно. Объяснил бы, как опасно, удержал...

Правда, она и потом не позвонила. Ну и ладно, ну и не позвонила... Разговор бы пошел понятно какой. «Гера? Ты живой?.. Там опасно было?» Ну и, разумеется, ничего бы не осталось, как рассказывать... так и так, трое суток, даже больше... ну что ты, брось, какая там опасность, ничего подобного... Непременно заговорил бы о Леше. Потому что самое сильное переживание, испытанное им уже на излете всего, под утро последней ночи, было связано с Лешей. И ему трудно удержаться и не рассказать. А ей бы стало неприятно. Она всегда нервничала, когда он вспоминал о Леше или об Анечке. Как-то раз с досадой бросила: «Гера, ну как ты не понимаешь... Если бы это были наши дети!..».

Лучше не думать об этом.

Опасно, опасно... насколько опасно?

Задним числом что угодно можно сказать. Например, что им вовсе никакая опасность не грозила. Потому что в итоге ничего не случилось, а ведь никто ничего не делал, чтобы эту опасность предотвратить, — следовательно, если она не реализовалась, значит, ее и с самого начала не было. *Вот и нечего топыриться: отстояли они... что вы там такое отстояли?..*

Кто его знает, может быть, и впрямь у страха глаза велики? То есть они ждали — но ждали с перепугу, ждали того, что сами и выдумали? *Вот смешные какие, вовсе и не думал никто вас штурмовать!*

Нет, не верится.

Разве можно было вообразить, что такое сойдет с рук? Потому и ждали. Чего еще им оставалось ждать? — только штурма, крови и наказания.

А что за последние два или три года многое смягчилось и стало возможным — что с того? Разве в Новочеркасске, летом 1962 года, стреляли в толпу не на самом пике тогдашнего послабления? Не в разгар ли тогдашней оттепели? — восемь лет как не стало Усатого, пошла реабилитация, дело вроде как повернуло к человечности...

Нет, войска случайно не вводят. И комендантского часа случайного не бывает. Хотели как прежде: взять за глотку. И задушить. И вернуться к старому.

Но почему-то не смогли. Почему? — загадка. Что-то не пустило?.. Но что?.. Может быть, проржавел сам механизм власти?.. Если так, это катастрофа. Механизм власти не может просто сломаться, прийти в негодность, как отжившее свое часы. Нет, он должен начать работать по-иному — не ради самоценного самовоспроизведения, универсальным материалом для которого является человек, а отвечая на требования человека и служа ему.

Так или иначе, что-то сорвалось. Штурм не состоялся. В общей сложности погибло всего трое. И не у Белого дома, а неподалеку: трое из тех, кто блокировал колонну БМП.

Потом — когда все кончилось, когда погибших похоронили, баррикады разобрали и очистили площадь (последними разгоняли упрямых юнцов: они по-прежнему горланили под портвейн песни сопротивления, категорически не желая возвращаться с войны), — выяснилось, что колонна вроде бы шла вовсе не к Белому дому. Потому что если бы к Белому дому, то ей следовало свернуть с Садового в Большой Девятинский. А она вместо того двинулась дальше, к тоннелю под Калининским. Эти восемь, что ли, БМП вроде как направлялись к Смоленке: должны были патрулировать Садовое и обеспечивать выполнение комендантского часа.

Но куда бы ни следовала эта колонна, ездить беспрепятственно ей все равно бы никто не позволил. Движению войск повсюду препятствовали. Еще удивительно, что раньше-то, в предыдущие два дня никого не задавили. Плетнев авторитетно утверждал, что водитель танка или БТРа увидеть мечущегося перед машиной человека не может: «Гера, он и легковушку-то переедет, не почувствует. Дальше от них, как можно дальше!..»

При въезде в тоннель под проспектом Калинина на скорую руку соорудили баррикаду из грузовиков и поливальных машин. Вторую — из трех рядов троллейбусов — на выезде.

Бронников видел обе их, уже разметенные боевыми машинами. Бой кончился. На той стороне пылали троллейбусы. Зарево широкими полотнищами плескалось между домами, затмевая ставшие ненужными фонари. В сполохах метались люди — и гражданские, и солдаты. Из тоннеля летели черные клубы дыма: что-то ревело в озаренной пламенем глубине, будто там ворочался и блевал огнем разъяренный дракон.

Они прибежали туда, услышав стрельбу. Ну да, во втором часу ночи со стороны Калининского послышалась стрельба. Толпа встревоженно шатнулась, затрепетала. Ее черное полотнище заволновалось и стало растрепываться с того края; вот от него и вовсе начали отрываться горстки мелких лоскутов — это кто-то уже помчался.

«Пошли! — неожиданно для себя крикнул Бронников. — Пойдем, ну!»

Его будто тянуло что-то, тащило. Стоять тут, чувствуя лишь, насколько ты беззащитен, было невыносимо, ему не хватало выдержки, не хватало решимости ждать, когда на них двинется неведомая сила, чтобы смести, как сметают мусор, размолоть и уничтожить. Появившаяся возможность — бросить все, нестись куда-то, стремиться на выстрелы, на отсветы появившегося вскоре зарева — показалась ему спасительной.

«Гера, опомнись! — зло крикнул Плетнев. — Если где-то стреляют, бежать нужно не туда, а оттуда!»

КРЕДИТОР

Но крик его оказался совершенно бесполезен, потому что именно в эту секунду Бронникова пронзила совсем другая мысль — куда более страшная, поскольку не о себе.

Леша!

Он уговаривал его не ходить, умолял... да разве он послушает!

Леша там!

Это не было ни предчувствие, ни даже прозрение. И то и другое способно обмануть: предчувствие может не оправдаться, прозрение — оказаться ложным.

Нет, его посетило отчетливое, совершенное в своей определенности знание: Леша! Там погибает Леша!

Он бросился бежать, стороной отметив, что Плетнев кинулся следом.

Бежал, бежал. Задыхался, в голове мутилось. Все происходило страшно быстро. Ужасно, катастрофически быстро.

* * *

Нет, невозможно было разобраться в этой мешанине: уже через несколько часов, к рассвету он не мог понять, что видел сам, о чем слышал, что и вовсе вообразил.

Первая БМП, отъехав от баррикады, с разгона пошла на таран. Грохоча траками и ревя, ей удалось сдвинуть троллейбус метров на пять, но как только упятилась в тоннель для нового разгона, из Проточного переулка почти с таким же ревом выехал тяжелый кран и втолкнул троллейбус обратно. Это повторялось два или три раза: они смешно, по-тянитолкайски, боролись, пихая туда-сюда несчастный троллейбус. Но кран уступал БМП в маневренности и через несколько минут проиграл: БМП победно нырнула в пробитую брешь и бодро укатила в сторону Смоленки. За ней прорвалась вторая. Человек пятьдесят с воплями бросились раскачивать троллейбус, чтобы повалить его на бок и закрыть дыру. Третья БМП, маневрируя в толпе, уже нацеливалась его боднуть. На ее броню взобрался один из защитников. БМП ринулась на троллейбус. Первый же удар сбросил смельчака под гусеницы. Крик оборвался.

Это мгновение все перевернуло: так рука переворачивает склянку часов, так приходит срок отсчитывать другое время.

Несколько БМП грохотали в туннеле, дико газуя и дергаясь вперед и назад, их следовало бы сравнить с попавшими в ловушку птицами, не чающими вырваться на волю, если бы рев не был так надрывен, дым так вонюч, а движения так громоздки и устрашающи. Люди срывали с себя куртки, чтобы накинуть на приборы, откуда-то взялся брезент, и несколько человек кидали его тяжелое полотнище, как бредень, норовя закрыть триплексы и окончательно ослепить. В происходящем было что-то от охоты на мамонта, но эти звери, конечно, были куда страшнее мамонтов. Задачу в конце концов решили; тогда незрячий броневик, обреченно взревев, резко сдал назад и расплющил вторую жертву. Тут же на него вскочили сразу несколько охотников, БМП слепо билась в троллейбус, содрогалась, силясь стряхнуть их с себя, а им уже передавали бутылки с бензином. Балансируя на броне в паучьей раскоряке, один лил прямо из ведра в радиаторные щели. Полыхнуло. Взрыв отбросил толпу на несколько метров назад. Троллейбус тоже вспыхнул. Горящая БМП, упулив пулеметный ствол кверху, открыла беспорядочный огонь. Визжали рикошеты. Люк открылся, из него, будто цирковой тигр, прыгающий сквозь огненное кольцо, выскочил командир. Он размахивал пистолетом и кричал: «Я не убийца! Я офицер! Я не хочу больше жертв! Отойдите от машин, солдаты выполняют приказ!» Потом, стреляя на ходу в воздух, бросился к соседней БМП. Из горящей посыпались солдаты. Кто-то опрометью кинулся прочь. Другие начали тушить. «Боекомплект взорвется! Боекомплект!..»

КРЕДИТОР

И еще долго, долго метались и орали — помогали солдатам справиться с огнем, объявшим их машину, помогали пожарникам, гасившим троллейбус. Бронников рвался вперед, в туннель, он хотел наконец увидеть, просто увидеть — и убедиться. Там уже появились милиционеры, начали формировать оцепление, но он все-таки пробился, он кричал: «Сын мой там! Сын погиб!..» — и никто не посмел его остановить.

А когда оказался у брезента, на котором лежали три тела, то увидел, в сущности, только одно из них. Потому что два других никак не могли принадлежать Алексею.

Один был, судя по оставшимся невредимыми ногам (по нему дважды проехалась боевая машина пехоты — вперед и назад), здоровым толстым мужиком, совершенно не похожим на сына. Голову второго (его, наоборот, гусеницы изуродовали ниже пояса) украшала ранняя лысина — а у Леши ничего похожего не было.

Лицо третьего (в сравнении с теми двумя он выглядел невредимым) закрывал капюшон куртки. Это была Лешина куртка. Ну точно, точно такая, Лешкина — синяя болоньевая, каких миллион.

Закаменев всем телом, Бронников тяжело рухнул на колени. И сдвинул куколь.

Он настолько был уверен в том, что должен увидеть, что прошла, наверное, целая секунда, а он все смотрел и не мог понять, когда же Леша, его сын, успел так измениться.

Откуда эти смоляные усы?

Потом все-таки осознал: нет, не он.

Совсем другой человек.

* * *

Короче говоря, он уже и думать забыл, что она могла бы о себе напомнить.

Но однажды поднял трубку — и услышал:

— Гера?.. Ну здравствуй.

Долгая секунда — но все-таки как много на ее протяжении ни почувствуй, а все же секунда — она и есть секунда.

Миновала, и тогда он ответил бестрепетно, почти бесстрастно, так ровно, что в самой этой ровности сквозила ирония:

— Ну здравствуй, Таня.

Таня щебетала, а он по большей части угукал, время от времени произнося что-нибудь более содержательное и даже ласковое — ему не хотелось, чтобы она подумала, будто он пережидает ее как стихийное бедствие. В голосе ему слышалось крепнущее воодушевление. Ну да, пусть так. Пусть останется в убеждении, что сломила его недоверие, внушила чувства, которые он, на ее взгляд, должен испытать, — возродила, так сказать, к новой жизни. Он тут сидел куксился и горевал, а вот она наконец позвонила, и все встало на место. Он смотрел в окно и не понимал, что на оконном стекле намазюкан акварелью тусклый пейзаж: угол облезлого дома, детская площадка с поломанными качелями, серые сараи и корявая ветла. А Таня появилась из ниоткуда и провела мокрой тряпкой — и вылезло то, что на самом деле должно быть видно: яркий край зеленого леса, синее небо, облако и пруд, сверкающий под солнцем. Все такое радостное, новое!

Пусть думает, что он уже щурится от этого солнца. Теперь он сам немного пошалит.

«Ага... Ну да... Ну конечно... Ужасно скучал. Нет, я просто не хотел тебя тревожить...»

Она все говорила — уже свободно и радостно, уже уверившись в победе, время от времени начинала всхлипывать, но было понятно, что плач вовсе не горестен, не обида или несчастье ему причиной. «Что же ты хлюпаешь? — нежно спрашивал он, стараясь, чтобы голос не выдал истинных чувств. — Перестань!» «Я так счастлива, Гера! — отвечала она. — Так ты приедешь?»

КРЕДИТОР

* * *

Положив трубку, минут десять сидел, раздумывая.

Он с удовольствием понимал, что Таня ему больше не страшна. Слишком поздно прозвенели ее колокольцы: все уже погасло, остыло. Теперь как ни шеруди кочергой, как ни раздувай, все зря: не осталось в золе ни единого уголечка.

Он освободился. Конец, она над ним больше не властна. Даже, пожалуй, можно посмотреть с другой стороны: теперь он сам может делать с ней что вздумается. ОН любил ее, он был слаб и податлив, она вертела им как хотела. А теперь наоборот: она в его руках, играй как с куклой, крути и так и сяк, хоть бы даже выверни наизнанку...

Он представил ее, раскинувшуюся на белом, и вдруг будто пластинка льда скользнула по позвоночнику. Спокойно, спокойно... это уже было. Теперь иначе.

Теперь он хладнокровен.

Ах, Таня. Сама виновата. Сколько же она морочила ему голову!.. велся на все ее уловки, прощал мелкую, бессознательную лживость... Нет, правда, зачем врать, если скрывать нечего? Неужели просто дурной инстинкт, заставляющий лгать если не поминутно, то уж, как минимум, ежедневно и по нескольку раз — чтобы не растерять этот ценный навык?

Ну да: просто пользоваться, а больше ему ничего и не нужно. Да и что там «больше»? Бесполезная, путаная болтовня? Неспособность хоть чему-нибудь научиться? Наверное, у нее были задатки... В десять лет — задатки, даже, может быть, в шестнадцать. Но в двадцать задатков не бывает — это уже не задатки, а упущенные возможности... Наверняка ближе к восемнадцати что-то щелкнуло у нее в голове — и она перестала соображать. Кругозор сузился, в него стало помещаться преимущественно то, что имеет отношение к жизни как таковой — то есть к вопросам пола и продления рода...

Теперь-то он понимает, насколько она, в сущности, неинтересна. Темная женская стихия, природная, густая, вязкая... нести себя дальше, дальше... из века в век, из тысячелетия в тысячелетие, из эпохи в эпоху... Длиться, длиться, длиться — все прочее не имеет никакого значения. Дочери им всегда ближе сыновей. Или, во всяком случае, понятней. Дочь такая же — она продолжательница... А в сыновьях, в будущих мужчинах они чуют их порхательную никчемность, бессмысленную крылатость, эту их семенную трутневидность... Далеко ходить не надо. Вот, например, Леша и Аня. Да, Леше Кира вечно во всем потакала... Бывало, он даже возмущался: «Ты его так балуешь, будто он без отца живет!» Но Аня ей все-таки ближе...

Он подумал, что, между прочим, эта интрижка неожиданно для него самым положительным образом сказалась на отношениях с Кирой. Кира не знала, нет. Он не давал никаких подсказок и не оставлял следов. Но, может быть, она все-таки о чем-то смутно догадывалась. Эти неясные прозрения неопределенно тревожили ее. И она, не отдавая себе отчета в том, что именно беспокоит, бессознательно старалась удержать при себе нечто такое, что могло пропасть, уйти, грозило исчезнуть, обездолить, — а сама даже не знала точно, что именно пытается сохранить...

Ну хорошо. Что же делать?.. Встретиться с ней?.. Не нужно. Ни к чему. Все кончилось. Не буди лихо... конец, черта, обрыв.

А сам уже потянулся к телефону, чтобы договориться о подмене.

Но еще слушая длинные гудки, размышлял, что, может быть, Михалыча нет дома. Вот и хорошо. Все решится само собой. Нету Михалыча — значит, не судьба. Ведь судьба умнее куцых рассуждений. Потому что совсем не все, что...

Но тут в трубке хрустнуло.

КРЕДИТОР

— О, Лексеич! Здорово!.. Подменить на полдня? Можно, только дело-то какое...

Оказалось, к Михалычу должен зайти после школы внук Колька. Бронников с облегчением сделал вывод, что дело швах: сегодня он к ней не выберется. Ну и хорошо: опять же не судьба.

Однако Михалыч уже свернул на рассуждения о захлестнувшей мир необязательности: по его словам выходило, что Колька может и наплевать на существующие договоренности. У них, у молодых, это запросто. «Вечно там то кружок какой, то еще чего, хрен поймешь, — ворчал он. — В среду тоже вон до пяти часов ждал, хрен да маленько дождался. А что ему? Ну не будет меня, торкнется да и домой пойдет, тут идти двести метров. Я же говорил, дочка в Старозыковском живет... или не говорил?» «Говорил», — подтвердил Бронников, снова переменяя умонастроение: получится, что ли? — она снова мгновенно мелькнула перед глазами — и опять скользнула пластинка льда.

Однако Михалыч еще не закончил описание своих жизненных обстоятельств.

«С другой стороны, тут вот какое дело, Лексеич. Кровь из носу должен в магазин. Моя утром наказала, вон целая бумажка исписана». «Ну понятно, — сказал Бронников. — Ладно, что делать...» «Только я так думаю, — вздохнул Михалыч. — Ну его к монахам, этот магазин. Пусть сама разбирается. Она ж у меня бешеная. Купишь что не то, со свету сживет. То да се. У твоих денег глаз нет! Сколько потратил, а принес с кошкин хер!.. Сегодня в первую, вот пусть после работы сама и промнется, правильно?»

Бронников не хотел в данном случае ни выражать согласия, ни возражать, пусть уж сами как-нибудь разбираются, что у них там правильно, а что неправильно. Просто опять сделал предварительный вывод, что Михалыч все-таки сможет отпустить его. «Магазин — дело такое, — округло сказал он. — Так значит, ты...»

«Вот именно! — перебил Михалыч, будто почувствовав поддержку в своих самых заветных чаяниях. — Совсем с ума посходили! Ладно бы просто дорого. А то ведь каждый день накручивают». «Это да, — согласился Бронников. — Получил копейку, пулей за колбасой, не то к вечеру и на соль не хватит». Замолчал, припоминая, где подцепил это речение, сейчас им, кажется, чуть улучшенное, но не вспомнил. «Вот! То-то и оно! В общем, Лексеич, начудили вы со своим Бориской. Опять небось с пьяных глаз указывал, как жизнь строить. По нему ЛТП плачет. А он вон чего — в президенты».

Бронников неопределенно покашлял.

Конечно, он мог ответить, не заржавело бы. Но у них с Михалычем негласный уговор: кое-каких тем в разговорах не касаться. Потому что на некоторые вещи они глядели столь по-разному, что не только до ругани, а и до драки, чего доброго, рукой подать. (Обострение началось после путча, прежде тоже расходились во мнениях, но не до такой степени, чтоб за нож хвататься.)

Что касается пьянства, то Бронников и сам его совершенно не одобрял, пьянство это проклятое всяко не похвально, спорить не о чем. А в данном случае и вовсе беда. Ну впрямь, какой ты к черту президент, если прилетел в чужую страну, а сам свинья свиньей и не можешь толком из самолета выйти? Какая к ляду глава, если то и дело без памяти?..

С другой стороны, болезнь есть болезнь. (Юрец этого мнения не разделял: не болезнь, а устройство русской власти: захочу — и выпью, и еще наделаю такого, чего желает моя левая нога, потому что я — царь, а ты — смерд, и ндраву моему не препятствуй!)

Но все-таки не хотелось вместе с водой выплескивать ребенка. Ну да. Ну алкаш. Ну бывает — срывается. Плохо... Но есть и другая сторона медали: это он, Ельцин, стоял на танке. Это он потребовал, чтобы они, граждане, пришли к Белому дому и плечом к плечу встали на защиту свободы. И они пришли — и встали. И свобода продолжилась. И продолжается. И будет продолжаться!..

Он мог бы сказать это, но не говорил, потому что и без того знал, что услышит в ответ. Рассуждать насчет свободы Михалыч не хотел, усмехался в явном раздражении. «Лексеич, ну что ты все талдычишь: свобода, свобода! Какая такая эта твоя свобода? Какой свободы не хватало? Ради какой свободы нужно было Союз разваливать?! По мне, если не в тюрьме, так это и есть на свободе. Какого еще рожна надо?»

Понятно — у простого человека и вопросы простые. Простые люди — они...

Отношение к простым людям Бронников определял всю жизнь — да так и не определил. То ему снова, как некогда в юности, казалось, что за кажущейся простотой простого человека скрывается негаданная глубина, то сворачивал на выработанное с годами досадливое суждение: «Знаю я этих простых людей — такая сволочь!..», то вынужденно признавал, что, вероятно, и простые люди разные, да еще каким боком в тот или иной момент к тебе повернутся, то и увидишь.

На самом деле простой Михалыч был не так уж прост, даром что всю жизнь в охране прапором провел. (Где именно, на каких таких охранных постах — помалкивал; Бронников, глядя на него, подчас прикидывал: как бы не на зоне его сменщик беззаветно ишачил, неспроста все тюрьму в пример приводит.) А если за всю жизнь научился только сторожить, так чем на пенсии прикажете заняться? Руки небось тоскуют по любимому делу (так прикидывал Бронников), а сам еще мужик крепкий, вот и пошел в лифтеры под лестницей сидеть, подъезд охранять от непрошеных гостей — должно быть, более-менее похоже на прежнюю трудовую карьеру.

И вот когда этот простой Михалыч задавал кое-какие простые вопросы, легко на них ответить не получалось.

То есть он пытался поначалу. Но скоро понял, что попытки обречены на неудачу. У них зрение оказалось разное: то, в чем сам он видел несвободу, Михалыч не замечал. А то, что он, наоборот, считал признаками свободы, Михалычу было нужно примерно как собаке пятая нога.

Ну а в самом деле, какого рожна? Кончил себе положенные восемь классов... в армию взяли... потом в охране до пенсии. Женился, разумеется. Сам выбирал, никто не неволил... вот и довыбирался, настоял на своем, отстоял свободу: за эту свободу она вон уж сколько лет его со свету сживает (может, и лучше было бы, если б не ерепенился, а отца с матерью послушал). Дети пошли — тоже сам делал, по свободному волеизъявлению залазил, не дядька чужой, не насильно... Участок у них под Дмитровом... ездить далековато, а так-то благодать, особенно как в отпуске: утром стакашек, лучком закусишь — и в огород...

Так какая еще к монахам свобода?.. Я тебе так скажу, Лексеич. Мне свобода простая нужна: если бы в магазинах товару больше да цены подходящие — вот и была бы свобода: что захотел — то и купил, а не так, чтоб вечно над копейкой трястись!

Бронников не раз и не два порывался рассказать ему о своей жизни. У него за спиной не только восемь классов, а еще и институт, работал он не в охране, а и на заводе, и в НИИ, и в КБ. Всюду своих глупостей хватало, по которым жить заставляли, но дело даже не в этом, а в том, что он писатель. Именно как писатель он всю жизнь чувствует несвободу — страшную, тягостную несвободу. То есть чувствовал. Потому что теперь стало значительно легче... это странно, ведь его не начали печатать (они вон Чейза эшелонами и про Козельск хотят), а все равно легче. Вот, например, семинар он вел, говорил ребятам что думал, ничего не прятал... И когда случился путч, отчетливо понимал, что у него хотят отобрать то, что он только-только начал чувствовать — отнять свободу, лишить явившейся ему (пусть пока самым краешком) легкости! Снова он будет не хозяином своих мыслей, а рабом чужих, снова ему будут объяснять, что надо писать, а что не надо, с чем нужно поспешить, а с чем, наоборот, не следует торопиться... а если ослушается, опять выгонят отовсюду и заставят сидеть под лестницей... хотя, если честно, это для писателя, может быть, не так уж и плохо... ну и так далее.

Но он хорошо знал, что ничего этого объяснить Михалычу не удастся. «Видишь ли, Михалыч, я ведь писатель...» — «Серьезно? Ну здорово, я писателей уважаю... А можно почитать?» — «Можно. Только рукопись».— «Это как?» — «Ну как... на машинке напечатанное».— «А книжки нет?» — «Книжки нет».— «А-а-а... А что ж ты говоришь: писатель... Это я знаю. У нас в охране один черт был, тоже все в журналы что-то посылал. Мы еще смеялись — вот Пушкин выискался!.. Ну ладно тогда. А будет книжка?» — «Да кто ее знает... может, и будет».— «Ну вот, это дело другое. Как книжка будет, так и почитаю. Я любил раньше-то... Бывало, со службы придешь, на койку завалишься. Особенно если про пограничников. Хорошо!»

Вот и поговорили...

А чтобы Михалыч взялся читать рукопись, он и воображать толком боялся: испытывал такую неловкость, что бросало в жар.

В общем, про свободу им толковать — все равно как лягушке и кроту спорить, где лучше жить — в земле или в болоте.

Обо всем остальном рассуждали, хотя сходились редко. Ребенка, которого следует поберечь, вместе с водой не выплескивать, Михалыч не видел. И даже был уверен, что в этой грязной лохани никакого ребенка ни при каких обстоятельствах оказаться не может. «И ничего во всей вселенной...» Если и не во вселенной, но уж, как минимум, в окружающей послепутчевой действительности ничего благословить Михалыч не хотел точно. Все ему казалось неправильным, для всего он находил образец прошлого, представлявшийся более разумным и справедливым.

Размышляя, Бронников понимал, что ему и самому не настоящее нравится (ну и впрямь, что хорошего, когда все так паршиво?), не весь этот, как говорится, бардак и разруха, а нечто такое, что уже заключено сейчас в реальности, но еще не доказало своей силы и полезности. Так в земле лежит зерно — а однажды поднимается свежим стеблем.

В сущности, дело веры: Бронников верил в зерно, а Михалыч — нет. Ему и верить было труднее: Бронников в новое время вошел гол как сокол, а Михалыч при начале светлой эры, в которую предлагалось уверовать, потерял все сбережения... Да и, если честно, на его месте Бронников и сам бы сказал: «Что, опять верить надо? Раньше в коммунизм, теперь в капитализм? Да идите вы все!..»

* * *

«То есть, это самое, я к чему веду-то, в общем и целом, так сказать, — неопределенно и несколько извинительно произнес Михалыч, прерывая паузу, повисшую после его сообщения о том, что по Ельцину плачет ЛТП; тем самым он вроде как признавал, что и впрямь заехал несколько не в тую. — Цены-то, говорю, какие». «Ну да, — согласился Бронников. И не сдержался, сунул носом: — Только за прежние цены купить было нечего.

А сейчас пошел — какие ни цены, а товар есть!. «Ладно тебе, — буркнул Михалыч. — Что мне товар, если к нему не подступишься... Раньше тоже люди жили, разве нет? А если кому в очереди лень постоять, так тут и толковать не о чем. Пустой, значит, человек, с таким каши не сваришь... Слушай, Лексеич, — вдруг сердито заговорил он. — Ты ж серьезный мужик! Ну разве не видишь, что они воры?!» «Ну, — сказал Бронников тускло. — Опять за рыбу деньги...» — «За что меня обокрали?!» — «Да кто обокрал-то...» — «Кто! А то не знаешь! Всю жизнь копили — четырнадцать тысяч! Че-тыр-над-цать! Думал, «Жигуля» возьму... домик на участке кирпичом обложить, печку поставить... А теперь на четырнадцать тысяч хорошо если пару кило картошки дадут. Лексеич, ведь всю страну ограбили! И что нам теперь? Ты говоришь, Лешка твой бизнесом занялся. Так ему двадцати нет. А мне куда под семьдесят? Если только на паперть...»

«Ладно тебе, паперть, — устало сказал Бронников. — Бардак, конечно...»

Четырнадцать тысяч... он таких денег и в глаза не видел... вот они, прапора-то.

Заодно припомнил, как месяца два назад столкнулся у подъезда с Перегудовым. Отчего-то постарев и сгорбившись, тот шагал к метро с базарной кошелкой в руке. Кошелка Бронникова удивила — раньше классика советской литературы можно было встретить разве что с солидным портфелем.

«О! Гера!» — приветливо сказал Перегудов.

Бронников не знал, кого благодарить, что знаменитый советский писатель временами к нему благоволит. Так или иначе, встречаясь, они непременно раскланивались, Перегудов задавал какой-нибудь дежурный вопрос, а Бронников так же дежурно отвечал. «Пишешь, Гера?» — «Да как не писать, Василий Арсеньтич!» — «Пиши, Гера, пиши».

Андрей ВОЛОС

Года четыре или пять назад, кажется, сразу после Чернобыля, когда они так же вот столкнулись на улице, Перегудов, одетый тогда в какую-то роскошную заграничную бекешу и бобровую шапку, снизошел до минутного разговора. Более того, пустился в откровенность, с хитроватой грустью открывшись, что своего сейчас почти не работает: решил на старость подшарашить, вот и занят халтуркой: переводит на русский (по подстрочникам, разумеется, сам-то он их тарабарщиной не очень владеет) «кирпичи» республиканских писательских секретарей — туркменских, узбекских и каких-то еще.

«Тоска, Гера, — сказал он, по-товарищески щурясь. — Тоска, брат, хоть в запой иди навеки. Зато, знаешь, восемьсот тыщ в облигации положил. И шестьсот — на книжку».

Бронников даже не удивился, не обомлел — такой это звучало небывальщиной на фоне его двух ставок по семьдесят рубликов каждая...

А при последней встрече, печально пожевав потускневшими губами, классик вздохнул, виновато теребя ручки матерчатой сумки и заметно окая: «Вот, Гера, видишь как. На Киевский еду. Там, говорят, люди с земли продукт привозят... подешевле. Сам понимаешь — инфляция!»

Михалыч захрустел чем-то на том конце провода — закуривал, что ли.

«Ладно, что уж... думай не думай, сто рублей не деньги. Что с тобой делать, — прокашлявшись, сказал он. — Часа на четыре, значит. Ну что ж. Надо помогать, верно?.. Тогда, Лексеич, без обид. Дружба дружбой, а только ведь я на тебя личное выходное время тратить должен. Вопреки всякому, понимаешь, КЗоТу». «Ну конечно, — сказал Бронников, с радостью понимая, что осталось только оговорить цену. — Сколько?»

«Дорар», — веско сказал Михалыч.

Именно так он произносил это слово.

КРЕДИТОР

3

С долларом этим, на взгляд Бронникова, происходили просто чудеса. Еще считаные месяцы назад ходили под 88-й статьей Уголовного кодекса. Собственно, его это мало волновало, потому что сам он отродясь ни доллара, ни, скажем, фунта стерлингов в руках не держал (первую зелень предъявил ему Леша, с хмыканьем ответив, что заработал). Но о статье слышал, разумеется. Да и как не слышать: в начале шестидесятых она прогремела на весь мир — очередным доказательством грозной мощи Советского государства. Конечно, в ту пору с какой стороны ни смотри, Рокотов, Файбишенко и Яковлев были преступниками. Почти одновременно с их арестом усилили статью. Но, поскольку в соответствии с общепринятой юридической практикой закон обратной силы не имел, валютчикам дали по восемь лет тюрьмы. Мягкость наказания вызвала возмущение Хрущева, в «Правде» появилось письмо рабочих завода «Металлист», требовавших «решительно покончить» с «чуждыми советскому обществу тенденциями», и в конце концов бедолаг расстреляли...

Теперь, проходя мимо легальных пунктов обмена валюты, возле которых вечно толклись темные личности, Бронников думал рассеянно: вот обидно было бы им увидеть: если есть рубли, можешь купить доллар, или, наоборот, можно украсть доллар, чтобы взамен получить рубли.

Сам он действительно, кроме как «украсть», иного пути для обретения валюты не видел, равно как, впрочем, не знал и того, где и как можно это сделать. Каков же был сюрприз, когда оказалось, что Леша организовал кооператив — то есть начал, что называется, крутиться, — и скоро в его карманах зашуршали чужестранные деньги.

Дома теперь почти не появлялся, в начале года и вовсе объявил, что съезжает: снял квартиру неподалеку; а еще месяца через три купил в Крылатском собственную (мальчишка! купил! собственную!.. — просто не укладывалось в голове).

Бронников пытался взять в толк, чем сын занимается. Лешка отмахивался — не потому, что жалел рассказать или, скажем, чего-то стыдился, просто, похоже, ему все это казалось настолько очевидным, что он и вообразить не мог, будто кто-то не понимает.

«Ну папа! Ну что ты в самом деле! Все очень п... п... просто. Вот гляди. Ты поездом когда-нибудь ездил?» — испытующе посмотрел, словно и в самом деле оценивал, мог ли отец когда-нибудь хоть поездом проехаться. «Поездом?» — мирно переспросил Бронников, твердо решив про себя снести все издевательства. «Ну да, поездом».— «На полке, на жесткой искусственной коже?» — «Ага».— «Где качка и мятая книга в руке?» — «Пап, ну перестань».— ««На полке вагонной, в суставчатой дрожи летевшей куда-то сквозь тьму налегке... Все, все, молчу. В поезде, значит. Ездил поездом, не такой уж я пещерный человек, чтобы даже поездом не ездить».— «И что ты ел?» — «В каком смысле?» — «В прямом. Что тут непонятного? Что ты ел, когда ездил поездом?» — «Что люди в поездах едят? Яйца какие-нибудь там. Огурцы. Хлеб... печенье. Само собой, чай у проводника брал. С лимоном и сахаром».— «Ты все это заранее покупал?» — «Ну да».— «А бывало такое, что забыл? Или, скажем, не успел?» Бронников подумал. «Бывало», — ответил он с печальным вздохом. «А почему на вокзале не мог купить, уже перед отправлением?» — «Здрасте, я ваша тетя. Разве на вокзале купишь?» — «Вот, — наставительно сказал Леша. — Видишь? Раньше о таком ты и подумать не мог. А теперь — пожалуйста. Потому что есть кооператив

«Экспресс» — «Это твой, что ли?» — «Мой. Который предлагает так называемый «Набор дорожный»: два яйца вкрутую, два соленых огурца, четыре куска хлеба, четыре куска сыра «Российский», пачка печенья «Юбилейное». Все запечатано в целлофан в соответствии с санитарными требованиями. Чем плохо?» Бронников пожал плечами. «Да ничем не плохо... На первое время в самый раз. Тем более, ты говоришь — огурцы. Святое дело в дороге-то... И откуда в итоге деньги?» — «Откуда д... д... деньги?» — переспросил Леша с той мудрой и насмешливой интонацией, которую так любил сам Бронников; ему еще подумалось: ну а что ж, сын все-таки, плоть от плоти. «Если не секрет, то хотелось бы», — смиренно согласился он. «Все очень просто, — улыбнулся Леша. — Чтобы ты смог купить себе все это в дорогу, я должен кое-что заранее сделать. Договориться с администрацией, оформить документы. Завести лоток. Нанять продавщицу — желательно такую, чтобы в конце дня не сбежала с выручкой. Закупить провизию. Подрядить тех, кто будет фасовать продукты... яйца твои любимые варить. Привезти на вокзал. Разгрузить. То есть п... п... предпринять целый ряд действий. Коротко говоря, совершить работу. А ты, в полном соответствии с первым началом термодинамики... или, если больше нравится, со вторым... должен, соответственно, ее оплатить. Вот и все».

«Оплатить», — эхом повторил Бронников, размышляя, подходит ли к этому случаю с младенчества привычное «спекулянты чертовы». — Понимаю».— «Ну вот. Оплата моей работы входит в итоговую стоимость. Если бы ты покупал яйца в магазине, за те же деньги мог бы купить не два, а четыре. Но до магазина тебе уже не добежать. Кроме того, в магазине очередь... или вовсе яиц может не оказаться — не завезли. А если попались, все равно сварить негде... С огурцами та же песня. Печенье у нас процентов на двадцать дороже. Упаковка чего-то стоит. Вот в сумме немного и набегает. А поскольку ребята таких наборов продают тысяч десять в день...» «Сколько?!» — изумился Бронников. «Это в среднем, при удаче до двадцати, — успокоил Леша. — Постольку и маржа. Иным словом — навар». Бронников подумал. «Навар тоже в соответствии с началами термодинамики?» Леша усмехнулся. «В каком-то смысле... Чтобы система продолжала действовать, нужно и о будущем думать. Сейчас вот немного расширяемся...»

Он замолчал, рассеянно елозя подошвой кроссовки по песку — сидели на детской площадке. Бронников заметил, что на лицо сына наползла тень...

«Ладно, папа, — сказал он, встряхиваясь. — Повидались? Поеду я, некогда...» «Ты хоть учишься?» — спросил Бронников, отчего-то затосковав. — Ведь глупо было бы!..» «Да ты чего, пап, — удивился сын. — Ты чего? Все нормально. Знаешь, если быстро двигаться, много успеваешь». «А если все-таки не успеваешь?» — хмуро поинтересовался Бронников. «А тогда двигайся еще быстрее!» — рассмеялся, приобнял и, не оглядываясь, быстро пошел прочь — руки в карманах джинсов, худые плечи развернуты, походка стремительная, голова закинута... деловой.

Что он испытывал, глядя в его спину? — волновался, конечно. Да и как было не волноваться?

* * *

Случайно заглянул в открывшийся неподалеку магазин бытовой техники. Продавец почему-то очень напрягался. Зато покупатель, наоборот, держался необычайно свободно. Сам по себе невзрачен, прыщав и худосочен. Однако пиджачная пара шикарна (хоть и провисает), рубашка затянута алым галстуком (все равно, правда, ломкий воротник отстает от шеи, оснащенной совсем не по-детски выпирающим кадыком), на левой руке висит корявая, но преданно хлопающая глазами девица. «Нет, ну а он круче?! — возбужденно и требовательно спрашивал юноша. «Видите ли, — пуще вытягиваясь, отвечал продавец. — Мощность компрессора и электронное управление позволяют...» — «Да не гони ты, бляха, про компрессор!» Девица одобрительно прыскала и прижималась. «Я тебе терпила, что ли?! По-русски говорю: круче, нет?!»

Якобы присматриваясь к товару, а на самом деле тайком прислушиваясь, Бронников уяснил суть дела. Друг прикинутого юноши купил холодильник вчера; по горячим следам и сам он желал обзавестись подобным, единственное условие приобретения — чтобы оно оказалось *круче* сделанного товарищем. «Беру!» — воскликнул прыщавый и, сунув руку в карман штанов, стукнул о стекло прилавка тугой колбаской скрученных долларов.

Бандиты вились вокруг во множестве. Если бы так не пугало, можно было сказать, что доходило до смешного. Как-то раз он вышел из продуктового. К тротуару с визгом притерлась «девятка», выскочили двое и размашисто устремились на него, причем у первого, по пояс голого (стояла глухая, невпродых, июльская жара), с по-обезьяньи длинными, достававшими до колен и мотавшимися на ходу руками, причем правую отягощал огромный пистолет. Заледенев, Бронников остановился как вкопанный; братки, не удостоив его даже мимолетным взглядом, стремительно прошагали мимо и исчезли в глубине двора. Он подождал минуту, так и не услышав выстрела, двинулся далее.

Ну да, после путча (вот опять: прямо вся жизнь разделилась на до и после путча) обстановка резко переменилась: что прежде гуляло слухами, а в прессу если и попадало, то, как правило, в форме невнятно-угрюмых намеков, теперь полилось бурно, как вода из унитазного бачка. Ни раскрыть газету, ни включить телевизор без риска тут же получить массу разнообразных сведений о криминале, рэкете, бандитских разборках, ижевских спортсменах, тамбовской бригаде, преступных сообществах бывших афганцев...

Дикторы тревожно вещали об очередных сгоревших киосках и видеосалонах, о разгромах дискотек, о взрывах машин и офисов. Казалось, все восстали на всех, и даже мирные фарцовщики взялись за паяльники. То и дело являлись на экране коммерсанты с горестными исповедями: «Прихожу в себя в каком-то подвале, голый, прикован наручниками к батарее — и понимаю, что испытываю необъяснимую тревогу!..»

Алексей со своим кооперативом лез в самую гущу нового порядка. Как не беспокоиться? Мальчишка! пацан! без царя в голове! Слаще морковки ничего не видел и туда же: коммерция. Ведь размажут, разотрут как плевок, опомниться не успеет!

Когда Бронников пристал к нему с ножом к горлу, Леша набросал на бумажке что-то вроде круговой диаграммы, разъяснявшей, сколько у него куда идет — это оборот, это на развитие, это свободная прибыль, это на свободные расходы... В последний и довольно большой сектор вписал: «Безопасность — Плетнев».

Бронников знал, что с Плетневым они давно уж общаются напрямую. Плетнев теперь работал в службе охраны какого-то банка (плодились как грибы, названий не упомнишь), в детали, как обычно, не посвящал, но все же по некоторым признакам можно было заключить, что он там не ворота запирает, не на подхвате — как бы не начальником. Кроме того, вел занятия для сотрудников по приемам самообороны. Алексей попросился, чтобы он и ему позволил ходить в группу — не отказал. Съездив туда пару раз, Леша впал во что-то вроде любовной горячки: Плетнев просто не сходил у него с языка. Бронников даже пару раз фыркнул. «Ну да, Алексей, да. Согласен: хороший Саша мужик, ничего не скажешь. Мы с ним в августе знаешь как!.. Но все-таки: что уж ты так заливаешься? Что в нем такого особенного? Приемчики, что ли, знает?» — «Пап, ну п... п... перестань! Дело не в п... п... приемчиках! Поезжай к нему, сам поймешь».

Подружившись, Леша обмолвился о своих заботах, и Плетнев вывел его на каких-то прежних сослуживцев и товарищей: ныне они оказывали услуги по охране коммерсантов — разумеется, на столь же коммерческой основе. «Что за товарищи?» — «Не знаю. Ветераны прошлого. Мощные мужики, с такими не забалуешь... В сущности, такая же крыша. И стоит столько же. Но все-таки это лучше, чем под бандитами».

Честно сказать, Бронников не знал, под кем лучше, однако инстинкт подсказывал, что так и есть, от одних бандитов за другими не спрячешься. Дело известное: волка на собак в помощь не зови.

2. ...не кончились

1

Шегаев говорил, что скоро выпишут, и Бронников к нему уже не собирался. Недели не прошло, как навещал.

В тот раз сидели в коридоре. С другого конца тянуло запахом больничного варева. Бронников говорил, Шегаев слабо кивал, вроде бы соглашаясь с рисуемыми перспективами. Потом вздохнул: «Да ладно, Гера, не булыганьте. Что вы как маленький... Уж как *там* распорядятся, так и будет».

И хмыкнул, как будто собираясь еще что-то сказать, расширить, что ли, эту простую мысль до некоторого рассуждения, — но только провел ладонью по губам, стряхивая с них так и не навернувшиеся слова...

А сегодня утром что-то будто толкнуло, и он все-таки поехал. Прошел в палату — и увидел на шегаевской койке другого человека. «Простите, а где же?.. Нет, нет, простите». Нашел лечащего. Оказалось — поздним вечером был инфаркт. Ночь боролись. Не вытянули... «Ну да, ну да...»

Возвращаясь, смотрел в забрызганное снаружи окно. Трамвай со стуком пробирался, будто на ощупь, какими-то тлелыми задворками. Заборы, ангары, заборы, деревья. Черные ветви отчетливы на фоне белесого неба, а где успело налепить мокрого снега, почти сливаются с ним.

И все думал: что хотел сказать Шегаев напоследок? Может быть, предостеречь?.. Гера, какой ты смешной! Уж не полагаешь ли, что это просто дурацкие шутки? Думаешь, когда дойдет до последнего края, до мгновения, за которым все и открывается, то вспыхнет свет, загремит музыка, явится веселое, радостное окружение — не то бальный зал, не то, скажем, почти совсем уж ночной, развеселый ресторан с его сверканием и запахами! — и кто-то приветственно закричит: «Ну что, страшно? Здорово мы тебя напугали?..»

Вряд ли, вряд ли... Не стал бы Игорь Иванович тратить слов на такие банальности. Наоборот, совсем не будет удивительно, если, например, на поминках обнаружится, что покойный оставил записку. Так и так, друзья... рад вас видеть за этим столом. В смерти моей прошу никого не винить, прогулка удалась, повидали много интересного...

Ну да. Прогулка. Или поездка. В сущности, жить — это впрыгнуть на ходу из темноты в битком набитый поезд, мчащий неизвестно откуда невесть куда, потолкаться в нем некоторое время, испытывая на себе все прелести путешествия. а потом, так ни черта и не поняв, спрыгнуть в тот же первобытный мрак небытия... Эй, человек! Далеко ли ехал? Зачем? Куда хотел добраться? И мог ли доехать хоть куда-нибудь?..

КРЕДИТОР

Смешно? — еще бы.

А если не предостеречь, тогда, может быть, ему хотелось, наоборот, уверить Бронникова, что все не так уж и плохо?

Давай рассудим, Гера. Мир материален? Несомненно. Реально существует, в нем нет ничего сверхприродного, ничего такого, что не является той или иной формой материи. Тогда следует признать, что мысль тоже материальна. А раз так, законы сохранения применимы и к ней. Ломоносов и, сам понимаешь, Лавуазье: тебя еще не существовало — а мысль уже была. Ты исчезнешь — а мысль останется... Мысль вечна, а то, что *не исчезает, а переходит из одного вида в другой*, так это ясно как дважды два: жаренная на сале картошка превращается в сполохи разума.

Тоже вряд ли... Сам однажды привел хороший пример: нематериальное значение «семь» порождается вещной комбинацией костей «два» и «пять». Вот она где, мистика-то...

Да, что-то хотел сказать. Но теперь уж не узнаешь. Конец.

Он проговорил шепотом это слово — конец! — и почувствовал возмущение. Глупое, нелепое возмущение... Что его возмутило? Против чего здесь можно восставать?

Но все-таки должно остаться хоть что-то!

Как может пропасть то, что Игорь Иванович нес в себе? Куда ему деться? Дорога Котлас—Воркута, «Лесорейд», восстание Ретюнина!..

Ведь все это было!

А раз было, не может пропасть. Где-то должны остаться слепки того прошлого. Пусть не такие яркие, не такие кровавые, горячие, сочащиеся смертью... Пусть серые, бледные, едва различимые — точь-в-точь как заснеженные ветки этих корявых деревьев...

Разве могут не сохраниться?

Нет, не может быть. Все должно где-то остаться, все до последней мелочи.

Включая лису, печально глядящую вслед обозу.

* * *

Все, как всегда, завершилось в то мгновение, когда гроб с глухим стуком ударился о дно могилы. Слух содрогнулся, дождавшись звука, с таким напряжением предчувствуемого; не дав ему как следует погаснуть, поспешно заработали лопаты, и он потерялся в погромыхивании первых комьев о крышку; вот еще, еще барабанят, как на концерте... теперь уж валятся тишком.

Бронников не на первых похоронах стоял, скорее всего и не на последних, и меланхолично размышлял об этой вечной одинаковости происходящего: напряжение копится, копится, копится... наконец бах! — гроб упал; всегда стараются аккуратно, всегда веревки, ремни, а то еще, бывает, полотенца, — и все равно: когда громче, когда тише, но непременно стукнет.

И как только он грянулся об нее, родимую, — так почему-то сразу отпускает... Тут же могильщики начинают шуровать, как с цепи сорвались, просто как бешеные стахановцы — будто им не четверть куба вчетвером ссыпать, а пахать и пахать — терриконы и терриконы впереди!.. Спешат, торопятся... почему? Почему так уверены, что после этого стука тот, кого уносит в плаванье утлая сосновая ладья, должен отчалить как можно скорее? Боятся, что ли, чего? Да чего плохого мог бы сделать им Игорь Иванович?..

Вырос холм. Сейчас все цветы, сколько привезли, снопом сверху... навалили. И тут же — шмяк, шмяк, шмяк! — один из прислужников Харона бесстрастно шинкует их блестящим штыком лопаты...

Он поймал взгляд Юрца. Прочел по губам: «Цветы-то: неужто еще воруют с могил?»

Совсем все. Конец...

Потянулись к дорожке, дальше к воротам... По пути кучки рассеиваются, пересобираются иначе... Доносятся голоса... даже повторять не хочется, что мелют... еще и на поминках наслушаешься.

— Поедем?

Юрец развел руками.

— Ну а как же...

А теперь вот и поминки кончились.

Потоптались в прихожей, как положено; понятно, все самое важное должно высказаться здесь, на пороге, уже держась за дверную ручку...

— Звоните!..

Вышли. Перевели дух.

— Ну что

— Как что? — переспросил Юрец, извлекая из кармана четвертинку. — Должны же мы сами Игоря Иваныча помянуть... без помех. На кухне стояла. Что, думаю, ей там стоять...

— Отлично, — вздохнул Бронников. — Нельзя тебя, Юрец, пускать в приличные дома. Даже на поминки нельзя, уж не говоря обо всем прочем.

— Давай до «Динамо», как в прежние времена! — нежно щурясь, предложил Юрец.

— Пошли...

Взяв его под локоть и ласково поглядывая, Юрец начал напевать, дирижируя свободной рукой: «Друг мой, давай-ка пройдемся с тобой... Без разговоров и споров... как там?.. Чертополох и заборный повой... Будут кивать от заборов...»

Неспешно шагали по Красноармейской. После раннего куцего снегопада снова потеплело, ветер возился в остатках листвы, срывал горстями. На подвыпившего Юрца напал стих словоговорения, и он витийствовал; соскочив ненароком с предыдущего рассуждения, в рассеянной задумчивости помавал ладонью в холодном воздухе, чтобы тут же ухватить и потянуть кончик следующего. Бронников особенно не прислушивался.

— Гера! Подожди! Прости, что-то я заговорился... но что я при этом хотел сказать?

— Ты всегда хочешь сказать о будущем. Даже не сомневайся... Все знают, для тебя будущее — открытая книга.

— Ну, книга не книга, — сказал Юрец, вовсе не обидевшись на его рассеянное замечание, а вроде как даже, наоборот, почувствовав себя несколько польщенным. — А что такого? Сам говоришь: будущее известно нам, но не в деталях.

— Ну да, потому что в деталях-то все и кроется...

— А какие, собственно, детали требуют разъяснения? Граждане, бюро добрых услуг начинает работу. Спрашивайте! Задавайте свои самые насущные вопросы!

Разумеется, никаких вопросов не потребовалось, Юрец и без них продолжил.

Он махал руками и разглагольствовал, а Бронников шагал, сунув руки в карманы, вполуха слушал, параллельно размышляя о своих делах. «Мы с тобой, Гера, — трубил Юрец на всю улицу, — оказались в эпохе первоначального накопления капитала!.. с одновременным решительным прорастанием преступности во власть!.. Эпоха, спору нет, любопытная... Чем эпоха интересней для историка, тем для современника печальней... верно?.. Но дело не в этом, а в том, что мы вот-вот увидим...»

Время от времени кивая его словам и, честно говоря, не боясь потерять нить рассуждений (дело житейское, напомнит), перебирал собственные, сугубо личные обстоятельства: ничего не мог поделать, снова и снова отвлекался на мысли о Тане.

Что? Печальней?.. ну да, печальней... уж чего хорошего. С другой стороны, собственно, особой печали нет... все живы-здоровы, слава богу. Но он должен был насторожиться сразу, как только она завела об этом речь. А теперь томит неясное предчувствие... уж не прошляпил ли чего?..

Прежде такого и в заводе не было... наоборот, столько усилий прилагалось, чтобы исключить малейшую возможность. «Герочка, ну что ты!.. как можно? А если все-таки?! Если вдруг?.. Нет, нет и нет!»

А вот теперь, когда они снова встретились после размолвки...

Размолвка?.. Неточное слово. Никакой размолвки не случилось, расстались не перемолвившись — просто она не поехала с ним, а потом совсем пропала. Он валялся, она даже не позвонила. Это было предательство... ну да. Он воспринял новое состояние как данность: ее нет. Она кончилась... кончилась эпоха... тем для современника печальней. Так сложилось, он не очень-то и переживал... а когда прошло время, она утратила право... право на место в его душе... плацкарту.

Сахарно звучит, конечно: место в душе. Но так и есть... Пока все шло хорошо, она занимала в его душе свое собственное, одной только ей отведенное место. Он всегда знал, не забывал ни на мгновение, что она есть. Ну а как же: вот ее место, вот она и сама...

— Что?

— Ты слушаешь?.. или я кому толкую?.. Вот и отлично. Я говорю, прежде власть представляли две сросшиеся структуры: партия и КГБ. Причем первая была формально главнее: людей на высокие должности утверждали в ЦК, на ключевые посты — на Политбюро. Накануне путча, как ты знаешь, прошла департизация, КГБ освободился от партийной опеки. А после путча ее, родной нашей партии, и вовсе не стало. Пострадал ли от этого Комитет? Ни черта не пострадал, наоборот, только руки развязались. Правда, его начали как-то там реорганизовывать... но, думаю, как черта ни крести...

— Ну да...

Как черта ни крести... Крестины... крестины дело хорошее, спора нет. Да поздновато пришла эта мысль ей в голову. Или, может быть, раньше не решалась?.. Неважно, время ушло. Время не вернешь... время не возвращается. Если бы заикнулась раньше... до своего печального предательства, до разлуки... полгода назад, что ли... ну или год... ну да, год... а сколько они были вместе?.. Господи, да неужели все так быстро проходит?

— Я слушаю, чего ты!..

— А если слушаешь, тогда согласись, что Комитет и раньше о себе не очень-то заявлял: тайная полиция — она и есть тайная полиция, она о себе на каждом углу не орет, у нее задачи другие, ну да не мне тебе рассказывать. Пока существовала вторая надвластная структура — партия, — преступности трудно было сунуться во власть, потому что партия и Комитет друг за другом прислеживали. А теперь, когда власть будет контролироваться только Комитетом, как бы он там ни назывался, ничто не помешает ей, власти, стремительно криминализироваться. Дело идет семимильными шагами, капитал зарабатывается быстро. Как накопится, сольются окончательно: правление станет преступным, преступность будет править...

Править будет... ну да... все всегда хотят править... Она тоже хочет править?.. Кто ее знает... А что тут нужно такое особенное знать? Разумеется, хочет... В ее положении это самый доступный способ... был бы самый доступный способ... если бы он согласился. Если бы сказал: ах, Танечка, конечно, я так рад! Самое время нам обзавестись маленьким! У меня двое уже есть, ничего, будет третий!.. Мне до шестидесяти еще о-го-го сколько лет осталось, самое время детишками заняться!..

Нелепица какая.

А между прочим, и впрямь: если бы заговорила в пору его увлеченности, он бы мог, наверное, поддаться... Хорошо, что ей эта мысль не приходила в голову. В чаду, как говорится, любовной горячки... да уж, мог наделать делов. Все бы полетело к черту. Кира бы не простила. Нет, не простила бы... почему-то в этом он совершенно уверен.

А теперь только удивился ее словам. Удивишься, пожалуй: «Гера, я так хочу, чтобы у нас был ребенок!».

Сначала пропадает... а явившись снова, будто Афродита из пены морской, после бурного объятия мурлычет на ухо: «Герочка, мне так хочется ребенка от тебя!..»

Разумеется, он не показал своего удивления, однако... что?

— Погоди, ты что сейчас сказал?

— Я сказал, что все в целом будет выглядеть вполне респектабельно. И даже, может быть, останутся какие-нибудь выборы.

— Вот-вот, про выборы. Что ты имеешь в виду? Что значит «останутся»? Сейчас-то есть. И ничто не предвещает, чтобы куда-нибудь делись. Пусть только попробуют!

— А вот поживем — увидим. Я сейчас не о том... Исчезнут, не исчезнут — суть не изменится. Даже если останутся, будут насквозь фальшивыми.

— Почему это?

— Очень просто. Чистая преступность интересуется деньгами. Только деньгами, больше ничем. А когда она приходит во власть, когда она становится властной преступностью, то, кроме денег, ее интересует еще продление своей власти. Чтобы с помощью власти получить еще больше денег. И укрепить собственную власть. Ну и так далее. Уроборос... — и поймав взгляд Бронникова, пояснил: — Это по-гречески, тебе не понять. Змея, глотающая собственный хвост.

— По-гречески на той же зоне наблатыкался?

— Не смейся, Гера, — вздохнул Юрец. — Тебе не повезло на зоне побывать, вот и не представляешь

313

себе ее образовательного потенциала... Ну что, по маленькой?

— Пошли на скамейку...

— Ты прости, Гера, — виновато сказал Юрец, когда уселись. — Но я и рюмку позаимствовал. Игорю Ивановичу больше не понадобится, а прочие... найдут где-нибудь.

— Всему-то тебя на зоне научили, — покачал головой Бронников. — Занесу потом.

— Занеси, — легко согласился Юрец. — Ты, Гера, всегда был добрым... а теперь еще и какой-то задумчивый, — озабоченно сказал он, откидываясь, чтобы взглянуть чуть издали. — Если помнишь, сегодня похороны были. Игоря Ивановича мы проводили... Но если ты по нему горюешь, то не надо. Он бы не одобрил... Ладно вам, Гера, не булыганьте! — прикрикнул Юрец голосом Шегаева. — Но все-таки ты такой задумчивый... такой задумчивый-задумчивый... будто совсем даже не о смерти размышляешь. Потому что если бы ты размышлял о смерти, ожесточилась бы душа твоя... а ты такой добрый! Ты совсем не похож на зыбкий ум Природы!

— Угадал, — хмуро кивнул Бронников. — О жизни я думаю... о ней, проклятой.

2

От всего на свете можно спрятаться. От солнца — в тени, от дождя — под зонтом или деревом. От пули — за камнем. От взрыва — в окопе. Даже от радиации можно найти убежище.

Но время! — от времени не уйдешь, не убежишь, не скроешься. Время проницает и воздух, и воду, и дерево, и камень. Такое же роковое, как пуля, такое же гибельное, как радиация, оно разлито повсюду...

КРЕДИТОР

Перечел абзацы, испытывая все большее отвращение, дважды резко крутанул валик машинки, прогнав бумагу. Пять раз ударил пробельную клавишу, сделав отступ. Тут же нагрохотал новое:

Время

И запнулся: ладони, вознесенные, чтобы продлить барабанную дробь, повисев недолгое время в дымном воздухе, медленно опустились.

Откинулся на стуле. Раздумывая бог весть о чем, потянулся к папиросам. Вытряс... взглянул на пепельницу — там лежала погасшая... Затолкал новую обратно в пачку... сунул в рот окурок, взял спичечный коробок... снова замер.

Протянул руку, провернул валик и быстро настучал нечто совсем, совсем другое:

Время

И опять не продолжилось.

Тупо перечел... еще и еще раз повторил на разные голоса.

Что-то происходило в голове, где-то под самой макушкой: будто соседи сверху жили там какую-то свою не до конца еще понятную жизнь. То шаги справа налево — топ-топ-топ, то вроде как дверь заскрипит — вошел кто-то? То будто стул провезли — должно быть, от кровати к окну... Живут себе. Как живут? Что делают?.. Что он должен еще узнать о них, что понять об их жизни?..

Почувствовав вдруг ожесточение и еще раз провернув валик, наколотил то, что, казалось, должно наконец открыть заколодившую дверцу. Но опять получилось то же:

Андрей ВОЛОС

Время

Стук машинки гулким шаром попрыгал от стены к стене и затих, оставив только ощущение пустоты.

Так громко... почему так громко?.. потому что стены голые.

Так ли голо было, когда он жил здесь прежде? Кто ж теперь вспомнит... может, и так.

Потом Артем холстов своих нагромоздил: захламил помещение. Когда в армию ушел, Лизка начала тут с Сережкой вить гнездо, наводить уют... Занавесок навесила, шторочек... двумя ковриками обзавелась на стенках.

Вот и ему теперь тоже бы нужен коврик, что ли... без коврика так грохочет его старая «Москва», будто целый состав по рельсам идет.

И занавески. И абажур непременно.

А то вечером вышел во двор, забыв выключить свет в комнате, глянул — батюшки, позорище, голая лампочка на шнуре... смех смехом, а ведь и абажур забрали.

Ну и бог с ним. Тоже мне потеря... есть и хуже.

В конце концов, когда Лизка с Сережей и Плетневым выезжала, никто ведь и не думал, что не пройдет и полугода, как сюда Бронников вселится. Они улучшали жилищные условия... а что не улучшить, если могут себе позволить? А он — он и помыслить не мог, что здесь окажется.

Он не в претензии... если бы Лизке такое пришло в голову, так непременно бы оставила ему коврик... не чужие, в конце-то концов.

Так и не прикурив, вышел на кухню, зажег газ под чайником, встал у окна.

Во дворе все как раньше. Ничто не поменялось.

Время, время... куда же оно ушло?

Нет, все-таки кое-что не так.

Конечно, тот же двор, тот же дом...

КРЕДИТОР

Но все-таки прежде дом выглядел чуть иначе. Не то бурый, не то грязно-желтый... но, во всяком случае, однотонный. А теперь краска — или что это? побелка? — тут и там облупилась, проступили голубые и розовые африки прошлых слоев.

Ну и липы, конечно, разрослись. Прямо будто живой водой их поливали. Зато справа когда-то густились кусты жасмина — а ныне и в помине нет. Вырубили, должно быть, за ненадобностью. Все эти годы он здесь частенько бывал, а вот не замечал... На детской площадке все по-старому: песочница, качели. Нет, стоп: прежде две скамьи, теперь одна, и та без спинки. Найдите десять отличий...

Чайник хрипло свистнул, плюнул, заклокотал.

* * *

Ему было плохо.

Во-первых, сам факт случившегося невыносимо плох: на старости лет наломать таких дров, уйти из семьи, оставив по себе след предателя, изменника... уж куда хуже.

Но вдобавок он всегда высоко ставил себя в собственном понимании, считал человеком разумным, способным понять, что почем, предположить последствия того или иного, вообразить цену, которую придется заплатить, и тогда уже осознанно, будучи готовым к расплате, решиться на поступок.

А тут оказывалось, он дурак дураком: ничего не предполагал, ничего не смог предвосхитить, цена оказалась совершенно немыслимой... и в целом все то, что по его вине получилось, есть результат заурядной глупости.

Наблюдая когда-то, как Блекотин пускался на свои эскапады, он не мог не испытывать к нему легкого презрения: эх и пень же ты, Миша!

А сам что натворил?..

Первое время — когда вся эта чепуха, которая прежде ему в страшном сне не могла присниться, раскручивалась бешеным маховиком, безжалостно снося вокруг себя самые мирные предметы и явления, — а он мог только смотреть, как рушится все, что он так любил и, пожалуй, считал в собственной жизни единственно ценным, — так вот, в ту пору он так возненавидел блекотинскую Юлю, запустившую этот гибельный процесс, что несколько раз просыпался с глухим звериным воем — и не мог сразу поверить, что душил ее во сне, а не на самом деле. Хотя, конечно, дело не в ней.

Танино признание, что она ждет от него ребенка, явилось даже не громом среди ясного неба, а прямо-таки ударом молнии, которому гром сопутствует в качестве безобидного звукового сопровождения.

Разумеется, не поверил. То есть что забеременела — это сколько угодно, чему тут не верить, на то она и женщина, а вот что от него, так этого быть никак не могло. Во-первых, он ни на секунду не утрачивал мужской бдительности. Конечно, это всегда можно подвергнуть сомнению: бдительность бдительностью, а случайность случайностью; природа сделала все, чтобы обмануть тех, кто тщетно пытается избежать ее приговоров. Однако имелось и второе обстоятельство: Таня сказала срок и, мгновенно прокрутив в уме арифметику, он понял, что она такая дура, что даже надуть его как следует не может: выходило, что случилось как минимум за месяц до того, как они возобновили отношения.

Но с другой стороны, какой бы неправдой это на самом деле ни являлось, ему мгновенно стало понятно, что дело добром все равно не кончится; он не знал еще, как именно повернется, но предчувствие посетило — просто катастрофическое.

Ему хватило самообладания, разговор не сорвался в ссору, в скандал, во взаимные обвинения, и Таня, приободрившись, раскрыла карты (естественно, не все; скоро выяснилось, что у нее и других навалом). Она понимает, что он, вероятно, не готов к такому повороту событий, и она его винить не будет; ну и в самом деле, у него семья, дети, о которых он без конца талдычит, ну и так далее, она же одинока, совсем одинока, а потому для нее ребенок — большая ценность, она не может отказаться; поэтому, стало быть, она полна решимости рожать, а он пусть ведет себя, как подсказывает совесть, и если вопрос его поведения решится не самым благоприятным для нее образом, она не будет в претензии, потому что любит его больше жизни и хочет оставить по себе самые добрые и нежные воспоминания, пусть даже случившееся станет причиной их окончательного расставания, — и несколько раз всхлипнула, преданно глядя полными слез глазами. Кроме того, она понимает, он сам ее этому учил, что дети должны являться результатом осознанного решения, осмысленного желания их иметь, а вовсе не итогом беспорядочной половой жизни (так и сказала «беспорядочной», Бронников удивился, но переспрашивать не стал). Так что пускай уж как получится, в случае чего она как-нибудь сама — родители помогут, бабушка...

Наверное, Таня полагала, что Бронников не стерпит ее смиренной готовности к судьбе матери-одиночки. Он же, слушая, цинично пытался вообразить, как она, в свою очередь, воображает то, что он должен сделать сразу после окончания ее простой, но полной судьбоносных смыслов речи: обнять, ласково заглянув в глаза, осыпать поцелуями в знак благодарности за тот подарок, что она собралась ему сделать, и увлечь в постель, чтобы, отбросив всякого рода предосторожности, ставшие теперь, как она только что ему сообщила, совершенно бесполезными, на деле доказать свою любовь, получив в ответ жаркие доказательства ее собственной. Последняя мысль — насчет отбрасывания бесполезных предосторожностей — снова кольнула извращенным удовольствием: нет, не забыл он коварства Юли Скворчук!

Ах, если б еще мог тогда вообразить, как далеко оно зайдет!

* * *

В какой-то момент он понял, что не может с Таней разговаривать.

То есть слушать — это пожалуйста. Только дай повод почесать языком. Он подчас задавался вопросом — да помнит ли она, на время умолкнув, что несла? Или напрочь забывает? — как витийствовавший в температурном бреду, когда его оставляет горячка.

В ее болтовне ему стала видеться даже какая-то вынужденность: словно она должна была задействовать дар речи ежедневно как минимум на столько-то часов. Если же это не будет сделано, недовыработанный ресурс останется в ней чем-то тяжелым, беспокоящим, даже, может быть, опасным — примерно как топливо в баках самолета, идущего на аварийную посадку. Потом прокиснет, протухнет и в конце концов отравит весь организм.

Поначалу ему нравилось слушать ее болтовню. Он, бывало, подремывал под звуки необязательного речевого побулькивания так же сладко, как мог бы заводить глаза под лепетание ручья или неназойливый лесной щебет. Таня говорила, говорила, будто плывя по темной, невесть откуда и куда струящейся реке, не имея при этом ни сил бороться с ее течением, ни желания это делать, — то есть о чем попало, не озаботившись хоть сколько-нибудь ясным представлением, с какой целью это произносится. Начав рассказывать, например, о каникулах, проведенных когда-то в деревне, о страшном пастухе Василии, каждый вечер гнавшего стадо мимо дома (утром тоже гнал, неверное, говорила она, на мгновение задумавшись, только утром она спала), подробно описав его ужасный кнут, врезавшийся в детскую память, и сообщив, что она уже тогда жалела бедных коровок, но до недавнего времени думала, что их держат в неволе и водят по лугам, чтобы они давали молочко, а вот уяснить связь между ними, волоокими, и мясом в супе никак не получалось; естественным образом перескакивала на пользу вегетарианства, на подругу Катю, давно приверженную сыроядению, на ее мужа Колю, на их собаку, на пояса из собачьей шерсти и радикулиты... и струилась дальше, дальше, дальше, не встречая на пути ни одного предмета или явления, способного привлечь к себе внимание долее чем на четыре секунды... и потом он раскрывал глаза, вздрогнув от ее обиженного «Герусик, ну не храпи!».

А если, встряхнувшись, заново начинал честно и добросовестно внимать, чтобы все-таки уяснить, к чему, к какой вершине она ведет его столь окольными путями, то снова терялся в бесчисленных отвилках течения, которому она безвольно следовала, в целом похожем на дельту Волги; свернув по воле незакономерных волн в тот или иной рукав повествования, Таня уже никогда не возвращалась в главный поток. Да и был ли он?

Одно время он размышлял, что, возможно, ее беззаботное блуждание в пространствах собственной памяти как раз и есть та форма речи, о коей сказано, что она начинается издалека и далеко заводит. Зайдя к Юрцу, попросил на время пару-тройку томов дореволюционного издания «Тысячи и одной ночи». С удовольствием проштудировав, убедился, однако, что, как ни похожи в некоторых отношениях ее повествования на томительную путаницу Шехерезады, а все же только совсем неосмотрительный человек поставил бы их рядом: Танины сказания струились почти так же вольно и увлекательно, но из них никогда ничего не вытекало, нельзя было вынести, как ни тщись, ни крупицы пусть даже самой нелепой морали.

То есть ее оставалось только слушать, а говорить оказывалось не о чем и незачем. Это была ее ошибка — если можно в ряду бессознательных действий отличить ошибочные от верных. Если бы Бронников мог поговорить с ней о своих заботах, то проникся бы теплом и благодарностью: ведь чем больше человек толкует о себе, тем больше любит тех, кто его слушает, невольно наделяя их собственной доверительностью.

Кира, наоборот, умела слушать.

Наверное, если судить о ней с точки зрения того чистого, эссенциально женского, чего, например, так много в Тане, Киру следовало признать ущербной; не зря же она, сама вроде бы очень женственная, замечая в другой излишнюю, на ее взгляд, податливость, нерешительность, слабость, начинала вести себя по-мужски покровительственно. Конечно, она тоже по-женски не видела смысла в прошлом, не придавала прошлому значения, а если и утверждала обратное, то бессознательно лукавила, обманываясь сама и обманывая других; все ее существо, что бы она при том ни говорила, устремлено в будущее, куда текла река жизни, продолжательницей которой она являлась; плывя по ней, она не хотела знать о другой, темной воде Леты, зыблющейся в шаге, в миге от всего живого, какое дело до нее, зачем о ней думать, если все, что погружается в ее невозвратный поток, навсегда теряет сущностный, жизненный смысл? Женщина несет в себе идею вечной перевоссоздаваемости мира, она бессознательно уверена, что каждое новое мгновение вселенная творится заново, является из огня, поднимаясь над осыпающимся вокруг пеплом минувшего. А потому никогда не следует оглядываться, оглядываться нет времени, ибо грядет новая секунда, и как только она грянет, все сущее вновь окажется в слепящем пламени очередного рождения, бесконечная череда которых слепящими вспышками спешит друг за другом.

И все же Кира пыталась разделить его сколь неустанную, столь и ни к чему не применимую способность волноваться и мучиться там, где все навсегда кануло в прошлое. Когда он рассказывал, как в начале апреля сорок второго тронулся волховский лед, ему казалось, что Кира видит это так же отчетливо, как он сам. Огромные льдины, поначалу треща и громово лопаясь, а потом, кое-как растолкав друг друга, в торжественной тишине (но то и дело какая-нибудь шалая запиналась об отмель или корягу, и тогда другие нетерпеливо лезли на нее, будто волы в напуганном стаде, влажно скрежеща, трескаясь, возобновляя прежний грохот и сверкание), неспешно двинулись к Ладоге. Белизну сущего тут и там нарушали черные молнии стылой воды, сквозь толщу которой с донного песка тупо смотрели озадаченные грозным движением налимы...

Он говорил, и ему казалось, что она тоже видит, тоже прозревает: промерзшие, занесенные снегом тела бугрились тут и там, а кое-где руки убитых стояли торчком, будто они, отплывая, еще голосовали за что-то; было непонятно, что заставило их застыть в таком положении, да и времени понять уже не оставалось, потому что лед трещал и двигался, и вместе с ним все они плавно ускользали в окончательное небытие.

* * *

Единственное, о чем он мечтал, это чтобы все наконец кончилось. Сколько можно? Должна же она понять, что ее щедрые предложения его совсем не радуют? Ничего такого он не хочет. При последнем разговоре (хотелось бы верить, что он окажется последним; честное слово, она просто брала его измором, штурмовала как Суворов Измаил; сидя у себя под лестницей, он уже боялся даже случайно взглянуть на телефонный аппарат!) Таня решительно и бесстрашно подняла все те вопросы, что обычно остаются в стороне, поскольку никому и никогда не хочется ни прямо задавать, ни правдиво отвечать на них — и, как под кнутом, добилась признания.

Прошло дня четыре, а он еще оставался подавлен: обрывки крутилось в голове, никак не хотели успокоиться чаши весов, на которые валилось то одно, то другое, то третье...

Открыл дверь, с облегчением почуяв запах родного, домашнего. Портос весело припрыгнул, но тут же жалобно заскулил, припадая чуть ли не на все четыре лапы. «Эх, бедолага, — сказал Бронников, трепля по голове. Старость не радость. Лечить бы тебя надо, да помнишь, как врач сказал: будем лечить или пусть поживет? Живи уж пока...»

«Привет! — мимоходом бросила Кира. — Аня! Ты идешь или что? Собака заждалась!» — «Ну иду же», — донеслось из комнаты. «Привет», — хмуро произнесла дочь, выйдя и с летаргической медлительностью начиная обуваться. «Выше нос, — сказал Бронников. — Иди сюда». Она так же нехотя (но все же блеснув, он заметил, из-под челки хитрым взглядом) подставила щеку. «Хочешь, я схожу?» — предложил он. «Нет, пусть пройдется! — возразила Кира. — Целый день дома! Анечка, не тяни кота за хвост, иди, дорогая». Дверь закрылась. «Ну вот, Бронников, — сказала она, устало опираясь плечом о косяк и невесело глядя. — Надо поговорить».

«Нет ничего страшнее, — заметил он, — чем когда женщина сообщает мужчине, что им надо поговорить. Впрочем, равносильно и обратное».

Но в целом оказалось не до шуток.

КРЕДИТОР

Кира говорила спокойно, использовала эвфемизмы и да-же подчас улыбалась. Таню она называла *твоя девушка*, впрочем, имя тоже знала (а откуда бы могла, он не мог ни тогда сообразить, ни теперь не понимал), но не использова-ла. Звонила подруга *твоей девушки*. «Какая подруга? — тупо спросил он. — Юля?» «Юля, — подтвердила Кира, после чего единственный раз за весь разговор изменила взятому тону: — Это блекотинская сучка, что ли? Хоро-ши кобельки!» «Ну, если ты, — начал он, но продолжать не стал, а просто обреченно закончил: — Блекотинская». Короче говоря, минуты за три побеседовали о многом. «Вообще-то это не мой!» — воскликнул он, не удержав-шись, хотя понимал, что это уже не имеет значения.

Кира замолчала, и Бронников поймал такое выражение лица, как будто она когда-то взялась за груз, который следовало нести, что бы ни случилось, — а теперь вдруг жалко сморщилась, словно почувствовав, что все-таки это бремя стало ей не по плечу, не по силам, что она не может волочь его дальше.

«Я думала, никогда не скажу, но теперь... Наверное, тебе вот что нужно знать».

Если бы смолчала, ему, быть может, удалось бы удер-жаться. Пусть на самом краю, на самых цыпочках. Ведь он не хотел ничего такого. Не хотел уходить. Это его дом. Это его жена. Его дочь. Его собака. И сын — пусть те-перь он жил не с ними, — сын тоже его!

Но Кира сказала.

«Но почему? — спросил Бронников, когда к нему вернулся дар речи. — Я не понимаю, для чего это? Зачем?» — «У тебя не получалось, — мягко ответи-ла она. — А мне был нужен ребенок». «У меня не получалось?! — взорвался он, вскакивая. — Что ты несешь?!» «У нас не получалось, — поправилась Ки-ра. — У нас. Ты же помнишь, сколько лет я не могла забеременеть...»

«Отлично, — сказал Бронников. — Просто отлично! То есть вот так, значит...»

В голове не мысли метались — клочья. Хотелось сказать что-нибудь содержательное, но отвлекала навязчивая дурацкая мысль: вот почему она Лешку всю жизнь так тетешкала! Ну да: ведь, наверное, по ее логике, у него не было настоящего отца! Леша рос с Бронниковым — с чужим мужиком!.. Нет, не может такого быть... если только бессознательно Кира это понимала... на каком-нибудь, черт его не знает, гормональном уровне...

Бронников лишь разевал рот. Она пожала плечами.

— Но Анечка — моя? — в конце концов жалко спросил он.

— Анечка твоя, — вздохнула Кира. И сухо добавила: — К сожалению.

Эпилог

— Нинка, чтоб тебя, что ж ты все двери-то!..

Ему казалось, он в сознании, и хоть оно немного помаргивало — точь-в-точь неисправная лампа из тех, под которыми так долго гремели по коридорам, — Бронников все же отчетливо понимал, что лежит навзничь на каталке у коридорной стены. Он даже мог обойти вокруг самого себя, с болезненным любопытством рассматривая осунувшееся лицо и костлявые ладони, конвульсивно вцепившиеся в натянутое под самый подбородок тонкое колючее одеяло: как будто вот-вот должен был налететь какой-то страшный вихрь — должно быть, продолжение того неслыханного вихря — и вырвать этот жалкий покров, и унести бог весть куда, и оставить его совершенно голым.

Но даже так, со стороны, испытывая опаску насчет того, как сложится его ближайшее будущее, он все же отчетливо понимал, что ему ничто не грозит — почему-то был уверен, что его главная и большая часть не потерпит ущерба при любом раскладе, даже имея в виду, что в затылке все круче сжималась и пульсировала болезненная пружина.

Все случилось по-дурацки неожиданно. Заорали, шатнулись, кто-то толкнул в спину — и он, вместо того чтобы перескочить парапет, как на грех запнулся...

Андрей ВОЛОС

А ему бы хотелось договорить с Юрцом. Очень бы хотелось. Неужели, как всегда, не хватило времени?

Они встретились у «Смоленской» и схватились еще по дороге: Юрец выбрался из подземелья, по обыкновению, так ошалело крутя башкой (увенчанной круглой, как земной шар, лысиной), будто в метро оказался впервые. Бронников уже минут десять топтался неподалеку от стеклянных дверей, и когда с места в карьер пошли махать рысями к переходу, упрекнул: «Вечно ты опаздываешь!» — «Ничего я не опаздываю, — одышливо возразил Юрец. — Да и вообще спешить некуда». «То есть как некуда? Начинается! — сказал Бронников. — Песня ветра, обутого в гетры». «Ну а куда? — непреклонно скрипнул Юрец. — Я тебе точно говорю: все ясно». Именно с этих слов зацепились и потом всю дорогу — и в тротуарной толчее до подземного перехода, и в самом переходе (почему-то уже тогда, по довольно раннему утреннему времени, полному музыкально нищенствующей публики — двое с гитарами у стены, третий вприсядку с бубном, еще один в пьяных метаниях с кепкой вымогает подаяние, все дико орут и грохочут), и пока торопливо вниз по Николощеповскому, и направо по Смоленскому к Проточному (Бронников все рвался взять левее к набережной, а Юрец упирался, утверждая, что знает значительно более короткий путь, — но главные противоречия состояли, разумеется, не в этом) — короче говоря, сцепившись с первых слов, всю дорогу потом враждебно орали: так яростно, будто это им, им двоим и больше никому, предстояло сейчас, как только добегут до Белого дома, взять на себя тяжелые, даже, может быть, невыносимые обязательства, требующие крайнего напряжения сил и совершенного остервенения, и потому следовало заранее привести себя в соответствующую форму, — или от того, как решится сейчас пря между ними, зависит все на свете.

КРЕДИТОР

Юрец в последнее время стал невыносим. Куда делась вся его проницательность, все остроумие, все способности видеть вещи под неожиданным углом зрения? Вечное это всезнание, всегдашняя безапелляционность! Непременная усмешка на морщинистой физиономии! В главном они, конечно, по-прежнему сходились. Но детали — проклятые детали известного в целом будущего!..

Сам Бронников полагал, что витамин, впрыснутый событиями августа, и по сей день, то есть два с лишним года спустя, является главной составляющей жизни, что бы там во всем остальном ни происходило. За свободу он все был готов отдать. На фоне свободы остальное — мелочи, явления временные. Перемелется — мука будет.

Юрец с этим более или менее соглашался. «Да, — говорил он, — свобода — страшно важная штука, без свободы никуда...» И если бы ставил на этом точку! Но он начинал неприятно кривить пространство, так выпячивая пустяки, минуту назад дружно признанные временными, что они начинали представляться несуразно большими и вроде бы даже иметь кое-какое значение.

— Юрец! Ну ведь опять передергиваешь!

— А что ты орешь? — любопытствовал Юрец. — Ты спокойно можешь говорить?

Бронников орал не от злости: просто ему становилось обидно, что Юрец не понимает. Смешно, конечно... примерно так он ярился в восьмилетнем, что ли, возрасте, когда дед будто нарочно коверкал имя его вернейшего друга: того звали Федей, но в школе кликали исключительно Федулом. «Глупости говорит этот твой Федун...» — переиначивал дед. «Да не Федун, а Федул! — возмущался Бронников. — Ну разве не можешь запомнить! Мне обидно!» «А не велика птица этот твой Федун, чтобы все про него помнили, — ворчал тот. — Давай садись, щи простынут...»

Особенно разъехались после майской демонстрации.

В ту пору мнения появлялись самые разные. И, например, Бронников никак не мог согласиться с Блекотиным, который в знаменитом августе, отговариваясь трудностями личной жизни, к Белому дому не ходил, но затем на победной волне начал быструю эволюцию и за короткое время съехал (или поднялся?) до умопомрачительных высот либерального и антикоммунистического радикализма. Когда красные объявили, что предполагают собрать на первомайской демонстрации сто тысяч трудящихся под протестными лозунгами, Миша негодовал страшно. Возмущался, требовал, чтобы Ельцин не сбавлял оборотов, а окончательно разобрался «с этими красно-коричневыми». «Да погоди же!» — пытался Бронников вставить слово. Вставить слова Блекотин не давал: «Они чего хотят?! Назад в свой казарменный коммунизм?! Обратно к общему корыту?! — вопил он. — Снова красными флагами махать?! Мы не позволим им махать их погаными красными флагами! Хватит!!! Что, свобода не по душе?! Пайка обратно захотелось?! Корыто помоев нужно, чтобы успокоились?! А тогда танками, зоечка ты моя, танками их давить, как тараканов!..»

Но и Юрца ему не удавалось понять. Казалось бы, сам Юрец ни разу в жизни не предпринял ни единой попытки встать на твердое — ну то есть твердо встать, обеими ногами, чтобы, как говорится, хозяином земли себя почувствовать; напротив, провел ее, жизнь, в разного рода облачных витаниях, несомненно для него более ценных, чем любой назем и любое хозяйствование (ведь и до цугундера беднягу довели, до Мордовии, — а он все упорно норовил порхнуть, за что Бронников и любил его с такой нежностью); а теперь туда же — обнищание страны! ограбление народа! ничтожные для населения итоги приватизации!..

Ему было диковато замечать, что в этих вопросах Юрец стал сходиться не только с Артемом, но даже с

Михалычем. А уж чего хорошего, если один всю жизнь
охранял, другого всю жизнь охраняли, а теперь вон чего:
дуют фактически в одну дуду! Не совсем в одну, конечно:
Михалыч все о своем личном прошлом, о кровных своих
четырнадцати тысячах, о домике на участке, о кирпиче, о
том, что его — именно его! — обобрал Горбачев, а теперь
совсем уж доедает Ельцин, и что терпеть этого больше
нельзя, а потому он непременно пойдет на протестную ма-
нифестацию, вольется в колонны, что собирает «Трудовая
Москва», одна из нескольких теперь компартий (разницы
между ними он понять не пытался), и еще какой-то тоже
оставшийся для Бронникова непроясненным Фронт на-
ционального спасения, — а Юрец, понятное дело, и тени
мысли не имел, чтобы влиться в те же колонны, и говорил
не о себе, а, как всегда, о будущем, — но все равно мозги разъезжаются, если обнаруживаешь между ними хоть
что-нибудь общее...

Первого мая он оказался привязан к вахте и, хоть и
не собирался, боже сохрани, ничего демонстрировать, а
все равно недоумевал: как что-нибудь важное в мире, так
он под лестницей!.. Пришел, как всегда, без четверти восемь, выслушал жалобы Прасковьи Никитичны на лифт,
всю ночь не дававший ей спать (в этом она сходилась
с Крылатовой из сорок второй, даром что консьержка:
«Ой, Герман Алексеевич, ведь ночь напролет их куда-то
черти носят! Ну куда, куда?! Сил моих божеских больше нету!..»), наконец выпроводил старушку, разложился,
сходил за водой, вскипятил чайник.

Было у него с собой кое над чем посидеть, почеркать,
поредактировать. Это он страсть как любил, занимался
с наслаждением и легкостью, потому что сама возможность этой работы — попытки улучшения уже готового
текста — означала, что этот кусок — страница или несколько, или целая главка — уже есть, он явлен, мука
его рождения кончилась, а то, что ныне предстоит —

сладостные эти черкания, — сравнимо с ней примерно
так же, как, что ли, чесание спины со шпицрутенами. Ну
да, потому что сначала ты стоишь, немой, безъязыкий,
перед черной стеной — глянцевой, стеклистой, обсидиа-
новой, — с обычной растерянностью и даже отчаянием
понимая, что каким-то образом нужно пробиться сквозь
нее, за; но как? — темнота, твердость и ничего больше. Начинаешь подозревать, что где-то есть, пожалуй,
сквозные дыры, прорытые прежними кротами, ковы-
рятелями-предшественниками, можно воспользоваться
одной из них: полезть, ввинтиться, обдирая плечи об
острые углы, с кряхтением выбраться на волю! — но
одновременно возникает и уверенность, что в таком случае можно не суетиться: тот лаз, что уже есть, тебе не
нужен, сокровища лежат только там, где еще не ступала
нога человека...

Но почему-то не пошло дело, не заработалось — мысли съезжали на свое, толклись, будто дети у елки, вокруг одного и того же, и стоило на минуту увлечься, как
непременно вспыхивала какая-нибудь никчемная сейчас,
ненужная чепуха. То о Лешке думалось... хотя, казалось
бы, что уж так особенно думать? С Кирой обо всем договорились твердо, ну съехал отец к себе пожить — и
съехал, все взрослые, все понимают... никто не собирается
греметь ключами от этих дурацких тайн. Лешка к нему,
бывало, заскакивал на чашку чаю, машину бросал у самого шлагбаума, у железяк, врытых возле клумбы, а через
час-полтора Бронников смотрел в окно, как он плюхается
в свой новый (подержанный, разумеется) «мерседес» и
летит жить дальше... То Артем опять и опять приходил
на ум, и Бронников вздыхал, беспредметно размышляя
о его жизни и в задумчивости выводя какой-нибудь ва-
вилон на обратной стороне листа. Лешка не раз пытался
как-нибудь помочь, предлагал работу при себе, в каких-то
своих предприятиях, Артем пробовал вжиться, но всякий

раз безуспешно. Кончилось афронтом: высказал дорогому племяннику не благодарность, а раздражение, обвинил в жуликоватости (вот уж чего Бронников не мог себе вообразить!) и подвел черту, сообщив, что ничего этого ему не нужно, всю эту новую жизнь, связанную с тем, чтобы наеживать друг друга за копейку, он презирает и знать не хочет. Леша, который, как хорошо понимал Бронников, все равно не хотел его бросать, сказал: «Артем, ну погоди, ну ты что? Ну а чего же ты хочешь?» — и тут, по его словам, Артем психанул и ушел не прощаясь... У них с Настей родилась девочка, и жили они все там же — впятером в маленькой двухкомнатной квартире, только Рихард Васильевич теперь не вставал...

Часов в двенадцать, так ни черта и не наработав, он плюнул, сложил бумаги, заварил свежий чай и включил телевизор «Рекорд», появившийся под лестницей от Михалычевых щедрот. Михалыч быстро успел насмотреться на хорошее (дочь купила им «Sony») и теперь все ворчал, что простить себе не может, что столько лет таращился в слеподырный ящик; но на самом деле он очень даже ничего себе показывал: чуть, конечно, мутновато и мелко, но полосы, беспрестанно ползшие по экрану, почти не мешали.

Так вот, включил, удобно пристроился на кушетке, предполагая всласть позевать, а то, глядишь, и вздремнуть полчасика под нечастое хлопанье входной двери и бубнеж аппарата — так не тут-то было.

Хоть и в черно-белом, с помаргиваниями, изводе, при котором кумач не кумач и даже кровь на физиономии мало чем отличается от чернил, но репортажи шли один другого страшнее. На Ленинском проспекте колонну красных попытались блокировать — в результате чего началась чертопляска: отважные корреспонденты снимали и грузовики, таранившие милицейские заграждения, и обломки кирпичей, летящие в закрывающихся щитами омоновцев, и транспаранты (самые безобидные требовали банду Ельцина к ответу), был зафиксирован и дикий гвалт над полем боя, до самого вечера вспыхивавший то там, то тут... крики, визг, стоны, вопли, проклятия, и лужи крови на асфальте — вот именно черные как строительный вар, и громадный мужик в омоновском облачении, молотящий дубиной по спине какую-то худенькую женщину, и еще, еще, еще...

Часам к пяти стало повторяться: это уже видел, и это видел...

Подведенные на ночь глядя итоги мирной демонстрации впечатляли. Одного милиционера задавили грузовиком — дня через три он умер в больнице; погибло несколько ветеранов — впрочем, сведения сообщались невнятные, без имен и фамилий; что касается пострадавших переломами, разбитыми головами, сотрясениями — счет шел на сотни.

Вечером позвонил Артем и начал так орать, будто это сам Бронников весь день безжалостно махал дубиной: «Видел?! Нет, ты видел?! Теперь ты видишь, что творят?! Что, Гера, и теперь будешь защищать?!» Спорить было не о чем. Когда успокоились, разговор пошел не о дефинициях тех или иных событий, а о том, что теперь следует делать. Бронников не знал, что теперь следует делать, а потому полагал, что делать пока ничего не следует: на его взгляд, до гражданской войны остался один шаг и лучше бы от этого шага воздержаться. Артем же, напротив, был настроен решительно — и пару раз скрежетнул зубами, бормоча что-то насчет своего злосчастного увечья, при котором даже курка как следует не нажмешь. Но все же простились мирно, не поссорились...

Спал плохо: насмотрелся бойни, она же всю ночь и мерещилась; проснулся ни свет ни заря, сел работать, удалось увлечься, и когда опомнился, шел девятый час, что выходило за рамки обычного, поскольку Михалыч приходил даже не за двадцать минут до начала своей смены, а едва ли не за час.

Собрав вещички и выпив напоследок чашку чаю, Бронников снова посмотрел на часы, чертыхнулся и набрал номер Михалыча.

Долго не отвечали. Потом детский голос откликнулся: «Алло!» — «Добрый день, — сказал Бронников. — Это Коля?» «Да, — ответил Михалычев внук. — Здравствуйте». «Коля, скажи пожалуйста, а дедушка дома? — спросил Бронников, приветливо посмеиваясь. — Он что, заспался? Забыл, что ему на дежурство?» Коля подышал в трубку, смущаясь, потом звонко ответил: «А дедушки нет, его вчера убили!».

К вечеру выяснилось, что не совсем убили, слава богу, не до смерти, но из больницы Михалыч вышел недели через две.

* * *

И теперь, еще почти через полгода, ясным октябрьским утром, когда они спешили на этот мост, где Бронникова дожидался, как чуть позже выяснилось, гранитный парапет, Юрец — в чем-то, видимо, дойдя до точки, а потому сменив обычное свое шутливое всезнайство на раздраженную запальчивость — яростно кричал, что Верховный совет уже сам отдал Ельцину все, чем владел, и теперь тот невозбранно делает что хочет; а потому предстоящая бойня — вовсе не битва за власть, ее смысл совсем в ином: это будет акция устрашения. Во всем на свете есть свой смысл, только он подчас не всем понятен — да что там, чаще всего. Вот и в данном случае — хоть и скрыт, а все же прост и очевиден: собрали явных провокаторов, всех этих макашовых-баркашовых-руцких, чтоб они сделали свое доброе дело: крутанули протестную ручку, завели народ. Ведь если его не всколыхнуть как следует, если он не поднимется хоть немного, не высунет голову, тогда на чьем примере показать, что бывает с теми, кто осмелился на подобное? Провокаторы расстараются — а тогда уж власть со всей душой и обрушится. Самое время побить, пострелять, сволочь трупы в подвалы: ну что, смерды, кто в доме хозяин?! Я в доме хозяин!.. Насчет козлов-заводчиков не бойся, с ними плохого не случится: их не тронут, только пожурят, даже еще потом, глядишь, в какие-нибудь депутаты-губернаторы назначат. Но уж все прочие — вся эта мелкая сволочь, еще имеющая иллюзию, будто в этой стране самой властью можно властвовать, самой властью управлять, — будут знать твердо, что случается с теми, кто смеет пикнуть... Что, молчок? — молчок! А раз молчок, раз уже никто и вякнуть не смеет, так давай, навались, дел немерено! Тогда уж никто не скажет вслух, что пошла настоящая, бесстыжая, наглая грабиловка! — нет, брат, лучше молчи по-хорошему, молчком должен понимать: никакая не грабиловка, просто жизнь так ловко повернулась... Вот когда все начнется-то, вот!

«Когда они свою пальбу закончат! — не то смеясь, не то плача выкрикивал Юрец, показывая на приседающие на мосту танки, на Белый дом, верхние этажи которого украсили буро-черные тянущиеся к небу хвосты. — Вот тогда все и закрутится по-настоящему!..»

* * *

Потом под ключицами возникло странное ощущение — неведомое, никогда прежде не переживавшееся им чувство.

«Смерть?» — равнодушно подумал Бронников.

Но если это смерть, значит, он умирает; а если он умирает, значит, жизнь его прожита: другими словами, он прожил свою жизнь — прожил до конца, всю целиком, от рождения и до... неужели до самой смерти?.. Ну да, ничего не попишешь: прожил свою единственную, свою неповторимую жизнь... полностью, до самого донышка.

Хорошо, ладно, приходится согласиться... но что, если он прожил ее неправильно?

И вот эта-то мысль — в отличие от предыдущей, принятой безучастно, — полыхнула в мозгу, окатив его нездешним, ледяным ужасом. Как же так?! Ну правда, как же так? Как теперь хоть что-нибудь поправить?..

Мука!.. мука!..

Но и она стала меркнуть.

Ему захотелось потянуться. Он поджал пальцы ног, корчась в той сладкой истоме, когда приходишь в себя крепко выспавшимся, бодрым и готовым к жизни. А когда тело начало схватываться томительной судорогой, вдруг различил в полумраке, что у противоположной стены коридора лежат поддоны.

Ну да, грязные овощные поддоны, на какие валят мешки, а то еще сетки с картошкой и свеклой — и потом автокары растаскивают их по темным отсекам овощехранилища.

Бим сидел на одном из них, печально подперев голову руками, а рыжий Бом стоял рядом, глядя на Бронникова и, как обычно, радостно скалясь.

Заметив, что он открыл глаза, Бом шагнул на самый край сцены, подмигнул и добродушно поинтересовался:

— Слышь, а что ты не смеешься?

— Чему я должен смеяться?

— Вот те раз, — осклабился тот. — Да ты глянь вокруг: обхохочешься!

Бронников пожал плечами:

— Честно говоря, не вижу ничего смешного...

Бим поднял голову, посмотрел на него с жалостливым пониманием, но не проронил ни слова.

— Ну вообще-то да, — неожиданно согласился Бом. И весело проорал: — Дело довольно печальное!

Бим почему-то неодобрительно покачал головой, затем упер руки в коленки, с кряхтением поднялся и подошел к каталке.

— Ну что? — грустно спросил он, наклоняясь. — Хватит, наверное?

— Хватит? — не понял Бронников. — Чего хватит?

— Да вот этого, — невесело пояснил он, поведя рукой. — Ведь прогулка удалась, а?

Бронников хмыкнул.

— Ты считаешь? Не знаю...

— Так, не так, перетакивать не будем! — радостно гаркнул Бом.

— Это верно, — вздохнул Бим. — Не будем. Так что другой не дождешься. И одной-то выше крыши. Как думаешь?

— Пожалуй, — нехотя согласился Бронников.

— Тогда пойдем?

Тем временем Бом протянул руку — и с театральной ужимкой отдернул занавес.

Раньше Бронников его не замечал; а теперь тяжелое полотнище просторно заколыхалось, отъезжая в сторону, — и глазам открылась испещренная звездами чернота.

Он сел, спустил ноги; встал, неуверенно глядя то на одного, то на другого.

— Держись, — сказал Бим, неожиданно улыбнувшись; оказалось, улыбка очень даже идет к его печальной набеленной физиономии. — Не бойся!

Вздохнув, Бронников протянул им руки.

И они все вместе шагнули за рампу.

МЕСМЕРИСТ

Coda

но самое неприятное в том,
что однажды все эти ваши
некогда обращаются в полное
никогда, потому что за вами
является некто из ниоткуда,
и вот вы уже фигура невнятных
дней, смутной памяти, так что
не надо потом, надо сразу

Саша Соколов, «Триптих»

1

— Конечно же, распад формы, — скрипит Юрец. — Еще какой распад!

При этом он желчно посмеивается, хотя, если честно, ничего смешного не говорит. Есть у него такая манера: без конца гегекать, настойчиво приглашая собеседника к шутке.

— А как ты хотел? Чтобы форма с годами крепла? Не валяй дурака. С годами любая форма разлагается. Даже твоя личная форма — и та скоро сгниет. Чья-то раньше, чья-то позже, но одинаково дотла. Щелк! — и пошло дело...

Бронников кивает.

Вообще-то года четыре назад Юрца самого не стало, он на собственном примере доказал справедливость теорий о распаде формы. Одно из самых печальных впечатлений той поры, оставшихся в памяти Бронникова, — это ледяной ветер, пировавший на просторах Перепечинского. Зимой всюду холодно — и на городской улице, и в лесу, и в чистом поле, но всего холоднее на кладбищах.

— Процессы регенерации прекращаются. Только борода еще некоторое время растет. Поэтому покойников непременно бреют. Чтобы прилично на похоронах, а не как бомжи... Но я, собственно, не о том. Ты ведь о литературной форме заговорил?

Бронников пожимает плечами. Разве он заговаривал? Однако Юрца с толку не сбить. Уже если что начал — с живого не слезет.

— Вот я и толкую. С чего бы ей становиться лучше? Лучше — это определенней и точнее. То есть как бы кристаллизованней. Почему кристаллы, как воду и огонь, можно рассматривать бесконечно? — потому что они соразмерны...

Интересное сближение. Вода, огонь и кристаллы. В этом что-то есть. Надо запомнить.

— Так вот, ты на это не рассчитывай. Ты будешь ваять что-то все более похожее на кисель. Бесформенное. И жидкое. Ведь ты дуреешь с годами. Не обижайся. Ничего не попишешь. По достижении определенного возраста человек с каждым днем все глупее. Сомерсет Моэм эту мысль высказывал. Впрочем, это и не мысль никакая, а общее место. С библейских времен — трюизм... Сам посуди, какой литературной формы может добиться слабоумный? Никакой. Так что уж валяй как есть. Чего там. Раньше нужно было о форме думать. В молодости. В зрелости. Пока силы были...

Вот так. Юрца давно нет — а их диалоги не прерываются. Возможно, думал сейчас Бронников, согласно кивая, это кое-что доказывает... а может быть, и не доказывает.

Так или иначе, ему частенько казалось, что Юрец по-прежнему сидит на своем любимом месте — в углу дивана, возле журнального столика. Он видел его то совсем отчетливо, то в форме туманного призрака, лишь в общих чертах повторявшего внешность друга. Но говорил этот фантом всегда именно его, Юрца, язвительным и немного скрипучим голосом.

Сейчас Бронников слушал с кислой гримасой человека, поставившего целью не вникнуть в доводы, а всего лишь не обидеть собеседника невниманием; то, о чем толковал Юрец на этот раз, ему не нравилось, было даже неприятно слушать, однако вступать в спор или прерывать ему не хотелось.

Поэтому мало-помалу он стал отвлекаться. Ему начинало казаться, что голос оратора звучит все более отдаленно: как будто говорящий не то постепенно уменьшается — сначала, скажем, до размеров собаки... вот уже с кошку или кролика... теперь не больше мыши... — не то плавно отлетает в некие дальние пространства, все более теряя видимую величину — словно воздушный шар, ускользающий в верхние слои атмосферы.

Уже ничего не понимая и не пытаясь сконцентрироваться, он все же согласно кивал, а то еще пожимал плечами и даже вскидывал взгляд. Но перед его мысленным взором был уже не Юрец, а та женщина, что сидела на скамье у входа в недавно подновленное зданьице вокзала третьестепенной станции.

Он различал ее не совсем ясно — словно сквозь мерцающий жемчужный туман, — но все же довольно отчетливо; казалось, ее высвечивает падающий откуда-то сверху — должно быть, прямо с неба — не слишком яркий луч мягкого софита.

Женщина сидела, глядя перед собой; и поскольку по большей части она видела то, во что ее взгляд сам собой упирался, выходило, что это три железнодорожных колеи.

Рельсы первых двух светло блестели, сразу становилось понятно, что это рабочие, наезженные пути, по которым то и дело — ну или как минимум несколько раз в день — прокатываются колесные пары. Третья же, под вагонами товарняка, казалась тусклой. То ли она была запасной, отстоечной, не столь натруженной, как первые две, то ли просто потому, что ее затеняли вонькие цистерны и заизвествленные платформы стоящего на рельсах куцего состава.

Может быть, за ними, за этой третьей парой рельс и товарняком на них, располагались еще пути, еще рельсы, расчерчивающие пространство все новыми параллелями, и если бы не пресловутые вагоны, всякий смог бы увидеть их математически точную перспективу.

Но даже если они там и были, попытки убедиться в этом не достигали цели: взгляд опять и опять утыкался то в круглые боковины вагонов-цистерн, то в дощатую обшивку обычных, а то просто в шпалы, гравий и траву между замасленными колесами.

Время от времени женщине надоедало их разглядывать, и она поднимала голову к небу, высившемуся над железнодорожными принадлежностями станции.

Процентов тридцать его занимали облака. Когда солнце выглядывало в прорехи, бугристая равнина, открывавшаяся по обе стороны от товарняка и вдали отмеченная темными полосами перелесков, а к самому горизонту кривившаяся холмами, начинала сиять и переливаться — особенно если по ней прохаживался ветер.

Потом светило пряталось, и даль снова подергивалась тенями и трепетала, оборачиваясь чем-то вроде непросохшего платка, сильно замятого при стирке. Небосвод при этом делался сизым, а левее последнего вагона и полузагороженной им водокачки и вовсе нехорошо темнел.

В общем, она одинаково равнодушно посматривала то на одно, то на другое, и лишь когда снова обращалась к сгущению будущей непогоды, по щекам и подглазьям пробегала легкая смута; она хмурилась, с простодушным изумлением морщила лоб, опасливо щурилась, и курносое лицо становилось настороженно-замкнутым...

МЕСМЕРИСТ

* * *

Когда Бронников как следует изучил внешность и повадки сидящей на скамейке женщины, ему стало казаться, что он проникся и строем ее мыслей, и теперь все они текут перед ним как на ладони.

Собственно, их было немного: переводя взгляд с вагонов на рельсы, на траву и гравий, а потом на облака или присматриваясь к дальним холмам, она, что называется, думала о своем, то есть перебирала обрывки нескольких обстоятельств своей жизни, так и сяк меняя местами и заново прикладывая друг к другу.

По тому, как временами по-детски оттопыривалась ее нижняя губа, он понимал, что ее не оставляет надежда, будто эти лоскуты могут срастись в некоторое иное прошлое, хотя бы ненамного лучше того, что произошло на самом деле. Однако они не срастались, да и рассчитывать на такое было бы глупо.

Огорченно вздохнув, она ловила взором другой вагон или водокачку, как будто хотела, увидев нечто новое, и мысли настроить на некий новый лад. Но за последние полчаса все здесь было рассмотрено в мельчайших подробностях, ничего нового не попадалось, а потому и ее безрадостные мысли не меняли направления. Единственным, что выпадало из их тусклого круга, было одно ее бессознательное ощущение: она уже несколько минут чувствовала какое-то теплое струение, пусть слабое, но определенно направленное именно к ней, а потому затаенно-волнующее...

Осознав и это, Бронников сконцентрировался на том пока еще неясном объекте, от которого к женщине текли будоражащие ее флюиды. Должно быть, кто-то сидел рядом с ней. Некоторое время, как он ни напрягался, ему не удавалось разглядеть эту вторую фигуру достаточно отчетливо, чтобы составить о ней какое-нибудь представление. Она то проявлялась яснее и вот-вот, казалось, должна была сделаться очевидной, то вдруг подергивалась рябью и вовсе уплывала из круга внимания, то, когда он уже успевал отчаяться, возвращалась таким же, как прежде, зыбким лоскутом обманчивого тумана, упрямо не желавшим обретать конкретных очертаний.

Но скоро все же просветлело: рядом с ней сидел мужчина.

Он был худощав, костист, широкоплеч, одет в спортивные штаны и олимпийку, обут в ношеные кроссовки и в целом выглядел довольно непрезентабельно. Однако на нем лежала явная печать какой-то, что ли, опасности, знак чего-то такого, что при первом же взгляде на него любого заставило бы насторожиться; и любой бы постарался затем не вступать с этим типом в слишком близкие отношения, а уж тем более, не дай бог, чем-нибудь его обидеть.

Мужчина тоже кое-куда поглядывал, но при этом, судя по всему, не ожидал увидеть ничего нового: на что бы ни падал взгляд, увиденное даже слабым отблеском не отражалось на худой, покрытой дубленой кожей физиономии: она упорно хранила сосредоточенно-хмурое и немного презрительное выражение.

Бронников сразу понял, что его фамилия — Бозорянский. Что же касается имени-отчества, они не имели значения.

Сидел этот опасный с виду Бозорянский ровно, положив обе ладони на колени и чуть отклонившись корпусом в противоположную от женщины сторону, как бы подчеркивая, что не хочет ее ничем беспокоить, — и это нежелание причинять неудобство было, пожалуй, единственным знаком внимания, что он оказывал своей случайной соседке.

Она тем более на него не смотрела.

Так они сидели минут десять. Потом женщина поднялась, взяла сумку и, невзначай оглянувшись, чтобы взглянуть на циферблат уличных часов на столбе, скользнула взглядом по лицу Бозорянского. Он упустил возможность ответить тем же — или вовсе не думал о таковой.

Она разочарованно перехватила поклажу и медленно пошла по перрону, удаляясь. Спешить ей и в самом деле было некуда — электричка только-только показалась вдалеке.

Когда зеленые вагоны заскрежетали, останавливаясь, а потом, шипя, раскрылись двери, она шагнула в тамбур и потерялась из виду.

Он закинул на спинку скамьи правую руку, повернул голову и тоже бросил взгляд на часы, прикидывая, сколько осталось до его собственной.

* * *

Непогода собиралась не зря, и первые капли прочертили стекла почти сразу, как электровоз дернул и потащил, мало-помалу набирая скорость. А не прошло и пяти минут, как дождь заштриховал перелески и испещрил окна ломкими червяками.

Как ей и было положено, электричка стучала по стыкам рельс. Между делом Бронников, втайне надеясь, что те же самые мысли не дают покоя и Бозорянскому, думал, почему современные поезда так тихо ездят: едва слышное тук-тук; а прежде-то, бывало, — ого-го!.. Тянулись за окнами мокрые частности пейзажа, одинокие пассажиры большей частью подремывали. Было и несколько парных — двое вроде как муж с женой или, может, неким иным образом связанные друг с другом, и два то ли приятеля, то ли, черт их разберет, каких-нибудь сотрудника; впрочем, эти тоже ехали молча — должно быть, уже наговорились.

Бозорянский тупо смотрел в окно, помаргивая и пытаясь найти хоть что-нибудь, обо что можно было бы споткнуться взгляду. Но снаружи все было как всегда — мокрая трава, зелень, вот чахлое озерцо вдалеке... а так все столбы, столбы да перелески.

Он немного оживился, когда поезд потянулся мимо серебристых нагромождений не то нефтепереработки, не то химпроизводства. Титаническое сооружение медленно скользило за окном, подставляя дождю сложную путаницу своих трубопроводов и резервуаров, тут и там отмеченных клубами пара. Бронников, до той минуты еще не оставивший Бозорянского своим вниманием, подумал, что в целом все это напоминает гигантскую порцию макаронного изделия вроде спагетти, — только, вопреки обыкновению, для чего-то посыпанную серебряной пылью. Ему хотелось, чтобы Бозорянскому тоже пришла эта мысль; и пусть бы он представил, что для полноты картины не хватает лишь чего-нибудь красного в качестве кетчупа; и еще чтобы вообразил, что, возможно, если бы погода была ясная, роль кетчупа мог сыграть багровый закат...

Но Бозорянский только тупо таращился, в мозгу у него что-то едва пошевеливалось, ни до чего разумного он так и не додумался, и когда электричка оставила причудливые строения за флагом, а Бозорянский неудержимо зевнул, Бронников, совершенно в нем разочаровавшись, безжалостно выкинул его из головы. И тогда его герой наконец-то зажил своей собственной жизнью.

* * *

Бозорянский глубоко вздохнул и откинулся на спинку. Почему-то он почувствовал облегчение. С чего бы? Непонятно. Взяло вот — и накатило.

Что случилось? Да вроде ничего не случилось... как ехал, так и едет. А вот поди ж ты...

Такое ощущение, будто была в голове какая-то заноза, что ли... мозоль какая-то в мозгу. Дурная вещь. Вроде и не так болит, чтоб внимание обращать, и забыть не удается. Чуть не так ступишь — кольнет. Вот и здесь: что-то тянуло башку, выкручивало... мысли какие-то не свои, глупые какие-то мысли. Черт-те о чем мысли-то. И чуть не туда — непременно кольнет. А потом вдруг бац! — и отпустило. Странно... Была, оказывается, какая-то мозговая неловкость, хоть и не особо замечал. Ну, как мозоль. А теперь вон чего: прошла. Была — а теперь нету. Кончилась.

Хорошо!

Он потянулся, сцепив ладони в замок, и закрыл глаза, с наслаждением ощущая блаженное безмыслие.

Скоро под веками начали прыгать разноцветные зайцы; послышались дальние гудки, он увидел себя на берегу сияющего моря. Волна отхлынула, обнажая асфальт, заквакали клаксоны, задребезжали незнакомые голоса...

И вдруг один из них выломился из сна в реальность, и он услышал, вздрогнув:

— Будь осторожен! За тобой следят!

Бозорянский успел раскрыть глаза и поймать взгляд женщины, которая сказала это ему в самое ухо. Взгляд был черный. Она уже распрямлялась и отворачивалась, чтобы пройти дальше, — и пошла, а он, успев схватить абрис ее широкоскулого лица, только воззвал хриплым голосом, еще не понимая, на самом деле она что-то сказала, или ему приснилось:

— Эй, погоди! Сядь, поговорим!

Она быстро удалялась в сторону тамбура, вовсе не интересуясь, смотрят на нее или нет, и он сощурился, очерчивая взглядом плавную, математически точную линию бедер, похожую на струну в том смысле, что струна хоть и не должна изгибаться, но если бы изогнулась, не позволила бы себе лишних кривизн. Пялился и старик на соседней, и парень лавкой дальше; а судя по тому, как подрагивали ее волнистые блестящие волосы, она отлично все понимала, а потому шагала легко и враскачку, будто по модельному подиуму.

— Слышь! — снова шумнул Бозорянский. — Да погоди ты, шлендра!

Откатилась дверь, и она пропала.

— Ну и хрен с тобой, — буркнул он.

Потянулся, посмотрел на часы, скучно глянул в окно. Перелески, перелески...

«Что не села?» — подумал он с рассеянным сожалением. Потрепались бы, а там, глядишь, и еще что сладилось... вот дура-то, прости господи.

От нечего делать он на разные лады перекладывал эту мысль. Ну и впрямь, если хотела прикадриться, так присела бы поболтать; а если не хотела ничего, так какого черта шутки шутить?.. Или и впрямь привиделось в дреме?.. бывает и такое.

Бозорянский невидяще следил за мельканием столбов и переездов, предаваясь случайным и необязательным размышлениям, течения которых не замечал, как вдруг, похолодев от неожиданности, осознал, что за ним и в самом деле наблюдают.

Он сидел в четвертом ряду от тамбура, и оттуда, из тамбура, на него явно кто-то поглядывал. Сквозь мутное, захватанное стекло двери трудно было понять, кто именно. Тем более что соглядатай, по гнусному обычаю всех шпионов, предпочел бы остаться незамеченным. Высунется, сверкнет глазом, спрячется... снова высунется на секунду, посмотрит — и опять пропадет.

Некоторое время он размышлял, что это за петрушка. Ему бы еще было понятно, если бы из тамбура ломанулся на него отряд спецназа... это он воспринял бы почти как должное. Но вот так — исподтишка, сквозь мутное стекло? Совершенная чертовня!.. настолько загадочная, что он невольно почувствовал тревогу даже большую, чем если бы и на самом деле ждал штурма спецназа.

Так или иначе, показывать мерзавцу, что он знает о его присутствии, покамест не следовало. Он снова прикрыл глаза и откинулся на спинку, будто побежденный дремой. А сам, не будь дурак, чуть приподнял веки и посмотрел вприщур. Так и есть!.. Вот сволочь какая... ишь ты — высунется, спрячется... спрячется — и снова на мгновение высунется.

Пытаясь нащупать гнилое звено, способное объяснить происходящее, он перебрал события последних дней. Однако события последних дней представляли собой, как всегда, совершенную неразбериху, мешанину мелких до неразличимости происшествий, из которой невозможно было выделить хоть что-нибудь содержательное.

Тем не менее следовало что-то предпринять. Он сел прямо, оглянулся. У него самого сигарет не было, однако парень, что так злобно на него смотрел из-за секундного внимания давешней незнакомки, несколько раз выходил в тамбур покурить.

— Слышь, земеля, — сказал Бозорянский, взмахом руки привлекая к себе его внимание. — Сигареткой не богат?.. Ну, братан, выручил, в долгу у тебя по гроб жизни.

Похлопал по карману — спички были — и двинулся к дверям.

Вот он.

Одет в синий комбинезон, какие носят сантехники. Шею украшает пышный капроновый бант, голову — мочальные пряди малинового парика. Понятно — изменение внешности. Не хочет, чтоб узнали. Наверняка и усы наклеил.

Насчет усов можно было только предполагать, потому что лица шпиона Бозорянский не видел: при его появлении тот, застуканный на горячем, тут же отвернулся к вагонной двери и стоял теперь, прижавшись к ней и почти уткнувшись носом в стекло, якобы что-то там пристально разглядывая. При этом негромко напевал — вроде как он совершенно беззаботен, едет себе по каким-то частным делам. До Бозорянского ему дела нет, следить за ним ему, подлецу, и в голову не приходит. Чист как стекло — и знать ничего не желает.

Но по некоторым приметам Бозорянский уже догадывался, что если шпик повернется, то покажет намазанную белым физиономию, украшенную воспаленной блямбой накладного носа, под которым, разумеется, приклеены усы.

Нужно было непременно застать гада врасплох. Поэтому Бозорянский не стал ничего предпринимать сразу. Вместо того он чиркнул спичкой и прикурил, пустив клуб пахнущего серой дыма.

Как он и рассчитывал, это простое действие ввело соглядатая в заблуждение.

Должно быть, он и впрямь окончательно уверился, что Бозорянский ни о чем не подозревает. Может быть, положившись на эту уверенность, он решил не тратить времени даром, а понаблюдать еще — понаблюдать вплотную, пока есть такая возможность.

И повернулся, одновременно вскидывая на Бозорянского испытующий взгляд крыжовенно-зеленых глаз.

Бозорянский затянулся и отнес сигарету от губ, опуская руку.

Как ни странно, усов у негодяя не было.

Тем не менее, когда она, рука, оказалась в наиболее подходящем положении, он сжал кулак и неожиданно, страшно и точно ударил клоуна в сердце.

Дело было именно в точности: точного удара такой силы должно было хватить на все.

Того бросило спиной на вагонную дверь, и он стал медленно сползать, раскрыв рот. Бозорянский придержал.

— Что ты наделал! — безголосо просипел клоун, обвисая. — Ты же меня убил!

МЕСМЕРИСТ

Его сердце уже остановилось, сжавшись в судороге отчаянной боли, но мозг еще был полон крови, хоть и доживал последние мгновения.

— Как тебя зовут?! — бешено крикнул Бозорянский, рывком приближая к себе холодеющее лицо. — Отвечай! Как зовут?!

— Бом, — всхлипнул тот, и глаза остановились.

2

Юрец смолоду катастрофически облысел — как биллиардный шар или куриное яйцо, — ну и, разумеется, оставался таковым до самой смерти. Главным в его облике стал череп. Голый, мощный, выпуклый, он даже в гробу круглой горой высился над ним, нависал, будто сам земной шар... При жизни отсутствие волос на голове (только виски и самый низ затылка были слегка опушены) компенсировалось несказанной пышностью бровей, а также всегдашней трехдневной щетиной от самых подглазий. Под носом вечно желто: уже над ним мухи летали, а все курил, собака. Густо пускал дым и весело скалился, показывая ровный ряд протезных зубов самой дешевой пластмассы...

А говорит — что прежде, что сейчас — бурно, оживленно, весело, то и дело подчеркивая взмахом руки то или иное из сказанного, точнее даже — выпаленного. (Часто смеется — пусть смех и смахивает на карканье.) Вот и сейчас молотит, не позволяя Бронникову вставить слово... просто совести у него нет, у этого Юрца!.. но тут в комнату заглядывает Рая.

Она становится у притолоки, теребит в пальцах кухонное полотенце и то и дело шумно вздыхает. Смотрит по большей части в пол, при этом смущенно ковыряет паркет носком правой тапочки, от чего вся нижняя часть ее тела приходит в легкое движение, а подол длинной юбки начинает несмело колыхаться. Время от времени со смущенной улыбкой вскидывает взгляд, после чего снова застенчиво потупляется.

Временами Бронников подозревает, что Рая тоже видит Юрца. Во всяком случае, когда тот был жив, она именно при нем вела себя так жеманно и кокетливо, будто ей, толстой корове, не под шестьдесят, а годков примерно четырнадцать. Всем было известно, что она в его сторону дышит весьма неровно. Когда бы Юрец ни заглянул, Рая находила способ привлечь его внимание. То на ней новый фартук — весь в алых маках и зеленых листиках, то причепурится — сил нет: на голове завивка, на веках синева.

Увы, ее счастью (если, конечно, в качестве такового она рассматривала решительное и беспощадное завладение Юрцом) препятствовали две вещи.

Во-первых, ее посягания (пусть и робкие) раздражали Киру. Бронникову не приходило в голову, но мог бы и задуматься: не было ли это связано с какой-нибудь тайной, касающейся неких давних отношений между ними, то есть между Юрцом и Кирой. Во-вторых, обстоятельство еще более трагическое: бедная Рая хоть из кожи вылезь, а Юрец сколько лет и ухом не ведет... то есть не вел, а потом и вовсе умер.

— Ой, Герман Лексеич, — вздыхает Рая. — Вот захожу сейчас в комнату, а сердце так и екает: вдруг, думаю, Юрий Исакыч у вас снова в гостях!.. А я б ему, как прежде: «Чтой-то вы, Юрий Исакыч, редко к нам заглядываете?..»

Это правда, Рая к Юрцу всегда обращалась так озабоченно и ласково, будто имела дело с ребенком, давно не садившимся на горшок.

— Да уж... — произносит Бронников.

— Герман Лексеич, чайку еще принести? — спрашивает она. Но смотрит при этом как раз в тот угол дивана, где маячит туманный образ Юрца; смотрит как нельзя более умильно, и Бронников снова задается вопросом: ел-ки-палки, да может она тоже видит?

Между тем туманный Юрец при появлении Ρаи за-молкает. А приняв Ρаин вопрос отчасти и на свой счет, неопределенно машет рукой — ему все равно, принести или нет.

Бронников повторяет этот жест — мол, как хочешь, Ρая, можно и еще чашку выпить... принеси, если не лень.

Однако Ρая понимает жест как прямое и категориче-ское указание — принести! — и тут же срывается с ме-ста. Первым делом она шибает плечом о косяк двери из комнаты в прихожую, затем доносится звук удара о вто-рой — из прихожей в кухню. Всякий раз Ρая досадливо и изумленно ойкает, будто косяки застали ее врасплох. Когда она, вопреки проискам геометрии, все-таки оказы-вается на кухне, там начинает валиться утварь. Буханье сопровождается невнятным бормотанием в интонации простодушного удивления.

Бронников морщится.

— Большой грациозности женщина, — замечает Юрец, совершенно при этом истаивая.

А как бы в подтверждение его слов в кухне что-то ру-шится с таким грохотом, какой мог бы произвести только фанерный ящик с развинченными табуретками.

* * *

Ρая появилась у них осенью тысяча девятьсот де-вяносто третьего года. Бронникова тогда выпустили из больницы, но и после месячного там пребывания он оста-вался так слаб и шаток, что пришлось нанять сиделку: низкорослую, широколицую особу лет тридцати, в целом похожую на шкафчик, сверху украшенный кудельками чахлых волос.

С одной стороны, в хозяйственном отношении она ока-залась непаханым полем. С другой, проявляла недюжинное старание, резонно полагая, что если будет лениться, ей откажут от места. Это сочетание приводило к тому, что Рая всегда пребывала в состоянии нервной суматохи, двигалась с тараканьей порывистостью, и все вокруг летало и валилось.

На всякую просьбу она откликалась незамедлительно, без конца повторяя «Да, да! Да, да!» — «Рая, что вы все дакаете?! — раздражался Бронников. — Я спрашиваю, вы в магазин пойдете?» — «Да, да, да!» — «Купите папирос, у меня кончились».— «Да, да! Да!» — «Господи, да перестаньте вы дакать! Идите уже!» — «Да! Да! Да!».

Если ее о чем-нибудь просили, она с жаром кидалась исполнять, приговаривая «Вот я сейчас бегом-бегом!», и всегда дело сопровождалось если не утратами имущества, то, как минимум, мощным шумовым сопровождением.

Поначалу Бронников пытался ее образумить то одним, то другим способом, даже несколько раз накричал. Получив очередной упрек в безумии, Рая сиротски садилась в углу прихожей на табуретку и начинала тихо слезиться. Этого не могли вынести ни Бронников, ни Кира. Звучали извинения, ободрения, уверения в Раиной нужности. Дескать, без нее ни еще слабый Бронников не проживет, ни тем более Кира не справится с хозяйством, поскольку с раннего утра до позднего вечера (а через два дня на третий еще и в ночном дежурстве) пропадает в своей больнице.

Ободренная, Рая с готовностью принималась за старое.

Привить ей какие-либо новые навыки оказалось решительно невозможно. Бронникова поражало, что за те бог весть сколько лет, что она жила с ними, она не научилась даже открывать пакеты с молоком: вместо того, чтобы отрезать уголок, Рая упрямо протыкала несчастный пакет ножом, после чего доила его, как корову. Белые лужи на кухонном столе и на полках холодильника означали, что Рая только что взялась за очередной.

МЕСМЕРИСТ

Все это было, на взгляд Бронникова, совершенно нелепо, и он с нетерпением ждал, когда окрепнет настолько, что можно будет наконец от этой идиотки избавиться.

Однако когда это и в самом деле стало возможно, то, получив известие, что в следующий понедельник ей вручат последний гонорар, после чего она может считать себя свободной, Рая буквально впала в столбняк.

Кира как раз дежурила, и Рая почти сутки сидела в кухне на табуретке. По большей части она тупо глядела в стену, изредка помаргивая. Время от времени начинала качаться и что-то прибарматывать или просто шевелить губами. А иногда вопрошала кого-то: «Что ж вы меня гоните? Разве я сто сот у вас украла?» Бронников пытался отвечать на эти нелепые вопросы, однако она не обращала на него внимания.

Когда вернулась Кира, Рая поддалась на ее расспросы и рассказала, что к чему.

Она жила с мамой Матреной Федоровной. Две старших сестры — Глашка и Маруська — в той же деревне обретались отдельно. Год назад, когда Рая только начала карьеру столичной сиделки, мама умерла. Сестры не сообщили ей о случившемся: они сами похоронили старушку, а потом разобрали избу и развезли имущество по своим дворам.

— Так вам негде жить? — спросила Кира.

— Негде, — завыла Рая. — Подчистую вывезли! Голое место осталось! Хоть под кустом сиди!.. Можно хоть до весны у вас поработать? Я же старательная!

За окном и впрямь мело и морозило.

С тех пор прокатились годы и годы. Мало-помалу Рая еще кое-что рассказала. Картины в целом складывались фантастические. Кира в них вовсе не верила, Бронников же, знавший, что стоит отъехать от столицы километров сорок, как погружаешься в мир незнаемого, слушал все это так, будто смотрел нелепый, путаный сон, в котором все было поставлено с ног на голову: и что с мамой они жили славно, все у них было хорошо, крыша почти не текла, а как текла, так даже удобно — кадушки наполнятся, ведь колодец-то загнил, дохлой мышью воняет, а в Афимьино с ведром не находишься, ну а на самый край в овражке болотце чистенькое — вскипятишь, душицы заваришь — никаких родников не нужно; и что хотела поступать в *юрудитский*, в школе-то одни пятерки, да фельдшер запил, справку медицинскую не выписал, вот и пролетела; и что парни к ней сватались, только они-то с мамой в Бенькове, а хлопчики в Карасевке, а там в клубе танцы по субботам, ну и разве с этим поспоришь: сначала Витьку Катька увела, сучка драная, а потом и Кольку Зойка, кошка долбаная; и что блюла она себя, как завещано, а что на трассу ходила, так деваться некуда, все ходили — и она с ними, работа есть работа, денежки за просто так нигде не платят, и если по-хорошему, так ничего, а то ведь и ухари попадались: попользуются, отвалтузят до крови да и выкинут на дорогу; и что пока-то она здесь, при Герман Лексеиче, но вот как-нибудь уже соберется, поедет домой да и расставит все по местам, а то что ж это такое получается.

3

Аня росла невзрачной и тихой девочкой. Однако годам к восемнадцати оказалось, что мягкость, сговорчивость, всегдашняя готовность прийти на помощь и спокойная рассудительность красят ее гораздо больше, чем иную стерву броская внешность.

Она окончила романо-германское отделение филфака МГУ по курсу итальянистики. Что же касается французского, испанского и, само собой, английского, то эти пришли как бы сами собой. Затем провела года три, отчаянно тоскуя над переводами женских романов. А когда собралась в Италию в качестве туристки, в ее сумочке лежало рекомендательное письмо одного московского профессора, хорошо известного на нескольких кафедрах Миланского университета.

Ее приняли на работу с испытательным сроком и скоро перевели на постоянную должность. Года через три ей пришлось заказать новые визитки, на которых значилось «PhD Anna Bronnikova». Она преподавала, вела научную работу, писала книги — преимущественно касавшиеся средневековой итальянской культуры и, в частности, костюма: в этом вопросе Anna Bronnikova была теперь одним из главных авторитетов.

Кира дважды успела съездить к дочери, возвращалась счастливая, восторженно рассказывала Бронникову о каждой минуте их с Анечкой тамошнего времяпрепровождения. Сама же Аня приезжать в Россию хотя бы на время решительно отказывалась, объясняя свое нежелание боязнью, что ее не пустят обратно. Зато она часто звонила: раз в неделю обязательно, а если Кира или Бронников хворали — гриппвирус нападал или какая-нибудь гадкая насморочная бацилла — то и каждый день...

А сейчас Бронникову снилось, что они с Анечкой идут, держась, за руки, и говорят, говорят, говорят. Аня смеется, закидывая голову, он тоже хохочет... им хорошо. Но его смех звучит все более искусственно и напряженно, потому что на него накатывает ужасное предчувствие: он догадывается, что вот-вот произойдет, и понимает, что должен спасти хотя бы дочь! — но как, как ему это сделать?

Он оглядывается — и с ужасом видит, что за спиной уже поднимается великанское облако: где пепельно-серое, где черное, где подсвеченное багровым, но всюду, по всем направлениям пронизанное беспрестанно мерцающими в нем зигзагами молний.

Верно, верно о нем говорили; он и сам сколько раз видел на фотографиях, на рисунках... да, оно напоминало гриб: статью что твой боровик — мощная нога, толстая шляпа, — но на ножке утолщение, какое характерно для субтильной бледной поганки.

Он взглянул на Аню, чтобы убедиться, что она не понимает, что до последнего мгновения останется в неведении, — а ее уже не было. Перевел взгляд обратно — но и гриб куда-то делся. Вместо него расплывались пепельно-фиолетовые сумерки. И в них, прозрачных и мертвых, медленно, будто кегли, снятые замедленной съемкой, беззвучно падали небоскребы Москва-сити. Все они мерцали розовым: светились их кренящиеся стены, светились распадающиеся балки, светился вздымавшийся от подножий прах...

Он дернулся, раскрыл глаза, давя крик, рывком сел, таращась на щель между неплотно задернутыми шторами.

Перевел дух, вытер испарину со лба. Огляделся.

Оказалось, спал почему-то одетым на диване.

Еще некоторое время лежал, глядя в потолок с недоумением и обидой.

В голове стоял туман, какой наплывает после пьянки — однако они с Юрцом вчера ничего не пили. Прежде случалось, наливали по рюмке... да ведь годы, проклятые годы!..

Он не мог припомнить, что произошло, почему проснулся не в постели. Кажется, расстались вчера как-то нехорошо. Что было? Сначала все как всегда... сидели, говорили себе... чаи гоняли. Разговор с предметов более или менее литературных съехал на иные. Кривя губы усмешкой такого презрения, будто собственные его слова представляются ему не меньшей гадостью, глупостью и дрянью, чем все то, что происходит вокруг, Юрец толковал о современном устройстве отечества. Ничего нового, впрочем, не звучало.

«Да как бы удалось мне сказать что-нибудь новое? Все давно стало общим местом, заезженной пластинкой.

МЕСМЕРИСТ

Ты лучше меня знаешь, Гера, как все устроено. Десять лет назад они просто воровали — просто рвали страну в клочья, грызли как термиты, только хруст стоял. И были при этом милыми и толерантными. Сказал бы даже — белыми и пушистыми, да затаскано до рвоты... Зачем ссориться? Если заметят, что кто-то недоволен, так просыпят лишнюю горстку крошек. И снова можно вернуться к высокому призванию: воровать, воровать и воровать! На заре мореплавания моряки примерно так океан утишали — хлестанут за борт десяток бочек ворвани, волна разгладилась, плыви себе дальше... Бабки любят тишину. Чтобы грабить по-настоящему, море должно быть спокойным».

«Нет, но ты же не хочешь сказать, что...»

«И все было хорошо: телевизор долдонит, архикратор маячит, народ слушает, всем доволен и помалкивает...»

«Ну зачем ты так!.. Ведь на самом деле это!..»

«Но потом! — опять перебил Юрец. Есть у него такая гадкая привычка, с ним дерьмо хорошо жрать из одной миски — рта не даст раскрыть. — Но потом стало понятно, что крох мало. Во-первых, самих крох стало меньше — в силу объективных причин. Во-вторых, к ним стало меняться отношение — не стало прежнего доверия этим крохам. Поэтому, чтобы удержаться, пришлось напомнить о великом прошлом. Погрузиться в его бездну, чтобы в той бездне найти причины самоуважения...»

«Но ты должен, по крайней мере, понимать, что...»

«А на дне всякой бездны, там, где в кровавой тьме слоится славное прошлое, там непременно — что? Да, Гера, там война. Мир исчерпал свои возможности... Но ведь здравый человек воевать не любит — следовательно, нужно свести его с ума. К счастью, народ беспамятен. Сегодня он не помнит, что было вчера, позавчера для него — как прошлый век, а скажи ему, что прошлый век на самом деле был — и вовсе не поверит...»

«Но разве мы виноваты, что...»

«Война, война!.. Поначалу, Гера, хватает маленькой победоносной. Правда, во-первых, с победоносностью вечные неполадки: почему-то все, что так славно выглядит на парадах и фотографиях, неизменно буксует и разваливается на полях сражений. Во-вторых, чем менее эта маленькая война оказывается победоносной, тем скорее может перейти в большую. Войны сливаются друг с другом, уже не понять, где кончается одна, где начинается другая, в каком месте зреет третья... а до последней уже рукой подать...»

«Да разве можно так рассуждать!..»

«А что народ? Как только ему разъяснят, что удалось наконец реализовать концепцию распрямления, он тут же готов маршировать. Ему внушили, что он неуязвим. «И все просил: огня, огня! — забыв, что он бумажный». Народ катится к пропасти с восторгом и ликованием, с обожанием и любовью. Скажешь, он идиот?.. Ах, Гера, Гера, всякий народ может быть идиотом. Всякий народ — как вода: в какую бутылку вольешь, такую форму он и примет. Но знаешь... мне все равно их жалко... знаешь почему? Потому что времена изменились. Теперь их будут убивать не миллионами, как прежде. Их будут убивать миллиардами...»

Кажется, тогда он и сорвался. Даже, помнится, крикнул что-то. Что-то непарламентское. «Дурак! Ты разве не понимаешь, что кругом враги?!»

Зато Юрец наконец-то замолк, и он заговорил сам... и, кажется, доводы приводил совершенно здравые. Сейчас, правда, почему-то не мог вспомнить, какие именно, о чем толковал, — запало только, что Юрец смотрел на него с тревогой. А напоследок нарушил молчание и заявил, что, судя по всему, Бронников сходит с ума: уж он-то, у кого отчим был видный психиатр, прекрасно в этом разбирается. Это Бронникова окончательно взбеленило.

МЕСМЕРИСТ

А потом? Что было потом?.. проснулся одетый на диване, с туманом в башке, как после дикого загула... Черт его знает.

С кряхтением сел, сунул ноги в тапочки, побрел умываться. Походил из кухни в комнату и обратно, время от времени что-то бормоча и потрясая кулаками.

— Кира!

Тишина.

— Рая!

Ни звука.

Да он и так знал, что Раи тоже нету... не под столом же сидит. Все по магазинам...

Сидел, хмуро глядя в окно и злясь. Завтракать-то нужно? Если бы Рая не увеялась черт знает куда спозаранку, тогда бы... Тогда бы, как всегда: «Что кушать будете, Герман Лексеич?» Он бы для начала задумчиво поморщился. «Кашу или творог?» — «Яйца всмятку, — ответил бы он. — С белым хлебом и маслом. И бутерброд с ветчиной».— «Герман Лексеич, ну вы как маленький. Я вчера уж вам толковала: яйца две недели не выбрасывают. Я и в «Рог изобилия», и в «Главпродукт». Нету. А если есть, не достоишься за ними, проклятыми».— «А в «Осинке»?» — «Бог с вами, Герман Лексеич! В «Осинке» яйца, будто их Курочка-ряба несет — золотые. У нас таких денег нет, сами знаете. С ума спрыгнуть — восемь тыщ десяток. И белого уже неделю не завозят. Только «дарницкий». Да и тот!..» И махнет рукой, выражая безнадежность и пренебрежение.

Тогда бы он помолчал, пожевал задумчиво губами, а потом все же спросил на всякий случай: «А ветчина?» — «Ой, скажете тоже — ветчина! Еще про карбонад вспомните».— «А куда все пропало?» — «Снова здорово, — ворчит Рая. — Каждый день одно и то же. Честное слово, надоело слушать. Взрослый человек, а все не поймете. Куда, куда... А то сами не знаете. Ветчина, яйца... это все теперь только в телевизоре показывают. Да ладно, проживем как-нибудь, не кручиньтесь. Кира Васильевна вчерась вымя оторвала...» — «Господи! Как то есть — вымя оторвала? — пугается Бронников. — Она мне ничего не говорила!» — «А что вам говорить... Будто вы в хозяйстве что понимаете. Выкинули где-то, а она как раз и проходи. Ну и хапнула два килограмма. И то дело, сегодня потушу с морковкой — пальчики оближете».

За окном хорошо. Солнышко, ветерок.

— Ах, так это она, значит, про коровье вымя, — бормочет Бронников. — Слава богу. Хотя что ж хорошего? Не думал я, что снова до вымени доживем... Если тебе корова имя, должно быть у тебя молоко и вымя... Возвращается ветер на круги своя... Вымя!.. Ну хорошо, а что же ты, Рая, тогда спрашиваешь? Если нет ничего, что толку спрашивать? Давай что есть. Творог, что ли? Без сметаны? Ладно, творог так творог. Есть-то хочется!

Он озирается. Раи по-прежнему нет.

* * *

Выйдя из подъезда, Рая помедлила на ступенях крыльца, размышляя, в какую сторону направиться, и двинулась налево, в сторону рынка.

Она миновала перекресток, перешла на другую сторону улицы и побрела далее, неспешно помахивая матерчатой сумкой. Время от времени она пришептывала: «Картошки бы надо... А лук-то?.. лук-то не посмотрела, взять, что ли, пару луковок... ну а что ж и не взять, если нету. И картошечки кило, вот и ладно, и хватит, зачем нам лишняя?.. лишняя ни к чему, если только совсем не кончилась. А морковка?.. есть морковка, как не быть... не то уж я ее на суп извела?..»

У самого входа она столкнулась с Варварой Федоровной, своей соседкой и товаркой. Варвара Федоровна женщина была сердечная, простая, потолковать одно удовольствие, не то что с другими.

Обычно разговор у них складывался хоть и однообразно, но увлекательно. Варвара Федоровна, бывает, пропоет: «Раюшка! Сколько лет, сколько зим!». А Рая ответит удивленно: «Да вроде вчера виделись с вами, Варвара Федоровна! Вот и снова вам привет». А Варвара Федоровна, например, весело так ответит: «Привет-привет от бараньих котлет!» А Рая тогда рассмеется, будто услышала речение впервые, хотя, если по совести сказать, это была между ними порядочно затертая шутка. «Ой, ну вы всегда такое скажете, прямо со смеху помрешь. Ишь ты — котлет!.. Картошку-то смотрели?» — «А что ее смотреть, — горько махнет рукой Варвара Федоровна. — Я уж и так знаю: ломят, гады». Тогда Рая урезонит: «Надо, Варвара Федоровна, надо! Как же не посмотреть, — и тут же усомнится в собственных словах, сердечно отмечая правоту товарки: — Хотя, конечно, так и есть. Наверняка ломят. У них другого обычая не бывает». «А откуда им других обычаев набраться, если они все, простите меня, Раюшка, черножопые? — воскликнет Варвара Федоровна. А потом обязательно скажет: — Да уж это ладно, привыкли, деваться некуда. Но Америка! Америка что делает!» И Рая согласится: «Ужас что делает! Вот и верно говорят, что пиндосы». А Варвара Федоровна: «Хорошо еще, архикратор за нас стоит. Без него бы вовсе карачун». А Рая: «Вот это верно вы сказали: без него бы уж давно кранты. Ведь сколько для нас делает, подумать страшно!..» — «И не говорите, Раюшка, — вздохнет Варвара Федоровна. — Как подумаю о нем, так, бывает, и замлею вся». Рае станет неприятно, что Варвара Федоровна, как послушать, любит архикратора сильнее и отчаянней; она, Варвара Федоровна, вообще такая, есть у нее неприятная привычка, вечно одеяло на себя тянет, вроде как она одна такая на целом свете, что без архикратора и жизни себе помыслить не может. И, чтоб маленько ее окоротить, Рая отрежет решительно: «Ах, Варвара Федоровна, вы вот млеете, ну и млейте, что толку. А я, если б живьем его увидела, так бы прямо в ноги и повалилась! пусть хоть ходит по мне — слова не скажу!..» Но размолвка будет недолгой: возьмут друг дружку под руку, одинаково испытывая ясное в своей простоте и отчаянности чувство, от которого теснит в груди и щиплет глаза, — и двинут по овощным рядам.

Но сейчас Рая взволнованно и жалобно сказала:

— Ой, Варвара Федоровна! Что у нас вчера было-то! И не поверите!

— Господи! — ахнула та, закрывая рот ладошкой. — Что случилось?

— Герман Лексеичу поплохело. Уж не знала, за что и хвататься. Кира Васильевна на дежурстве, а он как с ума сошел — бегает по комнате, кричит, все Юрца поминает. Это товарищ у него был, Юрец-то, — пояснила Рая. — Юрий Исакыч, если по-полному. Уж такой хороший человек! Бывало, зайдет на пять минут — и сидят потом до ночи. Чаи гоняют, друг на друга покрикивают, буровят что-то, ни в жисть не разберешь... Ну и вот, в голове у Герман Лексеича под вечер заколодило, он и твердит: Юрец да Юрец. А какой Юрец, коли Юрца давно на бугорок снесли, помер Юрий Исакыч года три назад... Я ему и так, и сяк: мол, Герман Лексеич, может, вам корвалолу? А он чуть не с кулаками: что ты, дескать, в этом понимаешь. А потом как побелеет — прям зеленый стал, — и в кресло повалился. Я его на диван перетащила — вроде как уснул. Пледом накрыла, дверь притворила... Сейчас сама на рынок, а он еще не вставал... даже и не знаю, оклемался ли.

МЕСМЕРИСТ

* * *

Бездумно выпил чашку чаю, сгрыз три баранки. Удивлялся, почему это небо как шахматная доска — черный квадрат, белый квадрат, опять черный... Всякий раз успокоительно объяснял себе: ах да, это же метеорология.

Горячий чай отчасти привел его в чувство. Недавнее прошлое медленно выплывало из густого тумана. Снова задался вопросом насчет того, что произошло у них с Юрцом. Кажется, он на него накричал... из-за чего? Вспомнить не мог. Попытки напрячься приводили к тому, что в затылке что-то начинало неприятно пульсировать.

Посмотрел из кухонного окна вверх — черно-белая роспись исчезла, небо как небо... вот и слава богу. Немного мажется облачками... игра природы. Почудилось, должно быть. Впрочем, было понятно, что даже и не почудилось — с чего бы такая чушь стала ему чудиться — небо в клеточку! — а просто... а просто...

Что именно «просто», не додумал. Вместо того зачем-то взял телевизионный пульт. Пощелкал. На большей части каналов показывали одно и то же: запуск аэростата.

Собственно, в этом не было бы ничего из ряда вон выходящего — мало ли теперь аэростатов запускают. Но, во-первых, для этой затеи выбрали явно неподходящее время: на экране бушевала непогода. Бронников удивился и даже еще раз глянул в окно — нет, здесь ясно и солнечно. А там бешеный ветер клонил деревья, рвал листву, коробил лужи, выхватывал горсти воды и швырял вдаль. Потоки дождя заливали огромный оранжевый шар, хмуро покачивающийся под напором ненастья. Большой, мощный, он с тупым лошадиным напором тянул струны привязных канатов. И при этом все же трепетал всей поверхностью, пошатывался, и в самой плавности вынужденных движений чувствовалась страшная сила навалившейся на него стихии.

Гондола тоже раскачивалась, но, в отличие от самого аэростата, резко, рывками, — будто поставив целью вывалить наземь смельчака в шлеме кумачового цвета: однако он стоял, крепко схватившись за веревки и, судя по всему, собираясь пуститься в свое опасное путешествие вопреки всем неблагоприятностям его начала.

Когда камера крупным планом выхватила его лицо, хранившее выражение хмурой сосредоточенности, Бронников крякнул от неожиданности: архикратор!

Он попал в короткую паузу, сделанную комментатором, — мгновение-другое слышался только вой ветра и гудение строп; но вот в уши ударил хриплый встревоженный голос, в спешке поясняющий происходящее.

— Архикратор стартует через несколько минут! Видите, он снова включил горелки, пополняя запас горячего воздуха!

Точно: пламя горелок взревело, посылая в нутро шара вертикальный язык огня.

— Какая отвага! На его месте всякий отказался бы от подобной затеи. Но долг — важнее опасности. Снова он думает о нас! Ну да, всем нам нужно, чтобы температура в верхних слоях атмосферы была наконец как следует измерена. Это путь к развитию малого предпринимательства. Дорога к выходу из кризиса! Эти важные знания позволят в сжатые сроки выполнить программу импортозамещения и завоевать передовые позиции не только в области науки, но и в сфере экономики! Дело не терпит проволочек, и архикратор снова берет на себя все риски!.. Но смотрите! Команда техподдержки собирается рубить концы!

Кадр сменился: бородач в клеенчатом плаще и шляпе-зюйдвестке со зверской рожей заносил над канатом огромный топор.

Хвать! — канат лопнул.

Шар прыжком бросился в небо.

МЕСМЕРИСТ

Камера успела поймать прощальный взмах руки, с которым архикратор начал стремительно ускользать в облака. По такой погоде это заняло не много времени.

— Нам остается только ждать! — кричал журналист, задрав мокрое лицо к тучам, грузно висящим на верхах деревьев. — Мы еще не знаем, где он приземлится, но будем ждать и...

Бронников выключил телевизор и отшвырнул пульт.

— Господи, господи, — бормотал он, растирая ладонями зудящее лицо.

4

Не первую неделю ему представлялось, что должна попасться важная книжка. Вот и сейчас вообразил, как тихо стоит она, затаившись на одном из стеллажей... тоненькая такая... с пожелтевшей бумажной обложкой. Пятно от чая на задней стороне. Потрепанная... за новую не выдашь. Ей много лет, должно быть. Допустим, шестьдесят пятого года издания.

Что за книжка такая, он точно не знал (Кира уже несколько раз обеспокоенно спрашивала: «Гера, о какой книжке ты все бормочешь?»), но было ясно, что в ней собраны указания насчет того, как жить дальше. Лично для него составленные указания. Он прочитает — и наконец-то поймет. И уж тогда будет жить, жить... каждую минуту чувствуя счастье, а вовсе не думая о смерти.

И впрямь, кой черт о ней думать? Ни к чему. Он и так всю свою жизнь думает о смерти. Впрочем, может быть, именно благодаря этому его смерть окажется быстрой и легкой? Ведь он тысячи и тысячи раз воображал ее себе, — почти каждую секунду своей жизни представлял, как однажды она, жизнь, кончится.

Пока шел к метро, всплыла невесть когда запавшая мысль, что он может сойти с ума. Он шагал не спеша, солидно постукивая палкой. Господи, вот нелепица-то. С чего это он должен сойти с ума? Прежде ничто не могло свести его с ума, а теперь он должен сойти с ума? Разве нынче время более сумасшедшее? Нет, нет. Годы, конечно, берут свое, но он еще бодрячком. «Не дай мне бог сойти с ума, уж лучше по...» Вот именно. Уж лучше. Многие сошли, кажется. Большинство. Слабаки. Ничего, он еще держится.

Войдя в вагон, решительно нахмурился, отвергая предложение некой юной пигалицы уступить место, — ему, дескать, недалеко, не беспокойтесь.

Вышел на Тверской и двинулся в сторону Кремля.

Здесь было людно, весело, шумно, выли машины, то и дело сигналя друг другу, все куда-то спешили, почти все были молоды и резвы, а потому он, неторопливо шагая, старался заранее предугадать, как в следующую секунду сложится ситуация на панели. Вот три негра стремительно летят навстречу в каких-то волнующихся на ветру розовых размахайках, — удастся с ними разминуться добром или лучше взять левее, ближе к стене? Две шалые девчушки — одна с красной шевелюрой, другая с фиолетовой, — на ходу страшно закидывающиеся в припадках визгливого смеха, — что их так мотает? Пьяные, что ли? Под наркотой? Так или иначе, тоже в сторонку, шибанут красотки старика — мало не покажется. Дальше что?.. дальше все вроде более или менее тихо... молодые люди в рубашках с галстуками — менеджеры среднего звена, относительно строго одетые девушки — офисный планктон. Раньше иностранцы толпами шарахались — впереди женщина с флажком на длинном древке, они, галдя, следом... теперь что-то не видно.

Он почти дошел до дверей магазина, когда над широкой улицей раскатился многоголосый рев клаксонов. Оглянулся.

Кортеж двигался со стороны Красной площади. Автомобили, украшенные государственными флагами, георгиевскими лентами, гирляндами шаров, сигналя, как на осетинской свадьбе, двумя плотными колоннами катили друг за другом.

Первым шел открытый «хаммер» — машина, созданная на базе американского военного транспортера. В ней пузатый православный поп, широко и величаво осенявший окружающее во все стороны крестными знамениями. Ряса лоснится, борода лопатой.

Если в каких машинах наличествовали люки, то из них, распахнутых, повсеместно высовывались девушки. Все они весело кричали, смеялись, махали флагами и по большей части выглядели весьма завлекательно. Эх, молодость, молодость!..

Десяток автомобилей, тут и там разбросанных в процессии, были оснащены транспарантами. Кумачовые сильно прогибались под ветром, картонные и фанерные позволяли прочесть себя без особых усилий.

«Даешь Африку!», «Матушка Россия — всему свету голова!», «Полюс наш!», «Архикратор вечен!» «Братьев не оставим!», «Вперед, в будущее, в СССР!», «Архикратору верим!», «Пиндос, не залупайся!», «1000 лет жизни архикратору!», «Правитель — ветер, народ — трава!».

На одном еще было написано «Всех к ответу!». На других, кроме этого общего требования, к ответу призывались — в той иной форме — и отдельные субъекты: Марокко, Саудовская Аравия, Греция и почему-то Мадагаскар.

Огромный джип возвышал над крышей такой же огромный, на рамной конструкции плакат: подпись под реалистическим изображением извещала, что сей — чмо. Еще несколько лидеров иностранных государств плакатов не удостоились — их физиономии и столь же короткие, но емкие характеристики размещались на задних стеклах.

Другой внедорожник нес на себе целую мачту. Ее верхушка загибалась в сторону, на конце висел макет фронтового бомбардировщика Су-24 величиной с теленка. Из-под его крыльев свисала, в свою очередь, гроздь не то бомб, не то ракет. По замыслу дизайнера, это должно было показывать, вероятно, как он что-то там бомбит, однако на практике решение оказалось неудачным — сам самолет выглядел солидно и даже зловеще, а вот сброшенный на врага боезапас болтался как сопля на веревке.

Еще, привязанный на длинном шнуре сзади к фаркопу третьего, над процессией вздымался воздушный шар. При этом шаром в геометрическом смысле он никак не являлся, а имел довольно вычурную форму: в горизонтальном сечении круглый, в вертикальном похож на, примерно сказать, уродливую, оснащенную толстым кольцевым наростом канибадамскую редьку.

Бронников недоуменно к нему приглядывался. Потом аэростат повернулся другим боком, и тогда он прочел надпись: «Хотите стать радиоактивной пылью?» Вот оно что! Гриб мало походил на тот, что он видел во сне, и все же сердце сжалось.

Немецкие, японские, американские. «Мерседесы», BMW, «крузеры», «форды», «фольксвагены». Даже несколько «шкод». Ни одной отечественной — ни «Лады-калины», ни «УАЗа» — приметить так и не удалось.

Зато двери большинства этих иностранцев украшали где орден «Славы», увитый теми же георгиевскими лентами, где «Спасибо деду за победу». А то еще скупое, но емкое речение времен Великой Отечественной «На Берлин!» Клейма на некоторых авто утверждали, вопреки очевидности, что это танки Т-34.

Бронников провожал их взглядом, невольно воображая, что можно было бы увидеть внутри. Чужеродные гаджеты... видеорегистраторы Sony, навигаторы Toshiba... на пассажирах тряпки известных мировых брендов... итальянская косметика, французский парфюм. Все заморское... А из своего родного, из русского?

«Разве что гордость», — пробормотал он, отворачиваясь, чтобы идти своей дорогой.

* * *

Глумливый Юрец называл этот книжный по-свойски — книготорг «Под яйцами». Потому что, видишь ли, в десяти метрах от южных дверей высился князь Долгорукий, сидевший на жеребце. Бронников всегда возражал: на его взгляд, упомянутые детали конского организма, изображенные скульптором Орловым со всей стыдливостью, свойственной соцреализму при освещении вопросов пола, слова доброго не стоили, не то что уж войти в название торговой точки.

В груди потеплело, когда он припомнил их вечные препирательства, и он неожиданно для себя сдавленно прыснул. Эх, Юрец, Юрец!..

Бронников выбирался сюда раз в два-три месяца. Порой и полгода не заглядывал — не такой уж, если по чести, был он книголюб. Текущая литература его вовсе не интересовала — слишком много букв, чтобы разбираться. Хотя, конечно, ее беспорядочный неряшливый поток по ходу дела наверняка крутил и какие-то драгоценные камушки. Когда-нибудь вынесет на отмель, и тогда все ахнут, разглядев. Но это будет не скоро, потому что скоро ничего не случается. А может, и вообще не вынесет, может, вселенская мельница справедливости даст осечку, как это чаще всего бывает, промахнется, упустит зерно — и не найдется знатока, который бы выхватил его из грязи и поднял над собой, восторженно крича: «Смотрите! Смотрите! В нем отражается мир! Это же настоящее! Вот оно! А вы говорили, уже не будет!»

Но даже если такой крикун появится, разве поймешь сразу, правду ли говорит? Сколько таких стоит по берегам, отчаянно вопя, что им попалось что-то необыкновенное — смарагды, яхонты! — и машут, и тычут в нос. Миллион раз покупался: уши развесишь, а как сунешься, как приглядишься, так и понимаешь, что опять обман: орали и тыкали во что-то обыкновенное, заурядное, тусклое, корявое, нелепое, недостойное даже мимолетного взгляда.

Да и сами вопящие, как правило, ни черта в этом деле не понимают. А зачем вопят? — а лишь затем вопят, чтобы привлечь внимание — и вовсе не читательское, о каковом они с таким жаром толкуют, а всего лишь покупательское: пусть купят побольше, ради этого что угодно можно сказать...

В общем, заключил он, если и есть драгоценности, то очень может быть, что они покувыркаются-покувыркаются — да так и канут в ил, никого толком не порадовав. Ну и бог с ними. Он старик, его больше заботит прошлое, чем будущее. Будущего совсем немного осталось... сил уже нет ратовать за справедливость. Да и где она, справедливость?

Он спустился в букинистический отдел, поздоровался. Заведующая его давно знала. Покопавшись в полках, перед уходом он обычно перекидывался с ней словечком-другим. Прошел к стеллажам. Кажется, он хотел найти что-то конкретное... но что?

Книг было много, очень много... бездна книг. Каждую из них кто-то писал... над каждой из них протекли годы... каждая таила в себе какие-нибудь открытия.

Но зачем они, если все и так ясно?

Размышляя, он брал то одну, то другую, разглядывал, с куцым смешком совал назад. Самого главного во всех этих книжках не найдешь. «Ишь ты! — бурчал он под нос, то и дело протирая очки носовым платком — на стекла садилась книжная пыль. — Пиндос, не залупайся. Как славно... Тысячу лет жизни... Правитель — ветер, народ — трава... китайщина какая!..»

Он хмыкал, хекал, усмехался и, должно быть, издавал звуки не только громкие, но и совершенно здесь, в храме книжной мудрости, неуместные, — во всяком случае, заведующая на него временами удивленно поглядывала.

Но он все ворчал, перебирая книжки, пока не начал чихать.

— Герман Алексеевич, — обеспокоенно сказала заведующая. — Что с вами?

— Да пыльно тут, — с досадой сказал Бронников. — Ужас один. Давно пора всю эту макулатуру на помойку выкинуть. Все равно ничего полезного нет...

Валентина Михайловна оцепенела, приоткрыв рот.

— Чего же полезного вы хотите? — выговорила наконец она, выходя из онемения.

— Полезного-то? Да вот знать хочу, как жить теперь... а то что-то совсем я умом разошелся. Да ведь нету, нету... — махнул рукой и, снова чихнув, побрел к лестнице.

— Герман Алексеевич, трость! — гневно остановила она. — Трость забыли.

Бронников с ворчанием вернулся, взял палку и, не простившись, ушел окончательно.

* * *

Гордость, гордость... ну да, люди всегда находят чем гордиться. Один одно делает лучше других, другой — другое. Женщины гордятся красотой, мужьями, детьми, тряпками. Мужчины — силой, деньгами, умением заработать, машинами, домами... Даже те, кому хватает ума понимать, как все это глупо, тоже гордятся — собственным умом. Да что там, спроси последнего бомжа в тлелых штанах, есть ли ему чем гордиться, и он ответит: «А как же! Васька вон, козел, из помойки у ресторана все подряд жрет, а я — только овощное». Пьяница утром — и тот после вечернего бессознания просыпается с затаенной гордостью: вот как я вчера напился.

Бедная, бедная спящая царевна!..

Пронзительный мертвящий свет заливает все вокруг. Ночь, луна, серебряные тени. Царевна спит. Ей снится, что она прежняя, что она, как и раньше, одна шестая часть суши. Какой сладкий сон, какой возвышающий и духоподъемный!..

Но в действительности она так же похожа на себя прежнюю, как луна похожа на солнце: луна тоже круглая, луна тоже светит. Но у луны нет собственного света, и сколь бы ни чарующе, но все же она сияет лишь отраженным... а истинный его источник давно канул в небытие.

Вот она и дремлет в лунных лучах: страна вечных сумерек, чье будущее — в прошлом. Разве здесь нужно утро? Утро ни к чему, утром все бесследно исчезнет — как сон, как утренний туман...

Когда-то казалось, что нашелся наконец витязь, способный разбудить ее своим поцелуем. Это почти случилось: она раскрыла глаза, изумленно повела очами вокруг, еще не понимая, какая судьба ее ждет...

А ей снова кубок колдовского зелья: спи дальше, матушка! Гордись — и спи. Гордись собой во сне. Гордись — но не просыпайся.

И царевна опять завела глаза и склонила голову, погружаясь в безжизненную дрему.

Господи, вот беда-то!..

* * *

Но что касается погоды, она и впрямь была хороша.

Размышляя, не нырнуть ли в метро, Бронников все же прошел мимо: решил прогуляться по Дмитровке до

МЕСМЕРИСТ

Садового, а там уж свернуть к Маяковке и спуститься в подземелье.

Неспешно шагал по тротуару, постукивая палкой. Палка — она и есть палка. Не стоит называть ее тростью. Трость — нечто нарочитое, щегольское. Железный Пушкин, оставшийся за спиной на своем возвышении, ходил когда-то с железной тростью, вырабатывал силу и твердость руки, готовился к дуэли; а уж какие нынче дуэли. Прибьют в переулке, если надо будет, вот и вся дуэль... Никакая не трость, никакого форса, а просто коленки слабые стали, без подпорки не обойтись, вот и палка.

— А когда проснется? — спросил кто-то из-за плеча.

Бронников обернулся.

Незнакомец выглядел странновато. Он был в тертом рабочем комбинезоне — некогда синем, а теперь сильно поблекшем, точь-в-точь как сегодняшнее небо над головой. На голове пышный белый парик, стоявший вокруг головы целой копной, будто гало вокруг небесного светила. Физиономия вымазана белилами, что ли, черт его не разберет... на носу — красная круглая блямба.

Впрочем, понятно — центр Москвы. Тут при случае и не такое увидишь.

— Что, простите?

— Проснется когда? — повторил этот тип.

— Кто проснется?

— Россия.

Бронников остановился, уперевшись палкой в асфальт.

— Вы кто такой, вообще? — спросил он, стараясь, чтобы голос звучал надменно и независимо, но, кажется, не достигнув в этом особого успеха.

— А я Бим, — ответил тот и дурашливо засмеялся. — Не помните?

— С чего я должен помнить? — буркнул Бронников. — Мы разве встречались?

— Встречались, встречались, — уверил клоун. — Да неважно. Не помните — и ладно. Память-то, она, знаете ли, как это говорят-то... избирательная, вот.

— Почему вы так одеты? — неожиданно для себя, довольно хмуро, невежливо и как будто с заведомым осуждением поинтересовался Герман Алексеевич.

— Как? — недоуменно переспросил тот и стал оглядывать себя, будто его только что обдала грязной водой из лужи мимолетная машина. — Ах, это! А я всегда так одет.

Они помолчали. Бронникову сказать было нечего, Бим же смотрел на него с неким ожиданием во взгляде, пока Бронников не понял, что он ждет, чтобы вопрос насчет странности был тем или иным способом дезавуирован.

— Тогда ладно, — сказал Бронников, через силу улыбаясь. Тип, конечно, был явно неуравновешенный. Если не ненормальный. Воля ваша, нормальные люди так не одеваются. Но ему что за дело? В конце концов он так и сказал: — Собственно, мне что за дело. Все хорошо. Как одеты, так и одеты. До свидания.

Повернулся, чтобы следовать своим маршрутом, но Бим неожиданно ляпнул:

— А я думаю, никогда.

Бронников снова остановился.

— Что никогда?

— Никогда не проснется.

— Почему это? — подозрительно спросил Бронников.

В эту секунду со стороны Пушкинской стало что-то поревывать, порыкивать, рокотать, громыхать и лязгать, и когда он машинально повернул голову на эту трескотню, то увидел колонну из шести БМП: они бойко рубили гусеницами асфальт прямо по осевой; коллекторы гулко постреливали клубами сизого дыма.

МЕСМЕРИСТ

Катили неспешно, однако в целом движение было собранное, целеустремленное. Дорожный полицейский, торчавший на углу Лихова, расплывшись в улыбке, с явным удовольствием отдавал им честь и приветственно махал жезлом.

На броне каждой боевой машины размещалось по пять-шесть бойцов — все в камуфляже, с автоматами, кто в черных шапочках, кто с черными же повязками на головах. Выглядели мрачновато, смотрели хмуро, будто прицеливались. Бронников поймал на себе один такой взгляд. На приветствие полицейского никто из них и ухом не повел.

Колонна проревела, пролязгала, стала удаляться, и Бронников, по обычаю всех зевак неотрывно глядевший вслед, неожиданно понял, что те шерстяные комки, что болтаются у каждой БМП сзади, привязанные к борту, — это отрубленные собачьи головы.

— Господи! — вскрикнул он, содрогнувшись. — Это что ж такое?

— Как что? — удивился Бим. — Не в курсе? Орелики из батальона «Акбар». Силища, а? — и добавил голосом, в котором, казалось, звучала нежная улыбка: — Чечены...

— А... и... но... — смятенно начал заикаться Бронников, еще сам не зная, что хочет сказать, но Бим уже веско внес ясность:

— Личная гвардия архикратора.

— Разве у архикратора есть личная гвардия? — пробормотал он, все еще следя за тем, как подпрыгивает и скалится голова, привязанная к последней машине. Это была крупная, ушастая голова — должно быть, кавказской овчарки — с вытаращенными и остекленелыми глазами. В разинутой пасти блестели мощные клыки. Фиолетовый язык свисал примерно на длину ладони. Когда БМП качало, голова кувыркалась и казалась живой.

Его резко затошнило, и он судорожно отвернулся, едва сдержав отвратительный спазм.

— Здрасте, — обиделся Бим, не заметив его эволюций, и показал пальцем в сторону уже сворачивающей на Садовое колонны. — Как же нету? А это что тогда, по-вашему? Она и есть!

Бронников уперся в него испепеляющим взглядом. Бим не испепелился, да и вообще, кажется, гляделки не произвели на него впечатления.

— Может, сядем? — просто, по-товарищески предложил клоун.

Стояли как раз возле ворот сада «Эрмитаж». Невдалеке виднелись скамейки.

— Что мне с вами сидеть? — фыркнул Бронников.

— А я расскажу, как там все устроено, — умильно посулил Бим. — Хотите? Видите, вы даже не знаете, что у архикратора личная гвардия... Давайте, правда, что вы, в самом деле. Вы же писатель, вам надо...

Поколебавшись, Бронников двинулся за ним к воротам.

— Ну вот, значит, — сказал Бим, когда сели. Опасливо оглянулся, подсел ближе и спросил, понизив голос: — Так хотите знать?

Он пожал плечами.

— Что ж, поведайте... Если не секрет, конечно.

— Еще какой секрет! — заверил Бим. — Но вам, как писателю, я не могу не...

— Да что вы заладили — писатель, писатель! — отмахнулся Бронников. — Какой я писатель. Старик я дряхлый, а не писатель.

— Не надо наговаривать... С чего начать? Хотите, расскажу, как Совет проходит?

— Какой Совет?

— Ну какой. Большой. Бывают еще Малые, но это не так интересно.

МЕСМЕРИСТ

И Бим заговорил с непререкаемым видом человека, которому то, о чем идет речь, известно досконально, то есть в мельчайших деталях. Вдаваться в детали он и впрямь не боялся, а судя по их количеству, действительно владел предметом в совершенстве.

Однако чем дольше слушал его Бронников, тем яснее ему становилось, что клоун врет — врет как нанятый, при этом совершенно не опасаясь быть пойманным за руку и, напротив, искренне получая удовольствие от того, что целиком завладел вниманием слушателя и внушает ему самое глубокое к себе доверие.

Так вот, Большой совет, толковал Бим. Если Совет малый — ну, по национальному процветанию или, скажем, по делам миротворчества, — там такой суматохи в жизни не увидишь. На малых Советах всего-то пара десятков умников собирается... экономисты какие-нибудь болтливые или, скажем, вояки — эти вообще трехнутые. Но Большой совет — дело другое. Тут целая толпа — сто восемьдесят гавриков. Люди все разные, как вы сами понимаете. Кого в Совет избирают? Тех, кто сумел доказать, что они достойны представлять интересы народа. Кого народ знает и любит — то есть кого чаще по телику можно увидеть. Гимнастка, завоевавшая Олимпийскую медаль, сталевар, проведший из ряда вон выходящую плавку, кондитер, соорудивший самый большой в мире торт... бывший десантник, вошедший в книгу Гиннесса за умение гнуть о темечко строительную арматуру, собачий визажист, победивший на трех кряду международных конкурсах... боксер, капитан, пограничник, парикмахер, эстрадные певцы и певицы — этих особенно много. Да кто угодно — лишь бы сделал нечто такое, что вызывает всеобщее восхищение. Все они норовят пробраться к микрофону и несут, что только приходит в голову, а поскольку в целом все придерживаются одного мнения, выступления мало чем отличаются друг от друга. Но заседания транслируются по телевидению, и всякий может убедиться, что дискуссия развивается совершенно свободно... Ну так вот. Суматоха несказанная. Табуны машин. Подваливают, как правило, по три, по четыре. В большом лимузине хозяин, в джипах — охрана. Подъехали — высаживаются. А ходу им поначалу нет — нужно же проверить. Потому что безопасность — прежде всего. Безопасность — это такая вещь, где ухо востро. Ни секунды рассеянности. Вот вы скажете, что особенного... да?

— Не знаю, — Бронников пожал плечами.

— А я отвечу, — сказал Бим таким тоном, будто ему и не нужна было вовсе реплика Бронникова. — Вот, например, разве трудно подсунуть архикратору ядовитую пасту? По виду «Колгейт», а в рот сунул — пиши пропало. Поэтому паста хранится в специальном сейфе возле умывальника. Или еще способ: отравить воду в бассейне. Архикратор нырнет, пойдет, как любит, саженками, фыркнет пару раз — и пузом кверху, что твой снулый судак. Поэтому всякий раз перед посещением архикратора туда запускают пару карасей. Дежурство парное, сменное, офицеры не младше капитанов, караси из Завидова, доставляются два раза в неделю, реже нельзя — дохнут они... понимаете?

— Чушь какая.

— Не слышали? — удивился клоун. — Странно. Все знают... Ну да ладно. Так вот. Короче говоря, прибывшие первым делом следуют на контрольные посты. Одно слово что пост. На самом деле каждый пост — целая комендатура. Шерстят по полной программе. Проверка документов, металлоискатели, рентген... анализ радужки и отпечатков пальцев, МРТ брюшной полости. Потом стоматология. На каждого члена Совета после избрания заводится стоматологическая карта. Прежние данные всякий раз сверяются с актуальным состоянием. В случае каких-либо изменений принимаются соответствующие меры. При обнаружении новой пломбы ее тут же рассверливают, потому что под пломбой может находиться ампула. Нетрудно предположить, что в подходящий момент владелец ее выковыряет. А при удобном случае незаметно в стакан архикратора — буль! Архикратор отопьет — и до свидания... Далее — зал личного досмотра. Тут все просто. Член Совета заходит в кабинку, раздевается догола. Одежду и всякие там причиндалы — очки, зажигалку, телефон, шпильки, кольца, браслеты, косметички и прочий личный хлам — складывает в именной баул. Исключений не предполагается. Священники снимают кресты — у них вечно чуть ли не полупудовые панагии на золотых цепях. Не поверите, с какими хмурыми рожами они это делают... Барахлишко принимают, опечатывают. Член Совета шагает в смотровую. Врач-проктолог убеждается, что в анусе нет ничего лишнего. Уролог щупает мошонку, обнажает головку. Женщин осматривает гинеколог. Если все в порядке, снова рентген, отпечатки пальцев, радужка. Выйдя по другую сторону, член Совета получает комплект казенной одежды. Разумеется, за несколько дней до заседания он оповещает соответствующую службу, во что именно хотел бы нарядиться. Но даже если не позаботился заранее, все равно голым не оставят: синий комбинезон в стиле унисекс. Справа фамилия серебром, слева — герб золотом.

— А кто позаботился? — поинтересовался Бронников.

— А кто позаботился, тот получает, что заказывал. Хотел смокинг — вот тебе смокинг, хотела вечернее платье, вот оно. Одевается, берет из личного ящика казенные копии оставленного снаружи имущества — очки, портфель там какой-нибудь, сигареты, ту же косметичку. Предпочтения зафиксированы, никаких нарушений. Единственная уступка — попы. Чтобы всем панагии налепить, нужна целая ювелирная фабрика. Государство не может позволить себе такое расточительство. Они получают простые серебряные кресты. То есть что значит «простые»? — спросил Бим сам у себя. — Простые, но довольно приметные: кило семьсот пятьдесят, тридцать пять на двадцать сантиметров... Да, и, разумеется, женщины заходят в отдельный портал. Это ж не свальный грех какой-нибудь. Эм — жо. Обслуживают их тоже женщины. Да только знаете что? — Бим хихикнул.

— Что? — хмуро спросил Бронников.

— Эм-то, конечно, жо, да все равно на мониторы в караулку выводится. Все видно. Стоишь этак любуешься... Понимаете?

Бронников скривился.

— Мониторы большие... загляденье. Между прочим, когда система только начинала работать, не очень-то тянуло в эти мониторы смотреть. Месяца через полтора архикратор как-то невзначай и говорит: «Бим, а что они все такие страшные?» Я говорю: «Ну а что ж, архикратор, если хотите молоденьких, надо систему выборов изменить». Ну и...

— Кто говорит — страшные? — переспросил Бронников. — Архикратор?

— Архикратор, — подтвердил Бим.

— Ага. Ну хорошо, — Бронников саркастически покивал. — А Папа римский ничего вам на досуге не сообщает? Или, скажем, английская королева?

— Вы что, не верите? — удивился клоун. — Я вам больше скажу. Я недавно мерку снимал... ну, то есть с меня мерку снимали. Ну, все вот это — нос, уши...

— Зачем?

— Даже не знаю, стоит ли, — Бим закряхтел. — Дело-то больно деликатное... Ну да ладно. Вы должны понимать, что архикратор тоже ведь, — он покрутил в воздухе пальцами. — То есть, хочу сказать, ничто человеческое ему не чуждо. Понимаете? Он, конечно, не сластолюбец какой-нибудь, не извращенец, но природа есть природа. Время от времени намекает: мол, пора бы уже. Неплохо бы, дескать. Тогда сначала на фото и видео. Если одобряет, тогда живьем. Договориться — полдела. Но вот сохранить инкогнито!.. Это вопрос даже не безопасности: просто предотвращение лживых слухов. Прежде им глаза завязывали. Потом архикратор пожаловался: чувствуешь себя так, говорит, будто на самой Фемиде упражняешься. Я говорю: «Что же делать, архикратор?». А он: «Не знаю, — говорит. — Может, самому их в маске встречать?» — Бим со значением посмотрел на Бронникова.

Бронников пожал плечами.

— И что?

— А то, что так и сделали. Сняли мерки... у меня товарищ есть — Бом. Сняли с нас мерки, сделали маски. Обе из папье-маше, только уши силиконовые — нежные такие, развесистые. В главных чертах похожи — носы пунцовые, брови густые, мочальные, губы выпяченные. Только шевелюры разные — на одной малиновая, на другой синяя. Отлично вышло. Сначала он, правда, жаловался, что уши хлопают. Потом ничего, привык. С нашим, как говорится, удовольствием...

— Что за чушь! — не стерпел в конце концов Бронников, в гневе поднимаясь со скамьи и скрежеща палкой в гравии. — Что вы несете?!

— Я несу? — удивился Бим. — Вы что, Герман Алексеевич?! Это истинная правда!

— Откуда вам знать?!

— Да ведь я начальник охраны! — ответил клоун, глядя с пламенной искренностью, позволявшей понять, насколько он обижен нелепым вопросом. — Начальник же я охраны архикратора! Кому ж еще знать, как не мне?

— Удостоверение! — крикнул Бронников, снова яростно втыкая палку в гравий.

— Пожалуйста!..

Бим сунул руку в карман и протянул картонку размером с банковскую карточку. Бронников впился взглядом. Это был использованный билетик на метро.

— Вы сумасшедший! — заревел он, отшвыривая. — Вы и меня хотите с ума свести?

— Не кричите! Вы лучше подумайте — могут ли у нас быть удостоверения, если мы живем в самой глубине айсберга секретности? Все, все должно быть скрыто! Все завуалировано! И в этих условиях вы хотите, чтобы у меня была корочка! В которой, по вашему мнению, должно быть написано все как есть: дескать, Бим — начальник службы безопасности архикратора. И фотография! Так, что ли?.. Просто смешно.

— Вы псих, — сухо сказал Бронников. — Вам бы влажное обертывание не повредило. До свидания.

— Это я-то псих? — воскликнул Бим. — Это они там все психи. Подождите! Знаете, что на последнем Малом совете было? Я вам докажу! Вы о Стене что-нибудь слышали?

— О какой еще стене?

— Не слышали! — Бим торжествующе упер в него палец. — И правильно! Потому что это тоже наисекретнейшее предприятие. Между прочим, кое-что все равно просачивается. Слухи в народе уже ходят. Правда, один другого нелепее, но это всегда так. Потом, бывает, истина открывается — а она еще нелепее самого нелепого из предшествовавших ей слухов. Одни толкуют, что Стена будет высотой в шестьсот метров. Другие — что толщина у основания превысит километр... Еще говорят, что для обслуживания и обеспечения боеготовности Стены будет объявлена новая мобилизация, и тому, кто туда попадет, не поздоровится. Но многие уверены в обратном:

мол, наоборот, им очень повезет, поскольку при возведении Стены предполагается использовать как повышенные ставки оплаты труда, так и стимулирование продуктовыми заказами...

— А на самом деле? — хмуро поинтересовался Бронников.

— Дайте палку! — потребовал Бим, а когда Бронников нехотя ее протянул, принялся чертить на асфальте. — Вот смотрите. В документах Стена на самом деле называется Объектом номер четыре. Первая очередь строительства — Участок Славянский. Начинается на шестьдесят километров юго-западнее Калининграда... вот отсюда... затем по рубежу Славяноросск — Новоросск — Архикратовск, далее на Уточкин, затем по границе Украинской губернии и Румынии...

— Это что за места?.. Таких на свете нету.

— Снова здорово. Очень просто. Славяноросск — это Ольштын, Новоросск — Полоцк, Архикратовск — Лодзь, Уточкин — Краков... в проектной документации используются новые названия, поскольку все равно в будущем, по мере расширения Левороссии и Правороссии, то есть территорий по левую и правую стороны Днепра, все они будут переименованы. Еще вопросы? — строго спросил Бим, будто в самом деле стоял на трибуне с докладом. — Все ясно? Отлично. Тогда продолжим. Вот здесь по границе Приднестровского уезда к Черному морю. На этом первая очередь завершается. Пошла вторая. Проектируемый участок — Славяно-Кавказский. Он пройдет по границам Грузинской, Армянской и Азербайджанской губерний с Турцией и Ираном... от Черного моря до Каспийского. Вопросов нет? Тогда обратимся к третьей: по южной границе Русско-Казахской губернии и фашистского Узбекистана...

— Почему фашистского? И что еще за Русско-Казахская губерния?

— Герман Алексеевич, — строго заметил Бим. — Вы пока слушайте, вопросы потом, а то мы этак дотемна не кончим. Хорошо? И не волнуйтесь, основная часть Узбекистана к тому времени отложится от метрополии и станет нашим Русско-Сартским уездом, так что фашистского будет совсем немного... Затем, значит, Нукус — Байконур — Петропавловск. Далее по правому берегу Ишима — и до границ любезного Отечества. Такой проект... Ну и вот, когда докладчик озвучил окончательный расчет необходимых объемов земляных, строительных и монтажных работ, количество артиллерийских систем, систем залпового огня, единиц бронетехники и ракетных комплексов, которыми должен быть оснащен Объект номер четыре, когда заявил, что это потребует использования всех возможных ресурсов и заставит отказаться от иного гражданского и промышленного строительства на срок от пятнадцати до двадцати лет, — знаете, что сказал архикратор? Вот угадайте!

— Перестаньте, не буду я ничего угадывать.

— Хорошо, хорошо! — Бим поднял ладошки. — Все равно никогда в жизни не угадаете. Потому что в том, что он сказал, проявилось его далеко не заурядное мышление. Способность охватить проблему в целом. Увидеть ее истинный масштаб!

— Будете и дальше дудеть? — саркастически спросил Бронников. — Или скажете?

— Ладно, ладно... Архикратор поднялся, вышел на трибуну. Стоит в такой мрачной задумчивости. На берегу каких-то волн стоял он, дум высоких полн.

— Пустынных, — машинально сказал Бронников.

— Вот-вот... пустынных. Глаза горят. Взгляд с лица на лицо переводит. Все прямо ежатся. И вот, значит, говорит. Хотел бы, говорит, обратить внимание членов Совета на важное обстоятельство... Этак, знаете, якобы бесстрастно произносит. Идея создания Объекта номер четыре, говорит, лично мне кажется совершенно своевременной. Когда Объект номер четыре будет готов, страна сможет почувствовать себя в относительной безопасности. Любой захватчик поломает зубы о нашу Стену... Все хлопают, разумеется. Кто-то даже «Слава архикратору!» заорал. Ну, он, понятное дело, поморщился. Он пустых славословий не любит. Покивал, руки поднял — спасибо, мол. Но меня, говорит, волнует вот какой вопрос: что, если когда-нибудь нам придется переносить границы еще дальше? Ведь Россия, говорит, упрямо движется по пути, начертанном концепцией распрямления. Ей может потребоваться больше жизненного пространства, чем мы сейчас предполагаем. А то ведь как может получиться — распрямляется, распрямляется, и вдруг, недораспрямившись, бац: головой в потолок... Тут все оторопели — не понимают, к чему ведет. Потому что никто — никто, повторяю — другой не может охватить проблему в целом. Он такой у нас один! Ну вот. А он и говорит: и что же, говорит, если так дело повернется, придется бросать те участки Объекта номер четыре, что уже построены? И возводить их заново на новых территориях? И все это время лишать народ иных объектов гражданского и промышленного строительства?.. И грозно так смотрит на Масловского, который докладывал. А Масловский, понятное дело, завертелся, как ужака под вилами. Я, блекочет, вовсе не имею этого в виду. Вы, лепечет, сами имеете в виду какие-то обстоятельства, которые могут возникнуть в будущем, а я... бе-бе-бе. А архикратор как даст по трибуне кулаком. Вот именно, говорит. И пальцем в Масловского: вы говорите — могут! А я уверен, что не только могут, а и непременно появятся!.. Помолчал, посмотрел исподлобья. Всех прямо в пот бросило. А потом угрюмо так спрашивает: и что же нам в такой ситуации делать? Ну, тут, конечно, тишина — муха не пролетит. Все будто воды в рот набрали. А он: а я, говорит, знаю, что делать. Объект номер четыре нам крайне необходим, поскольку страна находится во вражеском окружении. Но любые задуманные границы — как бы далеко мы их ни отнесли — в будущем могут оказаться малы...

— А мы еще дойдем до Ганга, — пробормотал Бронников.

— А мы еще умрем в боях, чтоб от Японии до Англии сияла Родина моя! — бодро продолжил Бим, неожиданно выказав недурное знание поэзии. — Вот именно. И он так же думает. Только вот умирать нам рановато, есть у нас еще в жизни дела. Поэтому, говорит, есть только один выход: уже сейчас при планировании нашей деятельности считать их, то есть границы нашей беспредельной родины, удаленными в бесконечность. А в этой ситуации строительство Объекта номер четыре — или, как его еще называют, Стены — лишено всякого смысла. Да и вообще, говорит, я каждый день с владыкой встречаюсь. И владыка давно твердит, что рука у меня святая. И что этой рукой я должен всю землю держать. А раз так, не будем заниматься глупостями. Не нужен нам этот Объект номер четыре! Не нужна стена! Какой смысл самих себя огораживать? Во как!

— Верните палку, идиот! — рявкнул Бронников, а когда Бим покорно протянул ее, выхватил, резко повернулся и пошел прочь.

— Подождите! — отчаянно заверещал Бим. — Я же просто честно хотел вам рассказать! Чтобы вы в своих романах, как прежде...

— Нет, нет! — обернувшись, Бронников замахал руками. — Я ничего не писал. А если и писал, не помню!

— Молчите, проклятые книги! Я вас не писал никогда, — радостно закричал Бим, снова продемонстрировав нешуточную свою поэтическую эрудицию. — Ну, как знаете, была бы честь предложена. Прощайте!.. Вы правильно, конечно, сразу в метро не сунулись. Но все же будьте осторожны. Видите?

Он протянул руку в сторону Пушкинской — и одновременно там встал длинный, узкий, похожий на лезвие столб дыма.

А секундой позже докатился тяжелый грохот.

Немо шевеля губами, Бронников еще мгновение дико глядел на усмехающегося клоуна, потом дернулся, будто от удара током, нелепо скакнул и тяжело побежал к Садовому, размахивая палкой, мотая головой и норовя закрыть уши ладонями.

5

Он ворвался в вестибюль станции метро «Маяковская», спешно проковылял по лестнице, оступаясь и рискуя скатиться, метнулся к турникетам и через несколько секунд уже стоял на эскалаторе, который невыносимо медленно полз в чрево метрополитена.

К его изумлению, все выглядело совершенно обыденно. Поднимавшиеся навстречу имели, по преимуществу, то отсутствующее выражение лиц, с каким обычно люди стоят на ступенях эскалатора, совершая этот путь, похожий на переселение в иной мир.

— Дураки! — негромко, но рычаще повторял Бронников. — Никто ничего не понимает!

Ступив на мраморные плиты пола и сделав несколько торопливых шагов, он надсадно закричал, размахивая палкой и поворачиваясь то в одну, то в другую сторону:

— Товарищи! Не езжайте в сторону «Тверской»! Там теракт! Там только что взорвали!..

Он думал, пассажиры начнут собираться вокруг, всплескивая руками и добиваясь подробностей, но никто почему-то и ухом не повел: шагавшие мимо бросали на него оценивающий взгляд и следовали дальше; редко кто оборачивался. Многие при этом сворачивали налево, на тот перрон, откуда поезда следовали именно что на «Тверскую».

Он возобновил было свои попытки, когда увидел, что к нему бегут полицейские.

— Ты охренел?! — гаркнул один. — Какой взрыв? Панику сеешь?!

— На «Тверской»! На «Пушкинской! Или в переходе! Я сам, своими глазами видел! — кричал Бронников, отчаянно стуча себя кулаком в грудь. — Видел же! Как бабахнет!..

Они схватили его под руки и без лишних слов потащили назад к эскалатору.

* * *

Минут сорок продержали в закутке полицейского пункта. Решетки не было, не обезьянник, только перекидная доска вроде прилавка, препятствовавшая свободному выходу. Бронников время от времени взывал: «Вы права не имеете! Это незаконно!» Капитан, занятый за столом какой-то писаниной, отвечал благодушно: «Ну что вы, Герман Алексеевич, разве ж так можно!.. Вы остыньте, остыньте чуток». Когда и впрямь остыл и почувствовал не возмущение, а безысходность, ему вернули паспорт и подняли доску.

— Сами домой доберетесь?

— А какие сомнения? — буркнул Бронников, суя документ за пазуху.

Он поднялся по ступеням, вышел за стеклянные двери и остановился. Вообще-то надо было не вверх, а вниз — спускаться в метро, ехать домой. Но почему-то не хотелось снова оказаться там, где он попусту, как выяснилось, пытался поднять тревогу.

Попусту? Его это странно волновало. Что за глупость!.. Твердят, что теракта не было, что он все выдумал... Но ведь он видел кинжальный выплеск огня и дыма... а выходит, что-то другое, что ли, видел? Просто почудилось? Или чертов Бим внушил?.. Не стали бы они врать, разубеждая... И что же получается? Может, он и в самом деле сходит с ума? Вот уже мерещится всякая дрянь... чего доброго, черти полезут. Фу, дрянь какая.

Тем не менее в пользу того, что теракта и впрямь не было, говорило многое. Все вокруг шло своим чередом: народишко суетливо проникал в стеклянные двери, исправно мотавшиеся на своих петлях... скользкие блики мелькали на внешних колоннах... дальше гудела Тверская, катили машины, на тротуарах мельтешила публика.

Бред какой-то. Совершенный бред... В задумчивости он сделал еще несколько шагов от дверей зала имени Чайковского — и, подняв рассеянный взгляд, остолбенел.

Смятенно сдернул очки, торопливо протер стекла, снова нацепил.

Господи! Это что же — на самом деле?..

Раньше здесь стоял Маяковский. А теперь он смотрел, широко раскрыв глаза и даже разинув рот, и думал: «Бог ты мой, это когда же такое успели взгромоздить?»

Маяковского не было и в помине. Вместо него площадь отягчали (чудовищно отягчали: казалось, сама земля под весом новодела должна если не проломиться к чертовой бабушке, то уж точно прогнуться) два других монумента.

Под первым тусклым золотом сияющие буквы складывались в слова: «Князю Владимиру от благодарных потомков».

Фигура князя стояла лицом к Садово-Кудринской — темная, бесформенная, одетая в бронзовую хламиду, ниспадавшую до пят. Из-под нее высовывались только носки сапог — каждый размером с карьерный самосвал.

Владимир Святославович высился чудовищной, неохватной громадиной. Вырастая все выше и выше (взгляд скользил по нему почти как по Останкинской башне), в конце концов Креститель возносил голову, увенчанную остроносой шапкой, куда выше шпиля гостиницы «Пекин».

Левая рука князя плетью висела вдоль туловища, зато правая твердо лежала на рукояти меча. Сам меч был такой длины и ширины, что если отцепить, он мог бы послужить в качестве еще одного моста через Москва-реку.

— Это когда же они? — машинально пробормотал Бронников, задирая голову все круче.

Пока его держали в милицейской комнате, погода чуть подпортилась, и теперь легкие облачка, невинно скользя в сторону Самотеки, мимолетно цепляли шапку князя. Лица было не разобрать. Казалось, впрочем, что нос немного утиный... глаза близко посажены... а там кто его на такой высоте разглядит.

Второй монумент — поменьше. Смотрел он в ту же сторону и, занимая место между сапогами князя, представлял собой несколько увеличенное — раза в полтора, если не два, больше натуральной величины — изваяние боевого бронетранспортера, круто задравшего пушку. Благодаря своему местоположению, а также пропорциям обеих скульптур, он напоминал охотничью собаку, готовую кинуться от ног хозяина за подстреленной дичью.

Скульптор нашел способ придать боевой машине черты стремительного движения. Казалось, в следующее мгновение этот громадный, тяжелый БТР продолжит его, сорвется с пьедестала и, для начала бесстрашно сиганув в туннель Садового, помчит, с ревом и хрустом давя на ходу ракушки гражданских автомобилей, к площади Восстания.

Эффект этой легкой стремительности достигался тем, что БТР держался всего на одной опоре, на одном только левом заднем колесе, остальные висели в воздухе. Легко было вообразить, что, должно быть, он на сумасшедшей скорости взлетел на крутой бугор, и инерция многотонного естества на краткий миг оторвала его от земли: он пересилил косное притяжение грубого камня и вязкой глины, он воспарил! — чтобы, разумеется, в следующее мгновение тяжело грянуться оземь и мчаться дальше.

Из открытого люка по пояс высовывалась человеческая фигура. В левой руке удалец держал автомат, а разворот корпуса и напряжение всего тела наводили на мысль, что правой он как будто тянет поводья бешеного коня, — и именно это его нечеловеческое усилие заставило громадину машины встать на дыбы и подняться от земной тверди.

Лицо смельчака (чем-то схожее с путающимся в облаках ликом князя) тоже было полно энергии, движения и страсти. Он знал, куда мчит, понимал все опасности, что ждут на пути, и решительно выбирал именно движение, страсть и желание победы!..

Бронников подошел ближе. Стоять у сапог князя было примерно так же уютно, как у подножия небоскреба. Зато БТР оказался хорошо обжитым: по нему, словно тараканы по буханке черного, елозила группа воодушевленных подростков — один обнимал за плечи смельчака, торчащего из люка, другой сидел на его автомате, третий оседлал пушку и болтал ногами. Они менялись местами и многоголосо орали «ды-дыш! ды-дыш!», изображая отчаянную пальбу. Кудрявый мальчик лет двенадцати, стоя за люком, визгливо командовал: «По врагам России... разрывными... чтобы вдребезги!.. огонь!».

Ды-дыш. Ды-дыш.

Андрей ВОЛОС

* * *

Он доковылял до улицы Красина и повернул направо, решив достичь «Белорусской» здешними тихими переулками. Впрочем, их тоже забила чадная пробка.

Он шел и шел, постукивая палкой, не глядя по сторонам и испытывая острое чувство одиночества и заброшенности. Чувство это было не вполне объяснимо. Откуда оно? Разве он одинок? Нет, скоро он придет домой, где, если уже вернулась с работы, ждет его возвращения Кира. А если не ждет, если еще не приехала, он сам будет ждать, прислушиваясь, не громыхнул ли еще лифт, не заскрежетал ли ключ в замке. Так у них заведено, так они привыкли за ту бездну времени, что любят друг друга и живут вместе.

И все-таки — ему хотелось бы поговорить с другой женщиной... томило желание распустить перед ней перья, произвести впечатление, удивить, очаровать и в конце концов — чем черт не шутит! — выманить ее на тот край, на тот обрыв, с которого безоглядно бросаются в пропасть любви.

Последний его роман — это была Таня Крапивина. Он содрогнулся, вспомнив. Вот ведь и тогда думал, что это любовь. А она предала, обманула... Кира, проведав, жестоко его выставила... в отместку рассказала про Лешу. Он переживал тогда полный, совершенный крах — жизнь иссякла и канула в несчастье. И только благодаря другому несчастью, когда через считаные недели он почти насмерть убился, въехав головой в гранитный парапет на мосту перед Белым домом, все встало на свои места: после больницы Кира взяла его домой, а потом все окончательно забылось.

Почему же теперь так одиноко?

Он оглянулся, будто услышав чей-то нежный зов, — и увидел ее.

Там, где дома чуть расступались, позволяя угнездиться в проеме куцему скверику, на краю тротуара в нерешительности стояла молодая женщина — стояла, как будто не знала точно, куда ей нужно идти, и размышляла над этим.

Бронников замедлил шаг, чтобы, пока приближается, лучше ее рассмотреть, и вдруг отчетливо понял, что она полна пустоты — полна ничего, полна ничем, полна отсутствием чего бы то ни было. Так повернулась ее жизнь, что все, что наполняло ее прежде, пришло к завершению, исчезло, растворилось, улетело, как улетает пар, как улетучиваются, сублимируясь, кристаллы йода или нафталина.

Почему-то он с необыкновенной ясностью представил себе, как вчера или, может быть, несколько дней назад, она сидит на скамье возле небольшого вокзального здания какой-то третьестепенной станции, сидит, переживая собственное опустошение, безвольно рассматривая рельсы, траву и гравий между ними, несколько вагонов и цистерн товарняка, стоящего на соседнем пути, облака, с востока сгущающиеся в близкую непогоду. Ей одиноко, а потому она явственно чувствует слабый ток не то интереса, не то легкой, ничего, в сущности, не значащей, обыденной мужской похоти, струящейся к ней от того, кто оказался с ней рядом на этой скамье — оказался совершенно случайно, по своей личной железнодорожной надобности, присев в ожидании, пока подадут его поезд. Да, да, как же его... как же его фамилия?.. он, кажется, знал... да вот забыл. Бог с ним, неважно, не в нем дело. Да, да... и настолько совершенна ее внутренняя пустота, что она ждет какого-то знака, хоть какого-нибудь сигнала о том, что нужна ему, этому незнакомцу... ждет подтверждения, что он готов ее наполнить, чтобы снова подарить ощущение жизни и счастья.

Он смотрел на нее — и чувствовал заведомую приязнь, некое прирожденное расположение к ней, как если бы она была ему дочерью. Ну или, скажем, дочерью

Юрца — и унаследовала от него то теплое чувство, что Бронников испытывал к нему самому.

Сделав еще несколько шагов, он глубоко вздохнул — и неожиданно смело заговорил, заговорил очень ловко, простым свободным тоном, какой только и пригоден, если хочешь познакомиться на улице. Несколько растерянно и словно чуточку насмехаясь над самим собой, он прикинулся заблудившимся в большом городе: спросил дорогу к «Белорусской». Она благожелательно улыбнулась. Он снова восхитительно нашелся, ввернув попутно мимолетную шутку, и еще через две или три фразы они уже шли вместе, она смеялась, посматривая на него с любопытством и интересом. Казалось, в ее серо-синих глазах он видит собственное отражение, — и оно ему нравилось, оно было молодым, веселым, беззаботным, симпатичным. Так они и шагали — он трепался то об одном, то о другом, веселил ее, временами делая паузы, чтобы позволить и ей молвить слово, но она по-прежнему лишь молчаливо улыбалась.

— Я с самого утра сегодня думаю, как разбудить нашу с вами спящую царевну, — говорил он, стараясь попусту не стучать палкой — палка противоречила тому образу, что отражался в ее глазах. — И, представьте, не нахожу ответа. Как ее разбудишь, если ее прямо во сне свели с ума и теперь она спит сумасшедшей? Нет, правда, все спятили. Я сам вот-вот закричу петухом. Я понимаю, зачем они это делают, я понимаю... я только не понимаю, кем нужно быть, чтобы ради собственной выгоды, ради власти и личного могущества сводить с ума спящих царевен? Она спит — и страдает во сне. Разумеется, когда-нибудь ей все же придется проснуться — когда-нибудь придется. И что же? — проснется не царевна, проснется дряхлая старуха, вся жизнь которой прошла в беспробудном обмороке, и теперь она раскрыла глаза, чтобы умереть... Вот чего я не понимаю. Нужно быть чертом, злым духом, самим дьяволом, чтобы это делать.

Пробка все так же теснилась и газовала, они медленно шагали мимо, поток стоял как влитой. Вот у водителя синего «кайена» не выдержали нервы, и он принялся бешено сигналить. Бронников вздрогнул и, подмигнув ей, закричал в его сторону:

— Дуди, дуди сильней! Сейчас все они взлетят — и ты проедешь! — и, снова поворачивая к ней голову, добавил: — Ну какой идиот!

Она одобрительно на него взглянула.

Они прошли по Васильевской. Бронников показал, где раньше был Дом кино, рассказал, что прежде сюда частенько заглядывал: новые фильмы здесь показывали, всякие там творческие встречи проводили... а теперь, видите, мобилизационный пункт устроили... наплодили этих мобилизационных пунктов, прямо на каждом шагу, честное слово. Свернули на 2-ю Брестскую. Отсюда уже явственно различалось бурление площади.

— Вам к метро? На кольцевую? Тогда сюда, левее... Не спешите, красный, пусть проедут. Знаете, сколько пьяных ездит? Переедет и скажет, что так и было. Да что ж вы все хохочете?

А сам продолжал смешить ее и пока стояли на эскалаторе, и уже на перроне. Тут приходилось повышать голос, пересиливая шарканье торопливых шагов и общий гул. Вдобавок поезд загремел, завыл обычным своим драконьим голосом, стремительно накатывая из туннеля. Перекрикивая грохот, Бронников выкрикнул для нее что-то еще беззаботное и веселое — но тут поймал на себе несколько странных взглядов... растерянно остановился, оглядываясь.

Где же она? — никого с ним рядом не было. Сделал несколько шагов назад, оторопело озираясь.

Нету. Но ведь была!..

Еще несколько минут так же потерянно топтался. Когда подошел третий поезд, понял, что все это уже не имеет смысла. Ступил в вагон, встал у двери, чувствуя, как начинает ломить затылок. Еще договаривал кое-что, но уже для себя, шепотом — на его шепот никто не обращал внимания.

Через две станции выбравшись на поверхность, побрел к дому. Почему-то его томила жажда, он беспрестанно сглатывал комок в горле, едва ворочая во рту шершавым языком.

Когда до подъезда оставалось метров сорок, его окликнули.

— Что, простите? — переспросил он, вздрогнув от неожиданности.

— Герман Алексеевич? — негромко повторил обратившийся. — Вы меня не знаете. Моя фамилия Бозорянский. Я вам от Саши Плетнева привет привез.

6

Бозорянский? Что-то знакомое. Но дело было, конечно, не в этом.

Когда слова незнакомца достигли сознания, он испытал примерно те же чувства, что много лет назад, когда услышал в трубке живой голос Артема, давно числившегося по ведомству Михаила-архангела.

Одновременно в душе всколыхнулось все, что касалось Леши: ведь Леша с Плетневым так сильно сблизились, что в последние годы перед тем, как их дружба была нарушена, в восприятии Бронникова составляли почти одно целое.

Сколько лет?.. Когда он подумал о них теперь, мысли прозвучали так, будто он читал в старой газете статью о каких-то незнакомых людях.

МЕСМЕРИСТ

Так или иначе, при упоминании Плетнева фокус памяти тут же скользнул на Алексея. Он был ближе — он был сыном.

Судьба, каких не счесть. Сразу, как начали плодиться первые кооперативы, Леша ударился в бизнес. Многим везло еще меньше. Леше, по крайней мере, довольно долго удавалось безнаказанно проплывать мимо самых опасных рифов.

Теперь в каждый день его рождения его родители — Кира и Бронников — сидят за столом и вспоминают. Кира что-нибудь расскажет... ничего нового, все говорено-переговорено, ведь сколько времени утекло. Бронников согласно кивает... а то и сам что-нибудь напомнит.

«Кирочка, а помнишь, как мы, бывало, ходили гулять? Шли в Тимирязевский лес. Портос носится! Лешка за ним вдогонку!.. Сколько ему тогда было? Десять?.. Солнышко!.. тепло!.. Стрекозы над озерком... помнишь пруд ближе к другой стороне, к Тимирязевской?.. который всегда цвел?.. Ведь это и было счастье! Да, Кира? — Кира тихо плачет. — Ну не надо, что ты!.. не надо, родная!.. Кирочка, не плачь!.. Что делать!.. Не плачь, родная, не плачь! Мы с тобой ничего не можем поправить».

Даже Рая теперь норовит вставить словечко — столько раз слышала, что, должно быть, уже кажется, будто с ней самой все это и случалось.

Но стоит ли ворошить прошлое? Какая разница, грузовиками он торговал или легковушками, самолетами или электросетями? Нефтью или нефтепродуктами? На юг поставлял солярку или на восток? Строил маневровый район близ нефтеналивных станций Ангарска или перегонный завод на узловой станции Сковородино?

Что бы ни делал, чем бы ни занимался, какие бы выгоды ни сулили в будущем его разнообразные проекты, все равно он оставался одним из тех тысяч и тысяч мальков, что теснились в садке. А как им было не тесниться?

В садок сыплется откуда-то кое-какой корм — вот они и хватают его, стараясь урвать шмат побольше, пожирнее, торопясь и отпихивая друг друга. Кого и совсем ототрут от жратвы, затолкают, забьют плавниками, вырвут изо рта последний кусок — тогда через пару дней он всплывает кверху пузом, мертво качается на мелкой волне...

А живым жить: живые под ним продолжают бурлить в своей нескончаемой сваре — чавкают, конфликтуют, добивают слабых и снова хавают, чтобы расти и жиреть. И кажется им, что они такие лихие, умелые, освоили бизнес, изучили маркетинг — а не понимают того, что корм сыплется не просто так, не с неба, и благодарить за него нужно не господа Бога, — а того, кто почти так же недоступен, но все же чуть менее загадочен.

Понятно, что конец у глупышей один: когда нагуляют жирок и подрастут до промыслового размера, в садок вместо корма опускается сачок. Иди-ка сюда!.. и ты!.. и ты!.. Раз за разом, раз за разом — ну-ка, молодежь, дружно все на вылов!..

Леша не дождался сачка — он оказался в числе тех, кто не дожил до кульминации.

Из-за чего именно это случилось, неважно, поскольку все и всегда случается из-за денег, в какой бы форме они, проклятые, ни фигурировали. Было где поскользнуться. Кредитование, проценты, перекредитование, проценты по следующим кредитам при невыплаченных предыдущих, товарищеские займы, реструктурирование долгов, всегдашнее ощущение финансовой полузадушенности... расплатиться полностью или хотя бы частично!.. И угрозы, конечно, (а вернешь долг — и опять друзья, водой не разольешь, только глаза у всех такие сощуренные-сощуренные), и заплаты на заплаты, и налаживание новых отношений, и беспрестанная лихорадка.

Несколько лет спустя Кира заподозрила, что в деле был замешан друг Леши — Никита Покровский. На самом деле нет, к убийству он отношения не имел, всего лишь воспользовался обстоятельствами, чтобы завладеть имуществом товарища и партнера. Бизнес есть бизнес, ничего личного.

Само дельце было оформлено заурядно. Часов в десять вечера Леша подъехал к дому, вышел из машины, отпустил «брабус» охраны, вошел в подъезд.

Скользнул исполнитель за ним или ждал на лестнице, осталось непроясненным. Три пули в грудь, одна, как водится, в затылок. Убийцу не нашли. Заказчика — тоже.

К моменту, когда стряслось несчастье, Алексей был давно женат и обзавелся двумя малышами — мальчиком и девочкой. А с законным оформлением отношений все тянули — жизнь-то вечная. И тянули, как оказалось, непростительно. Потому что когда грянуло, оказалось, что покойный холост, и в наследство придется вступать родителям.

А вступать теоретически было во что. К тому времени Алексей владел шестью прекрасными квартирами в самом центре Москвы (наиболее примечательной являлась роскошная восьмикомнатная в доме «Россия», что на Сретенском), четырьмя загородными коттеджами, двумя домами во Франции, несколькими автомобилями дорогих марок, а также значительными пакетами акций «Магнитки», «Северстали» и других предприятий тяжелой промышленности.

Полуслепая от несчастья, месяца через три Кира все же добралась до нотариальной конторы и открыла наследственное дело.

Она знала, что имущество сын приобретал на компанию «Глобалимпекс», находившуюся в его единоличном владении. Однако когда настал срок завершить процедуру, выяснилось, что незадолго до гибели Леша продал сто процентов компании другу Никите, Никите Покровскому, партнеру и соратнику еще со времен «Экспресса». Кира была уверена, что хорошо знает Никиту: друзья часто заходили вместе, Кира поила их чаем, Алексей пошучивал, Никита подробно рассказывал, какой мудрый и хваткий бизнесмен ее сын (вероятно, ему хотелось сделать приятное матери друга), как много тратит он на благотворительность, какое проявляет великодушие, если конкуренты попадают в положение, грозящее полным разорением. Кстати, ликовал Покровский, это всегда случается, когда они сами строят планы пустить в распыл бизнес соперника: верно говорят, не рой другому яму, сам в нее попадешь.

Она позвонила. Никита сердечно с ней поговорил, пообещал приехать завтра — но не приехал.

Кира снова его потревожила. Никита извинился, сославшись на неожиданные дела, опять пообещал — и опять не явился.

На третий раз она задала свои вопросы прямо по телефону.

«Не знаю, — ответил Никита. — Когда я покупал «Глобалимпекс», он был голенький». «В каком смысле — голенький?» — не поняла Кира. «Я хочу сказать, никакого имущества на компании не было».— «Как же — не было?» — «Да так. Алексей раньше все продал. И квартиры, и дома... все, в общем».

«Но где же тогда деньги?» — растерянно спросила она. «Откуда мне знать, — ответил Никита и, судя по голосу, пожал плечами. — Леша меня не посвящал. Я знал только, что он хочет приобрести какую-то серьезную недвижимость в Европе. Вероятно, так и сделал».

«В Европе хотел...» — безжизненно повторила Кира. «Да ничего страшного! — уверил он. — Хотите, найму для вас солидную юридическую контору? Лучше всего лондонскую. Они такие жохи в этом деле! Непременно найдут все его последующие покупки. Вам останется только вступить во владение. А потом уже делайте что хотите. Проще всего будет продать, конечно...» — «Да как же это все», — беспомощно сказала она. «Вы не волнуйтесь, — ободрил Никита. — Разумеется, я помогу, а то посредники обдерут как липку. Можете на меня положиться. Я все узнаю и через неделю позвоню».

Через неделю он не позвонил. Через две — тоже. Кира успокаивала себя — ведь не на Казанский сгонять, мыслимое ли дело — английская юридическая фирма!..

Но почему-то часто вспоминала, как Никита вел себя на поминках. Казалось, его томят какие-то тяжелые мысли. Она ждала, что он одним из первых скажет о Лешечке — ведь самый близкий друг. Но Никита хмурился, шевелил губами, будто что-то пересчитывая, сказал невнятицу, на девять дней забежал, а на сорок и вовсе не пришел.

Потом она забыла о его обещаниях. На том все и кончилось.

К счастью, за год до гибели Алексей приобрел на ее имя двухкомнатную квартиру в соседнем доме. «Зачем, Лешенька! — стонала в ту пору Кира, прижимая к груди кулачки. — Это же какие деньги! Тебе самому надо!» — «Мама, перестань! Я не обеднею. Пусть будет».— «Ну а как же, если с нами что-нибудь случится?! Мы ведь старики, Лешенька! Вон как Гера говорит: жить-то осталось два понедельника!» — «Мама, хватит! — раздражался сын. — Не волнуйся. В случае чего по наследству получу».

Но оказалось, как уже было сказано, Кире самой пришлось кое-что получать по наследству: собственно говоря, только деньги с нескольких его сберкнижек и карточек — а поскольку бизнесмены славятся тем, что свободных капиталов у них всегда немного, этих сумм едва хватило залатать дыры после пышных похорон.

Что же касается Наташи, недооформленной Алексеевой вдовы, она ни во что это не поверила. Произошло несколько сцен, для которых определение «чудовищные» представляется довольно мягким, а после этого никаких сведений ни о ней самой, ни о своих внуках они уже не получали. Только однажды Бронников, нервно пролистывая модный журнал в ожидании приема у стоматолога, увидел фотографию: Наташа сидела на коленях у какого-то жирдяя, нежно его обнимая и прижимаясь щекой. Кире не сказал, утаил... Она была красавица, эта Лешина Наташа.

Купленная сыном квартира и впрямь теперь несказанно их выручала. Правда, арендаторы меняются, и каждый причиняет тот или иной ущерб: раковину расколет, дверцу кухонного шкафа оторвет, прожжет диван... Бронников стенает: «Кирочка, нельзя, нельзя квартиру сдавать! Потом не найдешь, где унитаз стоял!» Кира в душе с ним соглашалась, но что делать? В итоге, как правило, она пропускает его брюзжание мимо ушей, но иногда все же высказывается. И вот что она тогда говорит.

Гера, говорит Кира, побойся бога! Что бы мы делали, если бы Лешечка не оставил нам это жилье? Ты помнишь, какая у тебя пенсия? Ах, не помнишь! А хочешь, напомню? И свою скажу. Столько-то и столько-то. Теперь сложи эти числа, дорогой, ведь ты учил арифметику. Сколько получилось? Правильно. Так вот, Герочка, нам этого только на хлеб бы и хватило! И Рая не смогла бы с нами жить!..

И Бронников душит в себе вопль: «Да зачем, зачем нам Рая?!» — потому что все давно устоялось, старым людям трудно пережить даже мало-мальские перемены и, если честно, он и сам плохо представляет, как может Раи не быть.

* * *

После того как это случилось, Плетнев часто к ним заезжал — когда с Лизкой и Сережкой, когда сам по себе.

Бывало, они шли прогуляться. Плетнев в ту пору уже работал начальником службы экономической безопасности крупной нефтяной компании, а потому у него самого была охрана. Они шагали, машина ползла следом метрах в сорока. Если, толкуя о том о сем, добредали до гаражей у железки и, миновав ее, погружались в парк, за ними увязывались два молчаливых плечистых человека в темном. Бронников часто озирался — его неприятно будоражило их присутствие. «Гера, не обращай, — говорил Плетнев. — Просто протокол».

Он не пытался утешить Бронникова рассказами о том, как хорош был Леша, насколько умен, хваток и предусмотрителен. Бронникова это не обижало — он понимал, что о жизни и людях (даром что сам он писатель — инженер человеческих душ) Плетнев знает примерно во столько раз больше него, во сколько земной шар больше муравья.

«Да, Леша мог бы серьезно разбогатеть, — сказал он однажды. Бронников удивился — ему казалось, что Леша и так серьезно разбогател. Однако смолчал — судя по всему, Плетнев имел в виду богатство какого-то совсем иного качества. — Но для этого ему нужно было вступить в корпорацию».

«В какую корпорацию?» — не понял Бронников.

«Серьезно разбогатеть можно только в корпорации, — продолжил Плетнев, не обратив внимания на вопрос: должно быть, полагал, что Бронников и без лишних разъяснений все прекрасно понимает. — Ты все про мелкую рыбешку толкуешь. Так вот корпорация и есть тот рачительный рыбовод, что время от времени помахивает сачком».

«Ну, знаешь, — сказал Бронников. — Как ему в корпорацию. Он ведь на физфаке учился, а не в Высшей школе КГБ».

«Я в курсе, — ответил Плетнев. — Но все-таки у него был шанс. Он сам рассказывал. Ему однажды предлагали сделать первый шаг. Приблизиться. А там уж как фишка ляжет. Мог бы и продвинуться...»

«И что это было?» — спросил Бронников.

Плетнев изложил то, что когда-то ему поведал Леша. Бронников слушал с изумлением: ему сын такого не рассказывал. Не доверял, что ли?

А дело, оказывается, было так.

На втором курсе сидит Леша на лекции. И вдруг его вызывают в деканат.

Он сначала думал, это насчет прогулов. Ну и впрямь, есть ли у него время в аудиториях торчать: днем как саврас по денежным делам, на умные книжки ночь остается, если сил хватает. Но дело шло к сессии, вот и заглянул, чтобы особых скандалов не было, — так сорвали прямо посреди пары, секретарша аж запыхалась: Алексея Бронникова к декану, срочно!

Спустился на шестой этаж. Декан почему-то стоит у стола по стойке смирно, с глупым и растерянно-испуганным лицом, в руке — телефонная трубка. «Бронников, это вас!..» — при том что сроду на «вы» к студентам не обращался. «Меня?» — «Вас, вас!» Взял трубку: «Алло?..» — «Бронников? Алексей?» — «Ну да...» — «Добрый день. Меня Михал Михалычем зовут».— «Здрасте...» — «Можете к нам подъехать?» — «А вы кто, вообще?» — «Кто мы?.. Да сами увидите. Часам к четырем заглянете?» — «А что надо-то? По телефону нельзя?»

Декан, до той поры так и не севший, при его невежливых словах весь позеленел и даже пуще вытянулся, хотя, казалось бы, до конца исчерпал соответствующие возможности организма.

«Нет, — вздохнул этот неведомый Михал Михалыч. — По телефону нельзя. Да это ненадолго. И ехать вам удобно. Вы приезжайте, не пожалеете».

Приехал. Дядька оказался моложавый, собранный, симпатичный. Дескать, поговорим, Бронников, о жизни? Ну и поговорили. И все шло как по писаному, но в конце

разговора Леша возьми — и откажись. «Нет, спасибо...
Я свободен?»

Майор (он, разумеется, в штатском был) скривился.
Подожди. Позволь еще пару слов. Я тебе дело предла-
гаю. Никто ничего не узнает, насчет этого не сомневайся.
Ты под оперативной кличкой будешь действовать. Отчеты
подписывать — не Бронников никакой, а «Воробей». Да
и вообще это все только для проверки. Очень нам нужны
твои писульки, думаешь, других нет? Очередь стоит, не
протолкнешься. Тебе, считай, преференция вышла. Пару лет поглядим, серьезно ли к делу относишься. А курс
окончишь — три звездочки и выбор: либо в закрытую
команду (нам ведь тоже физики ой как нужны, прогресс
на месте не стоит, каждый день что-нибудь подваливает),
либо в гражданский институт. Ну, из тех, за которыми
глаз да глаз. Как тебе?

А он в ответ то же самое: нет, спасибо. Так идти-то
можно?

Ну и что тут скажешь? Майор плечами пожал: была
бы честь предложена. Валяй. Только не пожалей потом.
Давай пропуск подпишу, а то не выпустят.

Плетнев замолчал...

«Слушай, — сказал Бронников. — Это Леша сказал,
что тот майор Михал Михалычем назвался?» — «Нет,
Леша не говорил».— «А с чего же ты взял тогда?» —
«А какая разница? Принято так на агентурной работе.
Чтобы не путаться. Агентам проще запоминать. Михал
Михалыч, Василь Васильич, Борис Борисыч».— «А случайно не Семен Семеныч?» Плетнев со вздохом покачал
головой. «Что ты, Гера, все Семен Семеныча поминаешь?
Уж сколько лет! Думаешь, он на каждом шагу должен
попадаться?» — «Ничего не думаю... А про седую пряд-
ку? — не унимался Бронников. — Вот здесь, надо лбом.
Не говорил?» — «Не говорил».— «Ну и ладно... Да я
так, просто интересно».

Андрей ВОЛОС

* * *

Арест Плетнева ознаменовал начало тотального разгрома НК «Восток». Поводом к нему стали претензии налоговых органов; что касается причин, то Бронников по сей день оставался в убеждении, что ими послужили политические амбиции владельца компании. Если допустить, что закон в деле присутствовал, то справедливость и не ночевала: стремительно разрушенное предприятие частями продано на явно фальсифицированных аукционах, фигуранты нескольких громоздких запутанных дел — на нарах. Правда, их приговоры не шли в сравнение с тем, что был вынесен пионеру процесса Плетневу: он отправился отбывать пожизненный срок в Соль-Илецкую тюрьму «Белая касатка».

Название будоражило: его романтичность неприятно контрастировала с тем, что слышал об этой тюрьме Бронников. Впрочем, слышал он немного...

Сидельцам «Белой касатки» два раза в год разрешались свидания с близкими родственниками — одно краткосрочное, другое, при желании, длительное. Сразу, как подошла возможность первого, Лизка поехала туда и вернулась в совершенно помраченном состоянии. Почему-то они тогда встретились не дома, а на «Арбатской». Сидели на скамье под полукруглыми сводами, и Лизка все повторяла под грохот то и дело налетающих поездов: «Это все, Гера. Понимаешь? — это все».

И даже не плакала, только глаза казались воспаленными.

Прошло еще несколько месяцев. Незадолго до того срока, когда она могла попросить о втором свидании (теперь собирались ехать вместе с Сережкой), ее вызвали в одно из отделений УФСИН. Где сообщили, что Плетнев Александр Николаевич, с которым она состоит в браке с двадцать шестого декабря тысяча девятьсот девяностого года, требует развода, мотивируя требование настоятельной необходимостью вступления в другой брак.

«В какой другой брак?» — растерянно спросила она. «Не знаю, — пожал плечами майор. — У вас ведь нет общих несовершеннолетних детей?» — «Нет, но...» — «Значит, ничто не препятствует, — заключил он. — Распишитесь, пожалуйста».

«Как он мог! — кричала Лизка, рыдая и мечась по кухне. Бронников сидел в углу, затравленно следя за ее стремительными пробежками от двери к окну и назад. — Сволочь! Я ведь жена ему, жена! Как он мог, Гера! Что я ему сделала? За что он меня?!»

«Лиза, Лизонька, успокойся, — пытался он ее урезонить. — Ты должна его понять... Он не хочет тебя мучить. Ты сама же говорила: это все. Говорила ведь? Думаешь, Саша этого не осознает? Какой, к черту, другой брак? Просто он не хочет, чтобы ты его ждала из этой могилы. Он уже не вернется».

«Как он мог! — всхлипывала она. — Я его и там люблю! Он что же думает — не люблю?»

После этого она перестала к ним приходить. Если заглядывал Сережа (а он заглядывал частенько, Анечка по-прежнему числила его братом, он ее — сестрой), Бронников интересовался, что с Лизкой, куда пропала: не зайдет, не позвонит, сам названиваешь — вечно дома не застанешь. Она жива хоть? «Жива, жива, — успокаивал Сережа. — Все в порядке. Дела у нее...» — «Какие дела?» — «Сам не знаю... Все пропадает где-то. Чем-то занята... А мне даже лучше, меньше контролирует... достала уже опекой, сколько можно».

Он уже кончил институт. Английский у него был на хорошем уровне, плотно занимался испанским, работал юристом в западной компании.

Месяцев через восемь Лизка все же заехала, чтобы между делом сообщить: она выходит замуж за шведа,

Новый год в Стокгольме, свадьбы не будет, не обессудьте. Прощайте, родные.

Сергей сам ездил на свидания, пока его не повинтили на Маяковке во время одного из собраний «Стратегии-31». Он получил пятнадцать суток, и когда в очередной раз обратился в «Белую касатку» с просьбой о свидании с отцом, ему было отказано.

Шестого мая двенадцатого года Бронников встретил Сережку на Октябрьской площади, у полицейских рамок, сквозь которые сочилась толпа «Марша миллионов». Некоторое время они шагали вместе в колоннах протестного шествия, неспешно, с частыми задержками двигавшегося по Большой Якиманке к Болотной площади, где должен был состояться заключительный митинг, коротали время, толкуя о том о сем. Потом Сергей присоединился к друзьям, а Бронников, как всегда, остался с Юрцом.

Шагали весело. То тут, то там, то в одной подколонне, то в другой взрывались забавные речевки. Молодежь надрывалась, горланя то «Нет лубянским оккупантам!», то «Россия без архикратора!», то «Дайте воздуха народу!».

«Слышь, Юрец, — сказал Бронников, присматриваясь. — А что это за иксы в масках?»

И впрямь, в толпе то тут то там промелькивали эти на первый взгляд забавные, а как присмотришься — довольно зловещие личины: белая худая физиономия с грифельно-черными тонкими усиками и такой же тонкой, шириной не более пальца, бородкой.

«Где? А, эти-то... Маска Гая Фокса, — разъяснил всезнайка Юрец. — Этот Гай Фокс, дворянин и католик, участвовал в организации Порохового заговора, террористического акта против короля Якова».— «И что?» Юрец пожал плечами. «Ну что. Он должен был зажечь фитиль и подорвать заполненную порохом комнату под палатой лордов. Но не успел. Под пытками и страхом страшной смерти выдал соучастников. Тех тоже схватили и казнили... Короче говоря, он стал символом заговора».— «Понятно, — протянул Бронников. — Символом заговора, значит... Как-то мне это не нравится». Юрец только хмыкнул.

Когда по левую руку уже был виден «Ударник», а по правую — угол Большой Полянки с вывеской ирландского паба «Sally O'Brien's», обочины оказались заняты плотными рядами бойцов внутренних войск и военной полиции в тяжелом облачении, в касках. С угрюмой веселостью перекидываясь друг с другом словечком-другим, они смотрели на толпу, текущую сквозь их строй, как если бы она была потоком бессмысленного теста, продавливающегося откуда-то — куда-то — непонятно зачем.

Бронникову показалось, что именно эта неожиданность (прежде шествия сопровождала только редкая цепочка городских полицейских) резко поменяла настроение демонстрантов. Если раньше над головами качались веселенькие транспаранты типа «Хай сосайти» или «Не раскачивайте лодку, нашу крысу тошнит!», то теперь заплескались красные и черно-желтые флаги, а вместо заготовленных речевок пространство огласили явно только что рожденные и по большей части матерные крики.

Показался Большой Каменный, и Бронников, невольно моргнув, увидел, что вмертвую перегородившие его поливалки и тяжелые грузовики густо намазаны зернистой икрой. Понадобилось лишнее мгновение, чтобы понять, что это не икра, а лаковые, серые, блестящие на весеннем солнце каски бойцов ОМОНа, занявших позицию у баррикады.

Юрец схватил его за рукав и потянул вправо. «Пошли, пошли!..»

Между тем колонны топтались на месте — растерянно переминались с тем тревожным, неприятным, грозным гулом, в какой превращались повсеместно звучавшие возмущенные вопли. Тем, кто хотел бы, как и было согласовано, пройти на Болотную, мешали плотные ряды внутренних войск. Возможно, вместо того, чтобы пролиться куда было прежде велено, раздраженная толпа потекла бы за мост (ведь не зря накануне шествия координатор «Левого фронта» Виктор Удалой призывал завтра вместо Болотной двинуться дальше, на Манежную, тем самым превратив шествие в несанкционированное), — но мост перекрывали грузовики и шеренги «космонавтов».

Им с Юрцом повезло: свернув наугад направо, они оказались перед нешироким разрывом в цепи блюстителей порядка и уже через минуту оказались там, куда, собственно говоря, первоначально и собирались.

Что происходило на мосту, он смотрел уже вечером — по телевизору и в Интернете.

В рамках расследования дела о предполагаемых массовых беспорядках и случаях насилия в отношении представителей органов правопорядка Сережа был приговорен к двум с половиной годам заключения в колонии общего режима.

Однако главной неожиданностью для Бронникова явился даже не приговор, а то, что на свидания с Сережкой стал ездить Артем.

«Ну он же сын мой! Как ты не понимаешь!»

Бронников и впрямь чувствовал, что чего-то не понимает. Вот, казалось бы, прожил жизнь... но она оказалась такой запутанной... такой, в сущности, нелепой... поди разберись, что к чему. У Артема и свой есть сын — Колька, от нынешней его жены, медсестры Насти... да ведь и у Плетнева где-то есть сын! — вспоминал он.

МЕСМЕРИСТ

Что это, как не путаница органического существования? «Не понимаю, — бормотал подчас он, засыпая. — Нет, не понимаю».

* * *

Бронников с тоской посмотрел в сторону подъезда. Ему страшно хотелось пить, но между ним и чашкой чаю стоял этот невесть откуда взявшийся тип.

— Это как же, простите, Саша Плетнев смог через вас передать мне привет? — отрывисто спросил он.

— А что такого? — удивился Бозорянский. — Как приветы передают? Так и так, говорит, будешь в Москве, найди Германа Алексеевича, кланяйся. И, дескать, скажи — мол, помню его и надеюсь когда-нибудь еще увидеться.

— Вы врите да не завирайтесь, — сухо посоветовал Бронников. — Вы хоть знаете, где сейчас Плетнев находится?

— Я-то знаю, — кивнул Бозорянский. — В «Белой касатке». А вы знаете?

— Что я знаю?

— Что такое «Белая касатка».

— Ну что, — Бронников пожал плечами. — Тюрьма...

— Ничего вы не знаете, — с сожалением сказал Бозорянский. — Это не просто тюрьма.

— А что же?

Бозорянский вздохнул, молча похрустел косточками пальцев, потом стал рассказывать. Говорил глухо, без выражения.

В итоге Бронников уяснил, во-первых, что исправительная колония особого режима города Соль-Илецка для пожизненно осужденных «Белая касатка» — самая большая колония подобного типа в России. Во-вторых, что побег из нее невозможен ни при каких обстоятельствах. В-третьих, что вместимость колонии — тысяча шестьсот осужденных. Персонала чуть меньше — около девятисот.

— Есть заключенные общего режима, — говорил Бозорянский, полуприкрыв глаза, как будто ему было так сподручнее читать что-то маячащее перед его внутренним взором. — Они заняты хозяйственной деятельностью: ну, хлеб пекут, шьют рабочую обувь, поделками какими-то занимаются... сувениры всякие. На территории есть киоск и магазин, туда всю эту мишуру можно сдавать... глядишь, кто и купит, копейка капнет. Но на общем режиме сидельцев мало, по пальцам перечесть. Большая часть заключенных — смертники и пожизненники. А у них песня совсем другая. Они в работах не задействованы. Они могут только сидеть в камере на привинченном к полу железном табурете. Ну или стоять возле. С шести утра до десяти вечера

— А ложиться нельзя? — тупо уточнил Бронников.

— Ложиться нельзя, — вздохнул Бозорянский. — У нас, если не знаете, всего пять тюрем для смертников и пожизненников, так вот из них в «Касатке» самые жёсткие условия содержания. А может быть, самые жесткие изо всех тюрем мира.

— Самые жесткие... — морщась, повторил Бронников.

— Размещение двух типов — одиночное и общее. В общих камерах — максимум четыре человека. Размер камеры — от четырех до шести квадратных метров. При этом заключённые отделены от дверей и окон стальными решётками, то есть камера представляет собой клетку в клетке. Контакты между заключенными разных камер строжайшим образом предотвращаются, — ровно продолжал Бозорянский. — Что еще?.. Ну, камеры. Про другие не знаю, а в четырехместной к полу привинчены две двухъярусные кровати, умывальник, унитаз и столик... размером примерно с почтовую открытку. Но все же за ним кто-нибудь один может, скажем, читать книжку из тюремной библиотеки... людоед какой-нибудь, — Бозорянский хмыкнул. — Там таких навалом... просто удивительно, насколько люди любят друг друга есть. Хлебом не корми... Или, например, письма может писать. Правда, только родственникам, если в газетку напишет — не пропустят. Ежедневные прогулки — в специальном боксе. Но небо все-таки видно.

— Ага, — озабоченно кивнул Бронников. — Ну хоть так... А еда?

— Еда? — Бозорянский хмыкнул. — Я бы сказал — пища. Пластмассовая тарелка супа на каждого и два куска хлеба. Подают через «кормушку»... Ночью спят головой к двери, не накрывая лица. Свет никогда не выключается. Довольно яркий. Спать можно только на спине, руки вдоль тела на поверхности одеяла. Если кто-нибудь нарушает...

— Что нарушает?

— Ну, как что... на бок, например, повернется. Или руку под одеяло сунет... В этом случае действует принцип «один за всех, все за одного».

— Это что значит?

— А это то значит, — пояснил Бозорянский, — что по команде надзирателя все обитатели камеры должны без промедления вскочить, занять у стенки камеры исходную позицию и ждать указания охранника «на продолжение сна». Если она последует, конечно.

— Какую еще исходную позицию?

— Это просто. Заключенный должен опуститься на колени спиной к стене, упереться в нее затылком, закрыть глаза, открыть рот, а руки поднять вверх, растопырив пальцы, — чтобы инспектор мог убедиться, что он не пытается утаить режущие или колющие предметы. Ясно? Проверив, дежурный обычно дает команду «Доклад!» Старший по камере должен назвать фамилии заключенных, их статьи и преступления. Дежурный, как правило, опять-таки воздерживается от команды «на продолжение сна», а вместо того дает указание на проведение досмотра в камере. Заключенные следуют к решетке, отделяющей входную дверь в камеру от самой камеры, поворачиваются спиной и протягивают руки назад в кормушку. Надзиратели надевают им наручники. Следует приказ выйти из камеры. Осужденные выходят и становятся лицом к стенке, наклонившись и уперевшись в нее головой. Вот такая, в общем и целом, практика... Если нужно куда-нибудь отвести — допустим, в больничку или к начальнику колонии, — глаза закрывают повязкой. Или просто мешок на голову. Это чтобы никто не смог запомнить конфигурацию коридоров и поворотов. А то ведь потом, чего доброго, какой-нибудь умник и план здания сможет составить... Каждого сопровождают как минимум три конвоира и кинолог с собакой.

— Зачем?

— Во избежание свободного общения персонала с заключенными, которое было бы возможно при одиночном сопровождении, — четко доложил Бозорянский. — Что еще?.. Вообще говоря, печально все это, конечно. Вдобавок недавно начался эксперимент, идея которого состоит в полном отказе от свиданий «пожизненников» с родными и близкими, а также в запрете чтения книг, газет и...

— Стоп, — сказал Бронников. — Но так же нельзя! Они вешаться будут!

Бозорянский хмыкнул.

— Вешаться им никто не позволит. Камеры оборудованы системой видеонаблюдения. Каждые пятнадцать минут заглядывает надзиратель... Есть такой ученый — Джон Силье, слышали?

— Не слышал, — ответил Бронников.

— Канадец, кажется. Он вывел зависимость общего воздействия стресса на организм. Так и называется —

кривая Силье. Первый год человек живет познанием новых условий жизни. И познанием себя, оказавшегося в этих условиях. Следующие три года — период стабилизации: он ведет себя как робот, выполняет команды, не задумываясь. Далее кривая Силье раздваивается: либо он продолжает оставаться роботом, либо, не находя сил смириться с таковым, быстро угасает умственно и физически. Такая вот обстановочка.

— Вы откуда все это знаете-то? — с усилием сглотнув, хрипло спросил Бронников.

— Да откуда... Я там сам сидел.

* * *

Чтобы осмыслить услышанное, Бронникову потребовалось секунды полторы. Они все еще стояли на улице. Он чувствовал, как начинает подрагивать левая нога — она скорее уставала, чем правая.

Сам он там сидел, говорит...

— И что? — спросил он, сам не вполне понимая, какой смысл вкладывает в этот вопрос.

Бозорянский пожал плечами и ответил просто:

— Сбежал.

Бронников помолчал.

— Вы сами говорили, оттуда не...

— А это кто как, — вздохнул Бозорянский. — Кто ничего не может, тот и не сбегает.

— Ничего не может?.. В каком смысле?

— Ну в каком... если человек прост как шпала, как ему сбежать? Если он собутыльника в пьяной драке грохнул, расчленил, часть сам съел, часть товарищу подарил под видом баранины, да вошел во вкус и еще двоих сожрал... я же говорю, удивительно, сколько таких развелось... а теперь мотает пожизненное, как ему сбежать? У него мозга примерно чайная ложка, и та без верха. Что он может?

— А вы что можете? — с новым подозрением в голосе поинтересовался Бронников.

— Я много что могу.

— Например?

— Во-первых, я месмерист...

— Месмерист? Гипнотизер, что ли?

— Не люблю этого слова, — поморщился Бозорянский. — Не совсем верно отражает суть дела. Гипноз — это чистая психология. А месмеризм — более физическое явление, связанное с магнитной энергией.

— То есть животный магнетизм. С вами не соскучишься. Давно наука развенчала ваш магнетизм...

— Развенчала или не развенчала, — нахмурился Бозорянский, — а только я могу усыпить всех в радиусе до километра. Мало вам?

Бронников хмыкнул.

— До километра? Такого в цирке не увидишь... И что же? Усыпили и сбежали?

— Вот именно, — сдержанно кивнул Бозорянский. — Так и было: усыпил и сбежал.

— А что же тогда Плетнева с собой не взяли?

— Вообще-то напрасно вы иронизируете, но это верно сказали! — месмерист уставил указательный палец в грудь Бронникову. — В самую точку. Хотел ведь! Хотел... да ключ-то где? Нечем было камеру открыть... Там у них в коридорах специальные такие устройства — ключница называется. Приварена к полу труба метровой высоты. Крепко приварена, не сковырнешь. Ладонь в трубу не пролезает. В случае мало-мальской опасности надзиратель должен кинуть в эту трубу ключи. Чтобы потом достать, нужен крюк какой-нибудь... есть у них там такие, пользуются. А если крюка под рукой нет — облизнись. Простая вещь, но эффективная... Ну и тот инспектор, что в плетневском отсеке, паразит!.. его замутило от моего воздействия, повело!.. Я кричу: слышь, говорю, ты, ебанит-

голова, дай ключи! А он, сука такая, на последней крохе
сознания, перед тем как сковырнуться, долг свой все-таки
исполнил: дзень! — и готово. Что мне делать оставалось?
Крюк искать? Так эти чертовы крюки где-то в другом
корпусе хранятся... это ж тюрьма, там дырочку возле па-
лочки не кладут. А времени в обрез, пора сматываться.
Из тамошних казематов пока выберешься — у-у-у! Ну,
я и свинтил...

И он огорченно махнул рукой.

— А за что сидели?

— А за что Плетнев сидит? — вопросом на вопрос
ответил Бозорянский. — На него пять трупов повеси-
ли — убивал он их?

— Не знаю... Думаю, что нет.

— Вот видите. Ни одного не нашли. Трупов нет, а
пожизненное — с нашим удовольствием. Кстати говоря,
мы здесь близко к делу подошли. Мы с ним как договор-
рились... — Бозорянский поднял указательный палец и
строго посмотрел на Бронникова.

— Ну?

— Мы с ним так договорились. Они с ним уже сколько лет бьются — все хотят, чтобы он под их обвинения
доказательную базу подвел. А как он может подвести доказательную базу, если на нем крови нет? Он не знает, где
тела убитых... Но на днях он заявит, что хочет сделать
признание. И показать, где закопан один из тех трупов,
что ему вчиняют.

— Вот как...

— Это для них дело серьезное. Если бы он и в самом деле на такое пошел, они бы, ясен пень, загарцева-
ли. Тогда бы и Суд по правам человека утерся, и всякие
там представители Совета Европы заткнулись. А как же.
Дескать, вот вы там все толкуете о нарушениях, о не-
правосудности, — а какая может быть неправосудность,
когда Плетнев наконец в сознанку пошел? И на днях нам

421

жертву свою предъявит. И это только первую! А потом, глядишь, еще четверых. Неправосудность они, видите ли, углядели. Вы, господа, просто не вникли толком в аргументы суда. Вам, господа, рассудка не хватило вникнуть. А аргументы-то, как ныне выясняется, были железные.

— Ну да... Пожалуй.

— Так что они с этим тянуть не станут. Сразу кинутся.

— Куда кинутся?

— Ну куда... кинутся дело до конца доводить. А это что значит? Это значит, что его из «Белой касатки» вывезут. Чтобы доставить на следственный эксперимент. Понимаете? А когда он окажется на месте, мы его оттуда и утащим.

Бронников нерешительно покивал.

— Место-то заранее будем знать, — пояснил Бозорянский. — То есть уже знаем, я с ним твердо условился. Он именно его назовет. Да, мол, знаю, где закопан трупешник. Сам закапывал. Там-то и там-то... На самом деле никакого трупешника нет, все выдумка. Да нам трупешник и не нужен. Нам нужно, чтобы Сашу из «Белой касатки» вывезли и доставили туда, откуда нам его выхватить удастся.

— Нам? — переспросил Бронников.

— Ну а кому? Кто все это будет делать? Мы с вами и будем... Да вы не сомневайтесь, — успокоил Бозорянский. — Ничего сложного. Они приедут на место... понятно, что не просто так приедут. С большой охраной. По периметру посты расставят. Типа, чтобы мышь не проскользнула. Ну и когда все будет готово, я их — раз! — и усыплю.

— Всех? — не поверил Бронников.

— До единого, — кивнул Бозорянский. — Не успеют и мяукнуть. Я бы мог и в одиночку справиться. Но ведь Плетнев тоже уснет. Мой месмеризм — это примерно как атомная бомба, глушит без разбору. А в нем, хоть и похудел донельзя, все равно весу хватает. Одному несподручно в машину запихивать.

— Ну, допустим, — нерешительно сказал Бронников. — А потом что?

— Вот! — что потом. Я ему предлагал сразу в Финляндию. Потому и место предлагал выбрать соответственное. Хотел, чтобы под Выборгом искали. От Выборга два десятка верст — и на пограничном переходе. Документы я бы соответствующие подготовил. Машину — тоже. Они бы и очухаться не успели, а он уже в солнечной Суоми... — Бозорянский замолк, недовольно щурясь.

— А он?

— А он не хочет.

— Почему?

— Говорит, должок хочет вернуть.

— Должок?

— Ну да. Точнее, долги... у него много накопилось. Ему надо в Москве покантоваться, кое-какие дела порешать. Поэтому насчет места иначе договорились — в леске между поселком Переделкино и платформой Киевской железной дороги «Мичуринец».

— Вот как...

Бронников, шевеля губами и чувствуя, что пришло время каких-то последних выводов, смотрел в асфальт, а потому не мог видеть, как вдруг изменилось лицо собеседника. А если бы и видел, то, скорее всего, не понял бы, в чем дело. Дело же было в том, что Бозорянский почувствовал что-то неладное, оглянулся — и точно: из-за угла дома кто-то тайком на них посматривал. Поймав его движение, соглядатай попытался скрыться, шагнуть в сторону, спрятаться, но было поздно: Бозорянский уже разглядел белый парик и набеленную физиономию, украшенную красной блямбой носа. Горбясь от спешки, клоун покинул свое убежище, скачками пересек Красноармейскую, нырнул за грузовик, припаркованный почти у самого перекрестка на улице Илюшина, и пропал из виду.

«Уйдет, собака!» — подумал Бозорянский, беззвучно скрипя зубами.

Тут Бронников снова взглянул на него.

— Но позвольте, как же мы с вами...

— Слушайте, Герман Алексеевич, — перебил Бозорянский. — Вы в этом доме живете, да? Двадцать шестая? Простите, мне нужно отойти на часочек. Я чуть позже загляну. И договорим. Лады? — он уже двинул прочь, но все же обернулся и, шагая почти задом наперед, крикнул: — Я и к чаю что-нибудь прихвачу! Чай-то не водка, много не выпьешь!

Бронников смотрел ему в спину, пока тот не пропал за поворотом.

7

Он поднялся на этаж, вышел из лифта, отпер дверь, разулся, разделся.

Дома опять никого не было.

Прошел в ванную, тщательно вымыл руки, задумчиво посматривая на себя в зеркало. Отражение ему не понравилось. «С выпученными глазами и облизывающийся — вот я. Некрасиво? Что делать». И впрямь ведь ни черта не поделаешь... ни черта не поделать с этим... с собой. Всегда был трусом... а оно теперь вон куда заехало.

Прошел в комнату, сел в кресло.

О чем это он, вообще?

Мысли неприятно путались.

«Надо позвонить Юрцу», — подумал Бронников. Ну да... последний разговор как-то нехорошо кончился. Он, как и прежде, не мог сейчас вспомнить, как именно нехорошо, но это не имело значения. Уж кто-кто, а Юрец поймет... что поймет?.. неважно, всегда понимал, и теперь поймет.

Набрал номер, долго слушал гудки. Положил трубку. Нет Юрца. Шляется где-то Юрец... Стоп! Юрца нигде нет, Юрец умер... а он подчас все звонит ему по привычке. Вот въелось-то...

Ладно.

Послышалось щелканье замка, хлопок входной двери.

— Кира? — крикнул Бронников, не находя сил подняться из кресла.

— Герман Лексеич, вы дома? — спросила Рая, заглядывая из прихожей в комнату и одновременно разматывая шерстяной платок, без которого, какие бы теплые ни стояли погоды, на улицу не совалась.

— Дома я, дома... Как тебе не жарко, Рая, — зачем-то сказал Бронников.

— Герман Лексеич, я ж вам сколько раз рассказывала, — тут же с охотой пустилась Рая в разговор. — Мне еще в школе фершал объяснил. Если мозги в тепле, лучше работают.

— А вот Суворов не так говорил, — возразил Бронников. — Как там? Ноги в тепле, живот в голоде, голова в холоде.

— Да это же он про солдат, — урезонила Рая. — А мы же не солдаты. А чтой-то вы сколько времени на углу стояли?

— На каком углу? — нахмурился Бронников.

— Да вот у дома же. Я из молочки иду... в молочку заглядывала, да только там все кислое, а кефира и вовсе нет... смотрю — стоите. И говорите что-то, и руками машете. Я даже подумала, вы кому-то в окно сигнал даете. Присмотрелась — вроде никого... Ну, думаю, это, значит, дело писательское... какие-то, значит, фантазии... посмотрела-посмотрела — да и пошла себе.

— Разве я один стоял? — усмехнулся Бронников. — Я приятеля встретил... вот и потрепался с ним минут десять.

— Приятеля встретили? — недоверчиво протянула Рая. — Чтой-то я не заметила...

— Ты, Рая, ненаблюдательная просто, — рассердился Бронников. — Что ж ты думаешь, я там стоял, чтобы сам с собою руками махать? Я что, сумасшедший? Приди в себя!

— Разве? — растерянно проговорила Рая. — Ну так это... ага... ну, может, и так... я и правда того... бывает, встану у плиты, смотрю-смотрю — куда это я прихватку дела? Сковородка уже синим пламенем горит, а я все мыкаюсь. — Она помолчала, поджимая губы, а потом с явным огорчением в голосе заключила: — Вообще-то и то правда... не очень я наблюдательная. Ладно... что ж... картошек надо начистить.

* * *

Бозорянский шагал торопливо, временами даже переходя на тряскую побежку, а потом, окончательно задохнувшись, снова сбиваясь на спешную ходьбу.

Его беспокоило, что в какой-то момент он потерял этого типа из виду. Нужно было сразу за ним срываться... потом бы договорил! А вот промедлил — и ищи теперь ветра в поле. Поначалу он видел маячившую далеко впереди фигуру, отмеченную понизу синим, поверху белым... а теперь сколько ни щурился, не мог разглядеть.

Может быть, он в какой подъезд нырнул?.. а ведь мог, мог, еблан сизокрылый!.. По правую сторону рядами стояли пятиэтажки, в каждой из которых подъездов было как минимум четыре. Если и нырнул, поди его теперь разыщи. Кроме того, стоит приняться здесь за методический розыск, этот тип ждать не будет: не успеешь обойти первые, как он, не говоря худого слова, смоется окончательно.

Оставалось надеяться, что преследуемый чешет куда глаза глядят, не пускаясь в такого рода выверты. Может быть, даже не подозревая, что является объектом охоты. Это ведь Бозорянский обратил на него внимание... а сам ловкач, скорее всего, уверен, что после своего подглядывания-подсматривания-подслушивания ушел незамеченным. Ладно, посмотрим... ну ушел так ушел, тогда в другой раз, пересекутся еще дорожки, ой пересекутся!.. А если не ушел, так все-таки догонит.

Озираясь, он выскочил на улицу 8-го Марта, секунду помедлил, тревожно вглядываясь в ее перспективу, и, к собственному разочарованию, так и не увидев ни синего, ни белого, свернул к дыре в бетонном заборе, за которым лежали рельсовые колеи Рижской железной дороги. За рельсами белел еще один забор, оснащенный примерно таким же проломом, как первый, а уж за ним простиралось широкое, приветливо зеленеющее пространство Тимирязевского парка.

Следовало все же признать: шансов на то, что он следует верным путем, было немного. Скорее всего, на этот раз придется остаться ни с чем. Этот тип обвел его вокруг пальца и теперь сидит, сукин сын, кайфует за стаканом желудевого кофе в какой-нибудь окрестной забегаловке, втайне посмеиваясь над своим преследователем, пока тот наживает одышку и колотье в боку, летя черт знает куда, будто гончая собака...

Но если он и впрямь ломанулся в лес, и если Бозорянский его в конце концов настигнет, лучшей диспозиции нельзя было и придумать: лес есть лес, в лесу ни лишних ушей, ни любопытных глаз... вот бы и правда!

Он спешил, спешил, оскальзываясь на сырой тропе, спотыкаясь о корни сосен, время от времени оступаясь в полные тлелой лиственной водой колеи, оставленные в лесу какими-то, черт их не знает, тракторами. Выбежал на аллею, ведшую налево, к прудам, — и, задохнувшись от радости, увидел вдалеке, там, где она чуть кривилась, отчего ее следующее коленце пропадало из глаз, искомое сочетание белого и сине-голубого.

Он догнал его близ Жабенских бугров — слева от речки Жабенки, струившей свое утлое течение по дну несоразмерно глубоких, густо поросших травой и кустами канав.

Он уже отлично различал даже отдельные пряди кипенно-белого парика (даром что, судя по всему, мочального), и синий комбинезон, при более или менее ближайшем рассмотрении оказавшийся вовсе не синим, а, скорее, серым, сильно ношенным и тусклым, и ботинки на несколько размеров больше, чем нужно, подошвами которых догоняемый бодро шлепал по земле примерно с таким звуком, какой сопровождает безжалостное выбивание ковров.

Бозорянский побежал — причем побежал на цыпочках, надеясь избегнуть лишнего шума, застать врасплох и повалить наземь, — но тот, что-то все же почуяв, оглянулся. А увидев набегающего, оскаленного страстью погони Бозорянского, на мгновение замер, прижав ладони к набеленным щекам, между которыми воспаленной краснотой светился накладной нос, по-заячьи заверещал и опрометью кинулся прочь.

Но далеко не ушел — Бозорянский ловко подставил ногу, и клоун покатился в траву.

Лежал недвижно, ошеломленный; потом заворочался и встал на четвереньки.

— Кто тебя послал? — яростным полушепотом крикнул Бозорянский. — Говори!

— Никто, — с усилием выговорил клоун, моргая в траву. — Меня... никто... не посылал... Я сам кого хочешь могу послать.

— Врешь, сволочь! — Бозорянский воткнул носок ботинка в мягкое подреберье.

Клоун скорчился и со стоном повалился на бок, подтягивая ноги.

— Не надо! Меня никто!.. я не!..

— Говори! — заскрежетал Бозорянский. — Минуту даю, говори!

Но тот лишь мотал головой, пуская слюни на затоптанную землю и листья.

— Молчишь, гад! — Бозорянский опустился на корточки и, схватив за горловину комбинезона, приблизил к себе лицо. — Как зовут?!

— Бим! — прохрипел тот, жмурясь, чтобы не видеть горящих глаз Бозорянского.

— Что «бим»? — тряся его за ворот, спросил Бозорянский. — Это что за имя?! Что ты хотел сказать? Начал, так продолжай! Что «бим»? Бимсы? Бисмарк? Или ты по-английски? Что — beam? Что — луч? Какой луч? Куда луч? Откуда? Договаривай, мерзавец!

— Бим... — повторил истязуемый, закатывая глаза.

— Ну и черт с тобой! — рявкнул Бозорянский.

Он заученным движением перехватил голову пленника и резко дернул. Хрустнули позвонки, клоун обмяк. Бозорянский поднялся на ноги, оглядываясь. Никого не было.

Напоследок он, не сдержав злобного раздражения, лишний раз пнул тело и быстро пошел в сторону Пасечной.

8

Не замечая вкуса, Бронников нехотя похлебал сваренного Раей супа. В сущности, суп был неплох, но луковица, вместо того чтобы остаться в сборе, распалась на желеистые чешуи, одна из которых то и дело оказывалась в ложке, а если по недосмотру следовала далее, вызывала ощущение прилипшего к языку слизняка.

Кое-как доев, он отодвинул тарелку. Посидел минут пять, дожевывая горбушку и невидяще разглядывая мелкие цветочки клеенки на кухонном столе.

Он все думал о словах этого... как его... Забыванского, что ли? Нет, переврал, как-то иначе... Забазарский?.. то же не то. Ладно, бог с ним... Хотя в памяти вертится, вроде вот-вот вспомнишь — а не получается. И вообще, представляется почему-то, что он давным-давно знает эту фамилию, только сейчас вылетела. Откуда?.. Может, он в семинар к нему ходил?.. Да ну, какой семинар, этому Зажигалскому не по семинарам шастать, а с кистенем на большой дороге стоять. Бог с ним... Плетнев не виноват, это понятно. Неужели этот Загорянский и в самом деле такой месмерист? Чушь, чушь, не бывает такого. Чепуха. Сказочки... Но как хочется Сашку вытащить. Вдруг все же сможет сделать, что обещает?.. И какая опасная, какая острая затея. Шутка ли!.. Если что-нибудь пойдет не так, если они попадутся... Да уж, тогда несдобровать. Пожалуй, самих отправят в колонию «Белая касатка»... что ему там на старости лет делать?

Невольно содрогнулся.

И еще то и дело всплывал в памяти этот памятник в виде БТРа...

Вот тоже странная вещь. Пришло же в голову соорудить такое!

Он все смотрел на цветочки на клеенке — на эти пестрые разноцветные цветочки. Скоро стало казаться, что они приподнялись над плоскостью стола, словно вырастая из нее. Потом их лепестки начали легонько трепетать, как будто по ним прохаживался легкий ветер, а они, подобно нежным личикам эльфов, сладостно щурясь, помаргивали в ответ на его касания...

Смотрел на цветочки, а видел какой-то огромный круглый зал, высота которого значительно превышала диаметр — зал был коническим; точнее, в форме сильно вытянутого яйца или древнерусского шлема. В середине купола пронзительно синий круг — и не понять, это ухищрение строителей или на самом деле окно в ясное небо. Сам купол украшен сложными орнаментами: причудливо чередуясь с белизной, в них играет и переливается та же острая синева. Неуловимые закономерности заставляют зрителя снова и снова пробегать по ним взглядом в поисках какого-нибудь завершения. Но завершения нет... приходится пуститься на новый круг, потом еще на один, и еще, и так без конца — пока усилием воли не переведешь взор на что-нибудь другое.

Мраморные столбы, колонны, золоченые капители коринфского ордера, золотые двуглавые орлы, золотые колонны понизу... четыре золотые статуи — копья, аттические шлемы с гребнями, доспехи — какая-то мифология, сразу не разобрать. По периметру круглые медальоны в человеческий рост с барельефами. Все торжественно и пышно.

Широко раскрываются двери и...

— С БТРом же у тебя получилось? — говорит архикратор. — Теперь представь другое — парашютист!

Правой рукой он приобнимает скульптора за плечи, а левой машет, обрисовывая то, что прозревают его глаза.

— Последняя секунда полета! Приземление!.. В парашютном деле самое опасное — приземление. Весь он собран. Подтягивается на стропах, ноги полусогнуты, вот-вот коснется земли. Точнее, левая уже коснулась — самую чуточку коснулась.. а стопе еще сгибаться и сгибаться...

— Левая? — озабоченно переспрашивает ваятель.

— Левая, правая, какая разница! — раздражается архикратор. — Любая. На чем все сооружение стоять-то будет? На этой ноге и будет. Не понимаешь? Кто из нас скульптор, вообще?

— Ясно, ясно... оригинально...

— Ну и, соответственно, все остальное: стропы, купол.

— Купол... ага. Если купол, тогда как павильон можно использовать.

— Какой еще к ляду павильон? Ты что, Василий! Не ярмарку проектируешь!..

Андрей ВОЛОС

* * *

Но тут Бронников вздрогнул от мелодичного звона дальнего колокольчика, раскрыл глаза, попытался стряхнуть дрему — и ему представилось, что он взял телефонную трубку.

— Алло.

— Гера, как ты себя чувствуешь? — услышал он голос Юрца.

— Твоими молитвами... А что такое?

— Нет, ничего... просто вчера ты странный был.

— Я странный был? — удивился Бронников. — Разве?.. не знаю. Чем я был странный?

— Да как тебе сказать. Сидели, трепались, о литературе какие-то глупости... как обычно, в общем. Потом о жизни заговорили. А потом ты вдруг позеленел, икнул, как-то так странно распрямился, будто тебя на зонтик насадили — и такое понес! Я хотел «Скорую» вызывать.

— Что я понес? — морщась, переспросил Бронников.

— Ты сказал, что мы всю жизнь жили неправильно, и теперь остался последний шанс. И что надо хоть как-то наладить. Для чего мы должны немедленно поклясться в пожизненной верности архикратору, а потом записаться в добровольцы и ехать в Мозамбик воевать за Родину.

— В Мозамбик?

— Ну да... В Мозамбик.

— А почему... почему в Мозамбик? — с глупым смешком поинтересовался Бронников.

— Здрасте. Вчера ты все знал. Забыл? Там же последняя заваруха случилась. Последняя по времени, я хочу сказать.

— Какая заваруха?

— Слушай, старик, это у тебя какое-то психологическое выдавливание произошло... Вчера ты мне сам подробно рассказывал. По свежим следам. Возмущался, требовал немедленного отмщения, наказания агрессора... Не помнишь?

— Н-не помню... кажется, — неуверенно отозвался Бронников.

— Да... Ну, там, как обычно, дурацкая какая-то история. Слушал вчера Би-би-си, говорят, что наш ракетный катер вошел зачем-то в порт Мапуту. В процессе совершения неких замысловатых эволюций наскочил на шведский сухогруз, получил пробоину и тут же затонул. А наш Первый канал сообщил, что катер мирно стоял у причальной стенки, когда шведский сухогруз, разогнавшись, злостно его протаранил. Теперь для охраны наших интересов в Мозамбике Большой совет в спешном порядке разрешил послать туда ограниченный контингент. И уже едут зенитные комплексы С-400...

— А зачем зенитные, если катер?

— Ну зачем... понятно зачем: для отражения возможных атак с воздуха. А помидоров с бананами, наоборот, закупать у них за это не будем.

— А закупали?

— Не знаю. Очень может быть, своих-то нет. Свое у нас сам знаешь что: картошка да рябина. Короче говоря, ты телевизор включи, все узнаешь. Точнее, вспомнишь. Правды, конечно, не скажут, но лозунгов наслушаешься.

— Так а я-то что? — тупо спросил Бронников.

— А ты что?.. А ты рвался на балкон триколором махать. Сзывать ополчение. Только у тебя не нашлось триколора. Потому что, Гера, я тебе так скажу: вовремя триколорами надо запасаться.

Бронников несколько секунд тяжело молчал. Потом все услышанное связалось у него в голове единственно возможным, единственно разумным и верным образом, и он с облегчением выдохнул в трубку:

— Ты шутишь, Юрец! Ты меня дуришь!

Он думал, тот расхохочется, чем подтвердит его острую догадку и прекратит этот страшный розыгрыш. Но, вопреки его ожиданию, Юрец сказал хмуро:

— Если бы. У Раи спроси, она подтвердит. Никаких шуток. В общем, ты все митинговал и готовился отдать жизнь, а потом вдруг весь остекленел, будто тебя столбняк хватил, съехал на бок, чуть с кресла не свалился — и уснул как убитый. Мы с ней тебя на диван кое-как перетащили, и я ушел.

Положив трубку, Бронников долго сидел, забившись в угол дивана и нахохлившись.

— Что же такое, — бормотал он. — Неужели спятил?.. Неужели и меня тоже?.. Я же был устойчивый... Я же все понимал!.. Неужели все-таки подействовало?.. Не может быть!..

Он снова и снова повторял шепотом это суеверное «Нет, не может быть!».

Ему было страшно.

* * *

В пятом часу, когда он кое-как отвлекся с помощью зачитанного до дыр «Моби Дика» (отвлекся, да, но и сквозь океанские валы, сквозь паруса «Пекода» и зловещую белую тушу кашалота то и дело проступала какая-то дрянь), в дверь позвонили.

— Ах да, — сказал Бронников, отступая. — Заходите.

— Не договорили же, — хмуро пояснил Бозорянский, протягивая бутылку. — Я ненадолго.

— Армянский?.. поддельный небось. Ну что ж. Чай будете?

— А можно! — неожиданно живо отреагировал гость. — Чайковского! С баранками!

Насчет баранок как в воду глядел — Рая как раз принесла свежих.

Сели в комнате, за журнальным столиком.

— Встретил тут вашего приятеля, — невзначай сообщил Бозорянский, прихлебывая из чашки. — Смешной...

— Какого приятеля?

— А вот были у вас два таких... похожие. В париках ходят... ходили. С носами.

— А-а-а... да какой он мне приятель, — отмахнулся Бронников. — Он, по-моему, самый настоящий сумасшедший. И почему два?

— Два, два, — заверил Бозорянский. — Первого я еще по дороге встретил. Вообще, я вам скажу, подозрительные были типы.

— Подозрительные? Да пожалуй... Особенно этот Бим в... в своих отрепьях.

Хотел рассказать, как безумный клоун пытался убедить, будто он — начальник охраны архикратора... но почему-то передумал, запнулся на полуслове и только крякнул.

— Бим? — насторожился Бозорянский. — Вы думаете, это на самом деле его имя?

— А что же еще? Во всяком случае, мне он именно так представился. Клоуны ведь обычно парой: Бим и Бом.

— Вот как! А может, он и не Бим никакой? Может быть, он что-то другое хотел сказать, а вы не поняли, решили, что он имя называет. Может такое быть?

Бронников пожал плечами.

— А что именно сказать? Что может начинаться со слога «бим»?

— Бимс, — ответил Бозорянский. — Или Бисмарк.

— Ну и какой в этом смысл? Кроме того, «Бисмарк» — это с «бисм». Неувязочка.

— Можно еще по-английски, — не сдавался Бозорянский. — Beam — луч.

— Да? А в китайском ничего похожего не найдется? — съязвил Бронников.

Бозорянский помолчал.

— Про второго я точно знаю, — хмуро сказал он. — «Бом» — это от «бомбить». Тут не может быть двух мнений. И даже трех. Он хотел сказать, что они хотят что-то бомбить.

Бронников озадаченно на него посмотрел, пожал плечами и отпил чаю.

— Трех не может?.. Что-то я как-то... ну хорошо. Но что именно бомбить? И кто — они?

— Кто они — понятно. А вот что бомбить... если бы знать заранее! Хотелось бы выяснить. Не хочется, чтобы как гром с ясного неба. Это ведь не шутка.

— Ну так и выясняйте себе на здоровье! — рассердился Бронников. — И вообще, я на этот счет ничего не думаю и думать не собираюсь. Вы у него самого почему не спросите?

— У самого-то? — Бозорянский сощурился и покачал головой. — У самого уже не спросишь. Точнее, у обоих. То есть ни у одного.

— В смысле?

— Умерли.

— Как это?

— А как люди умирают? Поговорку слышали? — до обеда далеко, а до смерти близко. Скоропостижно. Шлеп — и готово. Ни дыма, ни вони.

— Да ну вас! — окончательно разозлился Бронников, совершая те предварительные ерзания, что бесспорно свидетельствовали о том, что он сейчас вскочит. — Что за ерунду вы говорите. Знаете, давайте либо о деле, либо... Я занят! Не смею задерживать!

— Герман Алексеевич, подождите, — остановил его Бозорянский. — Ладно, ладно, не буду больше про этих... что они нам? Простите великодушно. Мы с вами еще даже по рюмке не выпили. Просто я думал, вы что-нибудь о них знаете. Больно подозрительные. А на нет и суда нет, провались оба пропадом. Мы о Саше хотели договорить.

— Ну да. Я и говорю. Вы сказали, он в Финляндию не хочет.

— Не хочет, — подтвердил Бозорянский. — Ему надо долги вернуть. А потом уже... если, конечно, потом получится. Что вряд ли... Он мне свой план рассказал в подробностях.

— И каков же план? — Бронников чувствовал, как неприятно, будто крыса елозит, щемит сердце.

— План прост. Вы же знаете, каким образом передвигается по Москве архикратор?

— Ну а как... с мигалками.

Бозорянский хмыкнул, взглянув на него как на малого ребенка.

— Не все так просто. Там, видите ли, о безопасности неустанно думают. У них в этом отношении ни минуты рассеянности. Например, теоретически архикратору можно подложить ядовитую пасту: по виду «Бленда-мед», а на самом деле — отрава. Только начал гигиену наводить, бац! — и лапки кверху. Понятно, что паста и щетка лежат в специальном сейфе возле умывальника, под круглосуточной охраной. Или воду в бассейне испортить: горсть цианистого калия просыпал невзначай, архикратор пошел саженками, пару раз фыркнул от удовольствия — и пузом кверху, как снулая рыба. Поэтому всякий раз перед тренировкой в бассейн запускают несколько окуньков.

— Мне говорили, карасей, — буркнул Бронников.

— Если кто-то такую чушь вам и говорил, — наставительно возразил Бозорянский, — это только лишний раз подтверждает, что в деле безопасности этот субъект ничего не понимает. Именно окуньков! Каждый день при-

ходится с Селигера завозить, потому что они, даже если
вода не отравленная, все равно быстро дохнут. Нежная
рыбка, экологическая.

Бронников крякнул.

— Ну вот. Тем паче давным-давно поняли, что обыч-
ный VIP-кортеж чрезвычайно уязвим. Ведь как принято
ездить? В большом лимузине хозяин, в джипах — охрана.
Когда такой летит по улицам, всякому понятно, где именно едет главный — в лимузине. Дурак он, что ли, в джипе
трястись? То есть цель заведомо известна. Злоумышлен-
нику остается лишь улучить момент и навести гранатомет.
Верно?

— Пожалуй, — неуверенно протянул Бронников. —
Но откуда у него гранатомет?

— Это дело десятое, — отмахнулся Бозорянский. —
Гранатометом, если надо, любой дурак обзаведется. Поэтому когда нужно куда-нибудь ехать, архикратор пере-
мещается совсем иначе. Никогда не наблюдали?

— Да как-то, — Бронников пожал плечами. — Нет,
в последнее время не наблюдал. Раньше, помню, с мигалками, а сейчас... Бог их знает.

— Тогда рассказываю. Первыми на страшной скорости мчат шестнадцать мотоциклов. Это преимущественно для устрашения тех, кто еще не успел спрятаться, — воют сиренами, мельтешат ало-голубыми
мигалками. За ними — броневики охраны. С радара-
ми, с пулеметами на крышах. Следом штук пятнадцать
бронированных «мерсов». Стекла глухо тонированы:
поди угадай, в котором глава. Замыкает еще одно под-
разделение охраны — эти на «хаммерах». Четыре вер-
толета прикрывают с воздуха. Грохочут — спасу нет.
Еще выше несут дежурство два звена фронтовых бом-
бардировщиков Су-24. Рева еще больше — хоть уши
затыкай. Одно справа налево: у-у-у-у-у-у!.. Другое

слева направо: у-у-у-у-у-у!.. Сделали петлю и опять навстречу друг другу. Просто ад!..

— Господи! — удивленно сказал Бронников. — Вот не знал...

— Дорога пуста, — продолжал Бозорянский, находя, казалось, странное удовольствие в описании столь подробно известных ему приемов безопасности. — Всякое иное движение прекращается за четыре часа до планируемого проезда объекта. Понятное дело, что примыкающие улицы перекрываются наглухо. На верхних этажах домов размещены снайперы. Кроме того, окна глядящих на дорогу зданий давно заложены кирпичом.

— Кирпичом? Серьезно? — опять удивился Бронников. — А как же?..

— Силикатным кирпичом, — отрезал Бозорянский. — Но это еще не все. Две точно такие процессии движутся другими маршрутами. Понимаете? Вот и угадай. Не зря его наперсточником называют. Попробуй такого ущучь. Но Плетнев сможет, я уверен.

Бозорянский вскинул голову движением легкой восторженности.

— Подождите, — оторопело сказал Бронников. — Вы хотите сказать, что Саша Плетнев его хочет ущучить? Ему собирается должок вернуть?

— Ну а кому еще? Ему, родимому. Знаете, сколько он делов наделал?

— Откуда мне знать... вообще-то догадываюсь. Но...

— Россия ему этого не простит, — твердо сказал Бозорянский.

— Да, Россия, — вздохнул Бронников. — Я, знаете, часто думаю... Россия — спящая царевна. И никак не дождется витязя, который...

Бозорянский насмешливо фыркнул, перебив его привычное рассуждение.

— Что? — удивился Бронников.

— Царевна! — глумливо-издевательски повторил Бозорянский. — Ишь ты — царевна! Вы, Герман Алексеевич, не просто идеалист... вы какой-то закоренелый идеалист. Даже, я бы сказал, законсервированный.

— Почему это?

— Почему, почему... Знаете, когда я кончал школу, у нас учились два милых мальчика. Одного, помню, звали Алим, а другого — другого просто Колька. Здоровые такие парни... на фоне прочих — просто богатыри. И довольно веселые, — он покачал головой, что-то припоминая. — Так вот. Два этих весельчака как-то раз полезли исследовать подвал пятиэтажки возле рынка. А время, надо сказать, тоже было веселое — на рынке прямо у ворот несколько рюмочных, пивная, еще какой-то шалман, «Голубой Дунай», как говорится. Вечно там народ... разного пошиба. И женщины, разумеется. Но женщины — одного. Так вот. Шарили они там, шарили, и нашарили одну из этих теток. Она, видать, в ларьке получила, чего душа просила, нахлесталась опивков и поплелась в подвал вздремнуть. Так что они сделали?

— Что? — хмуро спросил Бронников.

— Понятное дело, сначала они ее по нескольку раз изнасиловали. Это, думаю, ей не сильно повредило... просто в силу образа жизни и многолетней привычки к подобным обстоятельствам. Но в этом чертовом подвале валялся, как на грех, обрезок водопроводной трубы. И вот они по концовке ее на эту трубу... примерно как бабочку то есть...

— Хватит! — крикнул Бронников. — Что за мерзость!

— Мерзость, — легко согласился Бозорянский. — Еще бы не мерзость. Но они за нее по крайней мере поплатились. Будь совершеннолетними, так и вышака бы схлопотали. А вот с вашей-то царевной иначе. За то, что с вашей царевной содеяли, — за это, боюсь, никто не ответит.

Бронников скривился.

— И вот вы все — Россия да Россия. Вы ее знаете, Россию-то? Все лубочки да сказочки... А хотите, настоящую покажу?

Бронников пожал плечами.

— Как покажете?

— Да очень просто, — ответил Бозорянский. — Смотрите сюда, Герман Алексеевич.

И, сложив ладони, протянул таким жестом, будто предлагал из них испить.

— Что еще? — пробормотал Бронников, отшатываясь (кому приятно, если чужие руки прямо в физиономию!), но при этом все же машинально переводя взгляд на большую корявую горсть Бозорянского, — разумеется, не для того, чтобы на самом деле что-то увидеть, а просто повинуясь каким-то органическим рефлексам.

Но он увидел.

Сначала только слабое мерцание — будто в его горсти лежал драгоценный камень... или уголек, что ли?.. или была у него там запрятана серебряная монетка, по которой прошелся отблеск.

Так же бессознательно Бронников наклонил голову, чтобы присмотреться. Свечение стало разрастаться, залив горсть мерцающим сиянием, как будто наполнив ее густой водой... или, скорее, ртутью... или расплавленным серебром?..

Зеркало трепетало, по нему бежали приковывавшие взгляд полосы, мелькания тьмы и света... а в следующее мгновение они хлынули в самые зрачки, захватив его существо целиком, — словно Бронников прямо с распахнутыми глазами погрузился в это блистающее озеро по самую макушку.

Андрей ВОЛОС

* * *

Он не знал, сколько времени прошло.

Кажется, совсем немного.

Бозорянский смотрел на него с неясной улыбкой, будто дожидаясь завершения эксперимента, в результатах которого был заранее уверен.

Слезы мешали Бронникову видеть ясно, поэтому лицо Бозорянского дрожало и плыло, и радужно переливалось.

А его полнило свинцово-тяжелое, горестное чувство, словно он только что пережил страшное несчастье, в сравнении с которым все прежние жизненные невзгоды — просто минутные неурядицы.

— Впечатляет? — участливо спросил Бозорянский.

Бронников слова не мог молвить, и только сглотнул.

Бозорянский сочувственно покивал.

— А ему показал, так представляете — не впечатлило, — сказал он. — Я, говорит, и так все это знаю... архикратор-то. В курсе я, говорит, нечего мне тут фокусы свои.

Бронников молчал. Все в его мозгу плыло и качалось. Архикратору показывал? Господи!.. Архикратору!.. Да с чего же они все с ним столь накоротке? Что за бред?.. Должно быть, он и на самом деле сошел с ума... То есть — все, конец? У него больше ничего нет?.. Что у него было кроме ума? И тот — кончился?.. Сначала Бим ненормальный... начальник охраны, видите ли... Теперь этот месмерист. Месмерист он, может, и месмерист... как он это устроил, в ладонях-то?.. гипноз? Но сам — без слез не глянешь: в спортивных штанах, тертых кроссовках, блатной курточке поверх несвежей олимпийки... И вот он что-то там архикратору показывает. Врет? Сочиняет на ходу? Боже, боже, где мой ум?!

— Ладно, утрите слезы, слезами делу не поможешь, — сказал между тем Бозорянский. — В общем, сами видите. Поэтому не нужно сомневаться. Ни к чему это. Будем решительней. Схема действий примерно та же, что при похищении самого Плетнева. Как только Саша окажется в Москве, я разведаю, на какое время назначен очередной выезд. Дальше — дело техники. Они выезжают. Плетнев ждет на полпути. Я всех усыпляю.

— Всех? — глядя ему в глаза, переспросил Бронников в последней попытке понять, где правда, где вымысел, где бред, где реальность.

— Весь город! — крикнул Бозорянский. Физиономия его почему-то кривилась, да и руки нездорово подергивались. — Всю Москву! Я весь мир могу усыпить! Плетнев, разумеется, тоже уснет. Но его я, в отличие от всех прочих, разбужу. И он начнет действовать!

Бронников секунду немо смотрел на него выпученными глазами, потом яростно провыл что-то невнятное и вскинул над головой сжатые кулаки. При этом он пытался хохотать — чтобы показать этому чокнутому, как он относится к его бреду, которым тот вот уж сколько времени морочит ему, Бронникову, голову. Но смеха не выходило, а выходило только какое-то злобное карканье.

— Вы сумасшедший! — выкрикивал он, качаясь вперед-назад и потрясая кулаками. — Господи! Я-то, дурак, слушаю! Вам в Кащенко надо! Немедленно! В смирительную рубашку! Аминазина десять порций! Господи, откуда столько психов! Вы псих! Или кто псих? Или я псих?! Боже мой, они всех, всех свели с ума! Я сам сошел с ума! Что они делают? Кто здесь останется?! Это страна сумасшедших!

Бозорянский молчал, высокомерно на него глядя.

Крякнула входная дверь.

Должно быть, Кира услышала последний выкрик Бронникова; во всяком случае, она тут же заглянула в комнату.

— Вы дурак, Бронников, — скрипуче сказал Бозорянский, мельком оглянувшись. — Дурак и тряпка. Я вам дело предлагал!.. Эх ты! Скажи жене спасибо, что вовремя пришла. А то бы устроил я тебе тепель-тапель!

Кинув на остолбеневшую у дверного косяка Киру мимолетный взгляд, он вдруг сорвался с места, тремя огромными прыжками, с каждым набирая все большую скорость, достиг распахнутой балконной двери, а четвертым, вытянувшись в полете, перемахнул перила — причем полы его пиджака сами собой расправились, разошлись в стороны и заплескались, как живые.

— Гера! — отчаянно закричала Кира. — Держи!

Однако она испугалась напрасно: Бозорянский вовсе не обрушился вниз.

Наоборот: маша полами и при этом как-то странно туманясь, будто теряя прежние контуры, непостижимо меняя очертания, только что казавшиеся столь определенными, он поднимался выше — и с каждым взмахом все более отрастающих, все более увеличивающихся черных крыльев превращался в огромную птицу.

Выбежав на балкон, одной рукой впившись в перила, а другую поднеся ко рту и до боли закусив большой палец, Бронников неотрывно следил за ее полетом.

Птица летела дальше и дальше. Она быстро переставала быть столь несуразно громоздкой — то ли, продолжая менять форму, съеживалась до размера крупной вороны, то ли, оставаясь прежней величины, выглядела все меньше в полном соответствии с законом прямой перспективы.

И все же он понимал, что происходит что-то неладное: хотя и явно уменьшаясь в размере, загадочное пернатое занимало в небе все больше места, как будто само небо сжималось вокруг этого существа, кривясь и морщась наподобие печеного яблока.

Между тем аспидные крыла со свистом пластали сырой ветер, и лишь несколько взмахов отделяли их от сизого края тучи, тяжело налившейся над северной окраиной Москвы.

МЕСМЕРИСТ

Бронников содрогнулся, вообразив, что случится, когда крыло с маху прорежет тяжелый желвак: он лопнет, взорвавшись белым огнем молнии, всплеск пламени захлестнет все вокруг — и обрушит мир, погребая сущее под собственными его обломками.

Первые капля дождя упали на его искаженное мукой знания лицо.

Птица уже пропала за деревьями и крышами, а Бронников все еще тянул шею, до слез всматриваясь в пустое пятнистое небо.

Оглавление

Литературно-художественное издание

СУДНЫЕ ДНИ

Андрей Волос

КРЕДИТОР & МЕСМЕРИСТ

Ответственный редактор *В. Ахметьева*
Младший редактор *М. Каменных*
Художественный редактор *С. Курбатов*
Технический редактор *Г. Романова*
Компьютерная верстка *Г. Сенина*
Корректор *Т. Остроумова*

ООО «Издательство «Э»
123308, Москва, ул. Зорге, д. 1. Тел. 8 (495) 411-68-86.
Өндіруші: «Э» АҚБ Баспасы, 123308, Мәскеу, Ресей, Зорге көшесі, 1 үй.
Тел. 8 (495) 411-68-86.
Тауар белгісі: «Э»
Қазақстан Республикасында дистрибьютор және өнім бойынша арыз-талаптарды қабылдаушының
өкілі «РДЦ-Алматы» ЖШС, Алматы қ., Домбровский көш., 3«а», литер Б, офис 1.
Тел.: 8 (727) 251-59-89/90/91/92, факс: 8 (727) 251 58 12 вн. 107.
Өнімнің жарамдылық мерзімі шектелмеген.
Сертификация туралы ақпарат сайтта Өндіруші «Э»
Сведения о подтверждении соответствия издания согласно законодательству РФ
о техническом регулировании можно получить на сайте Издательства «Э»
Өндірген мемлекет: Ресей
Сертификация қарастырылмаған

Подписано в печать 01.11.2016. Формат 84х108 $^1/_{32}$.
Гарнитура «Academy». Печать офсетная. Усл. печ. л. 23,52.
Тираж 1 500 экз. Заказ 7904.

Отпечатано с электронных носителей издательства.
ОАО "Тверской полиграфический комбинат". 170024, г. Тверь, пр-т Ленина, 5.
Телефон: (4822) 44-52-03, 44-50-34, Телефон/факс: (4822)44-42-15
Home page - www.tverpk.ru Электронная почта (E-mail) - sales@tverpk.ru